東亜(運命)共同体

西洋文明の停滞
中華文明の平和的再興
日本の「脱欧返亜」

立命館大学教授 徐 剛 著

日本僑報社

目　次

まえがき

　旧約聖書（箴言29-18）に「ビジョン無き民は滅ぶ」（Without vision people perish）という一節がある。Visionは預言、啓示、黙示などと和訳されている。国際秩序が大きく変わる可能性を秘めた今、正確に将来を見通す力が求められる。

　長期スパンで歴史を捉えた場合、多少の紆余曲折はあるものの一方向に流れ、逆流することはないことが見て取れる。短期スパンで歴史を捉えるだけでは正確な将来ビジョンを導き出すことは難しい。

　本書では、歴史の流れを読み解いた上で、将来ビジョンを検討する。まず、人類の歴史を振り返り、その根底に流れる「法則」を見出す。次に、日本のメディアがあまり報じない中国や米国について紹介し、西洋文明の停滞と中華文明の平和的再興という二つの潮流について考える。さらに、東アジアの共通項に着目し、日本が西洋と東洋の橋渡し役を果たし、東洋文明の再興や人類の発展に貢献する可能性について考える。

　日本はかつて、西洋列強の侵略からアジアを解放しようと立ち上がった。文明史的に見れば評価できるものであり、当初は植民地支配された国々やアジア諸国に勇気を与えた。しかし、日本は日露戦争で西洋の大国ロシアを破った後、方法論的には西洋と同じ道を歩んでしまった。その後、第二次世界大戦で敗戦国となり、現在は「西側」の一員として、「脱亜入欧」を果たしたかのように見える。

　20世紀最大の出来事は何かと問われれば、二度にわたる世界大戦と東西冷戦を挙げることができる。一方、文明史的に見れば、植民地の独立と考えることもできる。私たちが生きるこの21世紀はその延長線上にある。

　中国の平和的再興は地政学的に語られることが多いが、もっと大きな視点で捉えることはできないだろうか。中国の再興により、西洋がこの500年にわたり築いてきた国際秩序が終わりを告げる可能

性がある。中国は巨大な人口を活かして驚くべき速さで工業化を成し遂げた。その結果、東アジアの製造業GDPは欧米を凌ぎ、第四次産業革命で中国が世界をリードする可能性もある。そうなれば、西洋の絶対的優位が揺らぎ、国際秩序の多極化や人類の民主化が進むだろう。なお、ここでいう人類の民主化とは、途上国を含む世界各国が平等互恵な形で国際秩序を形成することを意味する。筆者は、西洋中心の国際秩序が終焉しても混乱が生じることはなく、むしろ、途上国の経済発展が先進国に利益をもたらすだろうと考えている。

　とはいえ、日本人の心の中には西洋スタンダードが根付いており、敢えて西洋文明に挑もうと考える人は少ないかもしれない。また、過去150年間にわたり自らの後塵を拝してきた中国が一躍世界をリードする立場に躍り出た場合、心情的には受け入れ難いであろう。そこで、本書をきっかけとして、日本が「脱亜入欧」から「脱欧返亜」へ戦略転換する可能性について一度考えてみて頂ければと思う。政治的視点に立つのではなく、歴史的視点に立って考えて頂きたい。

　日本の報道は、筆者の目には、イデオロギーや地政学に縛られ、西洋文明の論理に追随しているように見える。文明論的歴史の流れという大きな枠組みで物事を捉えることが少なく感じられる。日本独自の理念が確立できなければ、将来ビジョンを見誤るリスクもあると危惧している。日本のメディアは40年にわたり「中国崩壊論」を唱えてきたが、実際には中国は40年にわたり経済成長を続けた。第三章で述べるが、「中国崩壊論」はある意味、中国の経済成長に寄与したとも言えるのではなかろうか。

　2009年、作家の村上春樹氏はエルサレム賞の授賞式で、「卵と壁」と題する有名なスピーチを行った（「村上春樹」と「卵と壁」でネット検索すれば、日本語と英語のスピーチ全文を見ることができる）。村上氏はイスラエルから立派な賞を頂きながら、イスラエルに対して自分は「卵」（パレスチナ）の側に立つと宣言した。その上で、イスラエル人を含む全ての個人が「卵」であり、「壁」という「システム」に対峙しなければいけないと語った。イスラエル人は彼のスピーチを複雑な気持ちで聞いたに違いない。

　中国という国も大きな「システム」であり、その規模の大きさゆえに恐れられているが、西洋中心の現在の国際秩序を変えるには、日本一国だけでは難しい。本書では、中国をはじめとする非西洋の途上国が、なぜ、数百年にわたる苦難や模索を経て「壁」を崩せるまでに力を蓄えたのかについて述べる。また、東洋は西洋より平和な世界を実現できると考える根拠について説明する。

　西洋中心の国際秩序は、言い換えれば、西洋が定めた「ルールに基づく」、西洋の、西洋による、西洋のための「国際秩序」である。誤解を招かないように述べるが、私には西洋人の友人も多く、彼らに親近感を抱いている。西洋人を敵視する気は毛頭なく、西洋人も「卵」であると思っている。

　皆さんは「水が半分入ったコップ」の例えをご存知でしょう。ある人は水が多いと感じ、ある人は水が少ないと感じる。客観的事実は一つなのに、人はなぜ正反対の感覚を抱くのだろうか。多いと感じる人にはそう感じる「客観的」事実や根拠があり、一方、少ないと感じる人もしかりである。どちらも正しいのに正反対の結論が導かれるのはなぜだろうか。これは日本、中国、米国の各国メディアにも言えることではないだろうか。それぞれの見方の背景にはそれぞれの動機があり、人間の動機は時に目を曇らせ、理性を鈍らせることがある。大切なのは理性的に判断できるかということである。

　中国は決して日本の敵ではない。いや、仮に「敵」であったとしても、「敵を知り己を知れば百戦危うからず」という孫子の名言を念頭に置き、冷静な気持ちで「敵」を知る努力をしなければならないであろう。

　私は科学者そして工学者として長年研鑽を積んできたが、今回、敢えて新しい分野で筆を執ることにした。私も人間である以上、「水が半分入ったコップ」の呪縛から完全には逃れられないが、科学や工学に携わる者として、事実に基づき、論理的に公平で偏らない議論を展開し、歴史の審判を受けたいと考えている。そして、万が一、自分が構築した将来展望と史実とがかけ離れてしまった場合には、素直に思考の軌道修正をしようと思う。また、本書を読んだ

後、中国にも改善すべき点が多々あるのではないかと疑問を抱く読者もいるかもしれない。もちろん、中国にも改善すべき点が多々ある。しかし、この問題については既にメディアが多くを報じているので、本書では深入りしないことにする。

　筆者は中国で生まれ、20代前半で日本に留学し、以後40年近く日本で学び、仕事や生活をしてきた。数多くの優しい日本の友人に囲まれ、良い人生を送ることができたと深く感謝している。そのため、私の祖国である中国も、永住する日本も、共に繁栄して欲しいと切に願っている。そして、東洋文明の再興と全人類の発展を期待して、日中両国が手を携えて欲しいと願っている。同時に、米国には東洋のライバルとして存在感を示し続けて欲しいとも感じている。

　また、本書では排中律の二元論を否定している。世界を白か黒かに二分するのは哲学的に誤っている。実際には真っ白も真っ黒も存在せず、グレーしかない。グレーは純粋な白と純粋な黒の間にあり、どちらに近いかで濃淡が異なるだけである。同様に、100％の社会主義国も100％の資本主義国も存在しない。中国は国有経済が占める割合が高いという点では社会主義であるが、私有経済も発展しており、資本主義の側面も持つ。米国は資本の支配力が非常に強いという点では資本主義であるが、税金を貧しい人に再分配するという点では社会主義的でもある。本書では白か黒かの二元論的な論法をとらないよう心がけた。

　さらに、本書ではイデオロギーを鵜呑みにしないように注意を促したい。共産主義は優れている、民主主義は良いという抽象的、観念的、結論ありきで物事を論じるのではなく、人々の願いを起点に、人々がどう感じ、何を望んでいるのかを具体的に検討するようにした。「オッカムの剃刀」が示すように人間はどうしても思考節約の法則に縛られる。具体的に突き詰めて考えるより、イデオロギーに逃げ込む方が楽であるが、それでは真実に近づくことはできない。

　読者の中には筆者の主張に違和感や疑問を抱く方もいるかもしれない。もし、事実誤認や論理的齟齬があれば、遠慮なくご指摘頂きたい。筆者は謙虚に受け止め、事実と論理に基づいて議論し、誤り

は真摯に訂正したいと思う。

　本書は七章で構成されている。第一章では、人類の進化史を振り返り、西洋が作ってきた現在の国際秩序が徐々に変化し、人類の民主化へと時代が移り変わろうとしていることを指摘した。第二章では、人類の進化史から導き出される普遍的課題と法則について論じた。これらは現在進行中の様々な問題に対する解釈や思考のヒントとなり、将来ビジョンに示唆を与えるもので、第三章以降の論点の論理的・理論的基礎となっている。第三章では、中国を文明という切り口で捉えた。中華文明の歴史を振り返り、事実とデータに基づいて今日の中国について客観的に述べた。第四章では、中国と米国の競争がどのような分野で繰り広げられ、今後どのように進展するかについて論じた。これは二国間の競争にとどまらず、東洋文明と西洋文明の争いでもあり、結果として、西洋中心の国際秩序の終焉をもたらす可能性が高い。そうした文明史的含意も明らかにする。第五章では、中国が米国超えを果たした場合、どのような国際関係を築くことができるかについて、中国の歴史や文化に基づいて展望する。第六章では、西洋中心の国際秩序の終焉という人類史上未曾有の歴史的転換が実現する可能性を見据え、日本の立ち位置について考える。日本は「西側」諸国の一員である一方、東洋の一員でもある。二元論的に見れば、日本は矛盾した状態に身を置くが、弁証法的に見れば絶好のポジションにいると言える。第七章では、「人類運命共同体」の一部である「東亜（運命）共同体」を推進することにより、東アジアの更なる発展が期待されること、また、「人類運命共同体」の経済発展の見通しについて私見を述べた。

　最後に、「東アジア共同体」は提唱されて久しく、日本では東アジア共同体研究会や東アジア共同体評議会などが取り組みを進めている。本書では「東亜（運命）共同体」という言葉を使っているが、筆者はこの名称そのものには固執しておらず、実態が重要であると考えている。日中は主導権争いにしのぎを削るのではなく、「東亜（運命）共同体」の重責を担うリーダーを目指して切磋琢磨して欲しいと願っている。

第一章

人類はどこから来てどこに向かうのか

人類の誕生と進化

　今の人類はホモサピエンス（新人）と呼ばれている。人種間で顔や体つきがだいぶ異なるが、約20万年前にアフリカで誕生したホモサピエンスを共通の祖先とする。

　新人の前には、初期猿人、猿人、原人、旧人がいた。

　約700万年前、アフリカで初期猿人が誕生し、チンパンジーとの共通祖先から分かれ、森林で直立二足歩行を開始した。

　約400万年前、アフリカで猿人が誕生し、直立二足歩行した。猿人の一部は脳が500ミリリットル以上に進化し、森林から草原にも出た。

　約200万年前、アフリカでホモ・エレクトス（原人）が誕生し、脳が更に大きくなり、知能が発達した。本格的に石器などの道具を作製し、積極的に狩りを行なった。原人が火を使用した証拠も見つかっている。

　約60万年前、アフリカでネアンデルタール（旧人）が誕生し、手、脳、道具の相互作用が進み、脳が更に大きくなり、中大型動物を狩猟するまでに発達した。

　そして、約20万年前にアフリカでホモ・サピエンス（新人）が誕生した。更に約6万年前に新人はアフリカから世界中に拡散した。ホモサピエンスとネアンデルタールは約4万5千年前から3万年前までは同じ地域に生存していたことがあり、ごく少数の交配もあり、新人の遺伝子にはわずかに旧人の遺伝子が見つかっている。

　なぜ、ホモサピエンス（新人）より体も脳も大きいネアンデルタール（旧人）が絶滅したのだろうか。それは、新人が約5万年前に言語能力を持ったことと関係があると見る説が有力である。旧人は言語能力が低く、少人数の集団しか構成できなかった。人類の生存競争は組織規模の競争でもあり、これは今も変わらない。

　このように、今の人類はチンパンジーから一直線に進化したのではなく、新しいヒト科が生まれ、古いヒト科が絶滅するというパターンを繰り返してきた。

　更に、下記の通り、新しいヒト科が生まれる間隔が短くなっている。

初期猿人の誕生から猿人の誕生までの間隔（年）	7,000,000 － 4,000,000 ＝ 3,000,000
猿人の誕生から原人の誕生までの間隔（年）	4,000,000 － 2,000,000 ＝ 2,000,000
原人の誕生から旧人の誕生までの間隔（年）	2,000,000 － 600,000 ＝ 1,400,000
旧人の誕生から新人の誕生までの間隔（年）	600,000 － 200,000 ＝ 400,000

　一方、これを対数で見た場合、間隔は比較的一定して見える。

log 7,000,000 - log 4,000,000 ＝ 0.24
log 4,000,000 - log 2,000,000 ＝ 0.30
log 2,000,000 - log 600,000 ＝ 0.52
log 600,000 - log 200,000 ＝ 0.48

　いずれにせよ、進化が加速的に進んでいるのは間違いない。ならば、ホモサピエンス（新人）の次のヒト科はいつ誕生するのだろうか、ホモサピエンス（新人）もネアンデルタール（旧人）のように絶滅するのだろうかなど、興味は尽きない。ホモサピエンス（新人）が次のヒト科を人工的に創り出すという可能性も排除できない。

　ホモサピエンス（新人）は20万年にわたり繁栄した。約1万年前に狩猟生活に農耕や牧畜が加わるようになり、農業文明が発達した。そして、250年前に欧州で工業文明が始まり、世界へ広がった。現在までのわずか250年の間に、第一次産業革命から第四次産業革命へと急速な発展を遂げた。第一次産業革命は1776年に英国で蒸気機関が本格的に使用されたことで幕を開けた。第二産業革命は百年後の1800年代後半、米国とドイツで始まった電気化であると定義

されている。第三次産業革命はコンピュータの使用と定義されており、1945年の米国のノイマン型コンピュータに端を発する。第四次産業革命はAIやIoT、ビッグデータを活用した技術革新と定義されており、2010年頃に始まったとされる。第一産業革命から第二次産業革命までは約1世紀、第二産業革命から第三次産業革命までも約1世紀、しかし、第三次産業革命から第四次産業革命までは60年であり、進化が加速している。

世界の人口増加

　農耕が始まるまでの5000年間の人口増加率は年率0.005％に過ぎなかった。農耕により生産力が格段に上昇すると、人口増加率は約10倍の年率0.045％に達した。

　世界の人口は紀元元年に1億7000万人となり、その後1000年間で9500万人増加して2億6500万人になった。紀元1500年の人口は4億2500万人（年率0.1％増）、紀元1500年から1700年までの200年間は年率0.18％で増加し、6億1000万人となった。ただ、1700年以降の工業化社会時代と比べれば、農耕社会の人口増加率はかなり低い。

　17世紀にオランダで東インド株式会社が誕生し、資本主義が始まった。1700年から1800年までの百年間で人口増加率は0.39％に上昇し、19世紀前半には0.58％に達した。1850年の世界の人口は12億人となる。その後100年間の人口増加率は0.74％で、1950年の世界の人口は25億人となった。さらに次の50年は年率1.8％増加し、2000年に世界の人口は61億人を突破。現在は80億人に達したと発表されている。

　一方、工業化社会では少子化が起こり、人口が減少に転じた。2100年の世界の人口は100億人止まりとなり、人口増加率はマイナスに転じると予測されている。人口が減り続け、人類は絶滅に向かうのだろうか。

　ちなみに、現在のインド以東のアジアの人口は、インド14億人、

中国14億人、日本1.2億人、朝鮮半島0.8億人、東南アジアは7億人弱、合計すると40億人に達する。このうち、米を主食とする人々は30億人といわれる。世界の小麦と米の耕地面積はそれぞれ2.2億ヘクタールと1.5ヘクタール、収穫量は7億トンと6億トンである。エネルギーに換算すると、1平米あたりの熱量は、米約1400Kcal、小麦約1000Kcalで、米は小麦よりエネルギー効率が30〜40%高い。これがインド以東のアジアの人口が多い原因と推測できる。

世界の経済成長

　世界の一人当たりGDPは推定であるが、紀元1000年435ドル、1700年580ドルである。この期間の一人当たりGDPの成長率は年率0.05%に過ぎない。産業革命後の18世紀の一人当たりGDPの年成長率は1%弱、20世紀は1.5%、21世紀の最初の20年間は1.13%であった。

表1-1　世界のGDP・人口・経済成長率

	GDP（億ドル）	人口（億人）	1人あたりGDP（ドル）	次期間までの年成長率（%）
1000年	1153	2.65	435	0.04
1700年	3713	6.4	580	0.09
1820年	6944	10.7	649	0.91
1913年	27047	17.9	1511	1.57
1998年	337256	59.3	5687	1.13
2020年	551078	75.7	7279	

（注1）人口はColin McEvedy & Richard Jones, "Atlas of World Population History", 1978 による。
（注2）1700年、1820年、1913年、1998年のGDP（1990年の国際ドルで調整済み）は、http://www.luzinde.com/database/world_gdp.htmlによる。
（注3）過去のGDPはhttps://www.koi.mashykom.com/pdfdocs/develop1.pdfによる。
（注4）2020年の世界全体の名目GDPはIMFのデータベース https://ecodb.net/による。
（注5）米国のデフレータは2020年対1998年で1.51であり、中国の同デフレータは1.55であった。世界全体の数字には1.54を適用して1998年の国際ドルに換算した。

　仮に一人当たりGDPが年率1%で増え続けたとすると、2100年には約1万6千ドルとなる。世界の人口は100億人となり、世界の

GDPは1990年の国際ドル換算で160兆ドルに達することになる。この数字には、インフレによる増加は含まれない。

500年前まで世界は東高西低

　前述の通り、現人類のホモサピエンス（新人）は20万年前にアフリカ大陸で誕生し、約6万年前にユーラシア大陸へ、約4万年前にオーストラリア大陸へ渡り、約2万年前にシベリアからアメリカ大陸に渡った。地球が更新世から完新世になったのは約1万2千年前で、それまで地球は氷に覆われており、大陸間を歩いて渡ることができていた。完新世に入ると、氷が解け、アメリカ大陸もオーストラリア大陸もユーラシア大陸から分離され、航海技術が習得されるまでは人間はこの3大陸間を渡ることができなかった。ヨーロッパ、アジア、アフリカは元々は地続きだったため、アフロユーラシアと呼ばれることもある。マッキンダーはこれを「世界島」と呼んだ。

　ホモサピエンス（新人）は約1万2千年前にユーラシア大陸の肥沃な三日月地帯で農耕を始めた。20万年近く続いた狩猟生活から飛躍し、メソポタミア文明とも呼ばれる。農耕には農作と家畜の飼育の2つが含まれる。農耕の普及で、単位土地あたりからの摂取エネルギーが狩猟生活時代より数十倍増加した。そのため、人口が急増した。更に、農耕により、定住生活をするようになった。余剰の食料ができたことにより、社会の分業が可能となり、一部の人は食料生産に従事せず、政治、軍事、技術、文化に従事することが可能となった。これにより、更に大きな社会組織を作ることができるようになった。

　ユーラシア大陸は東西に長く、アフリカ大陸とアメリカ大陸は南北に長い。ユーラシア大陸は地域間の緯度差や気候差が小さく、農耕技術が比較的容易に東西に伝播した。一方、南北に長いアフリカ大陸とアメリカ大陸では、農耕技術が伝播しにくかった。また、アメリカ大陸、アフリカ大陸、オーストラリア大陸では、農作に適し

た植物や家畜に適した動物が少なかった。アフリカ大陸を出たホモ
サピエンス（新人）は移住した大陸の地理的環境によって異なる文
明の道を進むことになった。このあたりのことは、『銃・病原菌・
鉄（上・下）』（ジャレド・ダイヤモンド著、草思社、1997年）と
いうベストセラーに詳しく記述されている。

　動物を家畜化することにより、人間は動物と共存し、動物から
様々な病原菌に感染し、結果としてこれらに対する免疫を獲得し、
病原菌に対する抵抗力をつけた。一方、家畜に適した動物が少なか
ったアメリカ大陸やオーストラリア大陸に移り住んだ人々は、これ
らの病原菌に接することがなかったため、免疫を高めることができ
なかった。このため、16世紀、17世紀にヨーロッパから持ち込ま
れた病原菌に感染し、多くの人々が命を落とした。

　ユーラシア大陸の東に位置する中国とインドでは稲作が普及し、
ユーラシア大陸の西に位置する欧州や中東の小麦よりもカロリーが
高い米を収穫できた。また、耕地面積が広い分、アジアの人口は欧
州よりはるかに多くなった。ユーラシア大陸の東西間の違いは、ユ
ーラシア大陸と他の大陸との間の違いほど大きくない。

　0 ～ 1950年の主要国および地域のGDPの推移については以下の
表1-2に整理した。

表1-2　主要国および地域のGDPの推移（0 ～ 1950年）

	GDP（米ドル）						中国割合
	西欧合計	アメリカ	日本	中国	インド	世界合計	
0年	11115		1200	26820	33750	102536	26.20%
1000年	10165		3188	26550	33750	116790	22.70%
1500年	44345	800	7700	61800	60500	247116	25.00%
1600年	65955	600	9620	96000	74250	329417	29.10%
1700年	83395	527	15390	82800	80750	371369	22.30%
1820年	163722	12548	20739	228600	111417	694442	32.90%
1870年	370223	98374	25393	189740	134882	1101369	17.20%
1913年	906374	517383	71653	241344	204241	2704782	8.90%
1950年	1401551	1455916	160966	239903	222222	5336101	4.50%

（出所）http://www.luzinde.com/database/world_gdp.html

　中国は農耕文明が栄え、工業文明が始まるまでの長い間、インド
と並んで世界最大の経済規模を誇った。世界のGDPに占める中国
の割合も0〜1820年では安定的に1／4〜1／3であった。

表1-3　主要国および地域のGDPの推移（0〜1820年）

| | 一人当たりGDP（ドル） | | | | | | 中国／ |
	西洋平均	米国	日本	中国	インド	世界平均	世界平均
0年	450		400	450	450	444	101.40%
1000年	400		425	450	450	435	103.40%
1500年	774	400	500	600	550	565	106.20%
1600年	894	400	520	600	550	593	101.20%
1700年	1024	527	570	600	550	615	97.60%
1820年	1232	1257	669	600	533	667	90.00%
1870年	1974	2445	737	530	533	867	61.10%
1913年	3473	5301	1387	552	673	1510	36.60%
1950年	4594	9561	1926	439	619	2114	20.80%

（出所）http://www.luzinde.com/database/world_gdp.html

　中国の一人当たりGDPは、大航海時代以前は欧州を超えており、
工業化が始まるまでは世界平均を超えていた。
　文明の発達水準の一つのパラメータは社会の規模である。狩猟か
ら農耕に変わり、定住するようになって、社会が血族集団から部落
集団、そして首長集団、最後に国家に進んだ。このプロセスの中で、
文字、宗教、通貨、階層構造が大きな役割を果たした。
　冷兵器時代の強者は最も豊かな社会とは限らなかった。農耕時代
は農業が発達した社会が最も豊かであったが、騎馬民族は馬のスピ
ードを活かした戦闘力で農耕民族に勝った。騎馬民族の匈奴の一部
がモンゴル草原から西に移動し、5世紀には欧州に到達し、ローマ
帝国を滅ぼし、幾多の戦いを経て今のハンガリーを建国した。今の
ハンガリー人は見た目では他の欧州人と区別はつかないが、言葉は
今もアルタイ語族に属し、周辺の欧州国とは異なっている。モンゴ
ル語、日本語、韓国朝鮮語もアルタイ語族に属し、動詞は目的語の
後にくる。

　モンゴル草原の突厥民族の一部が6世紀にモンゴル草原から西に移動し、テュルク人などと15世紀に東ローマ帝国を滅ぼし、小アジア、中東欧に跨るオスマン帝国を建国し、以後数百年にわたって西欧と対峙した。オスマン帝国は第一次世界大戦で滅亡し、その後を継いだのが今のトルコである。トルコでもモンゴロイドとコーカソイドの混血が進んでいる。

　騎馬民族のモンゴルは13世紀に西に進軍し中東欧まで到達し、ユーラシアを跨ぐ大帝国を作った。その面積は大英帝国に次ぐ人類史上二番目であった。モンゴル帝国が栄えた時代は短かったが、その崩壊後にもロシア、東欧、中央アジア、西アジアに大きな影響を残した。2004年のオックスフォード大学の遺伝学研究チームの報告によると、チンギス・カンの遺伝子がアジア、ヨーロッパを中心に1,600万人に受け継がれているという。

　このように西欧は、長い間、東方から攻めてきた騎馬民族に悩まされた。モンゴルもトルコもハンガリーも今はそれほど強大な国家ではないが、東欧からシベリアまでまたがる世界最大面積の国土を有するのは現在のロシアである。モンゴル帝国の範囲とかなり重なる。ロシアはユーラシア主義を背負う運命にある。大航海時代以降、西欧は海からアジアを侵略したが、少し遅れてロシアは陸から東方に勢力を拡大した。

　ユーラシア大陸の西端に西欧があるとすれば、ユーラシア大陸の東端にあるのは中国である。中国も西欧以上に騎馬民族に悩まされた。元も清も、騎馬民族が立てた王朝である。中国の西にはヒマラヤ山脈という天然の障壁があったため、近代の海洋国家による南と東からの侵攻を受ける以前は、長い間北の騎馬民族による侵攻を受けていた。2000年以上前から建設され始めた万里の長城はその歴史を端的に表している。

　中国は、西欧と比べると、地形が平坦であり、黄河と長江という二本の大きな川が貫通している。この地理的条件が影響し、中国は紀元前221年に統一国家「秦」を形成して以来、王朝が変わる際に

一時的な分裂はあったものの、統一国家として存続してきた。前述のように、組織の規模が大きければ大きい程効率が高いため、中国全体の経済規模はいうまでもなく、一人当たりの生産性も高かった。欧州は自然の障壁が多々あり、ローマ帝国滅亡後に統一国家を形成することができず、近代ではナポレオンやヒトラーが欧州統一を目指したが成功しなかった。現在のEUは欧州統一の新しい動きと捉えることもできるが、その統合の度合いは国家には程遠い。一方、統一国家にはメリットばかりではない。西欧が中小国に分裂していたからこそ、大航海も工業革命も欧州から起こった。これについては後ほど詳しく論じる。

このように、ユーラシア大陸は一つであり、大航海時代以前はユーラシア大陸に住む人々にとっては「世界」とイコールであった。しかし、このことは大航海時代に一変した。

直近500年は西洋が世界を支配

中国（明）は鄭和の大艦隊によるインド洋、アフリカ東岸への7回の航海（1405年〜1433年）の後、鎖国した。根底には明は豊かであり、他国の産物を必要としないという考えがあった。大航海は欧州の端に位置する、決して豊かとはいえないポルトガルから始まった。エンリケ航海王子の推進により、1416年に造船所、天体観測所、航海術や地図製作術を学ぶ学校などが建設された。その結果、1419年に約千キロも離れた、アフリカ大陸の西にあるマデイラ諸島を発見した。当時、アジア（インド、中国）から香辛料、陶磁器、シルクなどを輸入する貿易ルートが、陸上では中東のアラビア人、テュルク人、ペルシア人によって独占されたため、新たな貿易ルートはアフリカ南端の喜望峰を回る海上ルートしかなかった。ポルトガル人の探検家が新ルートの開拓に成功した。1488年ポルトガル王ジョアン2世の支援を受けたバルトロメウ・ディアスがアフリカ大陸の西海岸を南下し、喜望峰に到達した。1498年ポルトガル王

マヌエル1世の支援を受けたヴァスコ・ダ・ガマは、喜望峰を越え、インド西岸のカリカットに到達。念願のインドへの航路を開拓し、膨大な富がもたらされた。

　ポルトガルの成功を見た隣国のスペインも同じように航海に乗り出した。イタリア人のクリストファー・コロンブスは、地球は丸く、西方向に進めばインドに着くと信じ、ポルトガル王室に提案したが受け入れられなかった。さらに、イギリス王室、フランス王室にもアプローチしたが断られ、最後にスペイン王室に認められて航海が実現した。結果的に、コロンブス一行は1892年に人類史上2万年ぶりに再度アメリカ大陸に渡った。ただ、コロンブスは自分が辿り着いたのはあくまでもインドだと死ぬまで思っていた。最初に到達した島は今も西インド諸島と呼ばれている。アメリカ大陸の原住民をインディアンと呼んだ。コロンブスが発見したのはインドではなく、まだ“知られていない新大陸”であると認定したのは、アメリゴ・ヴェスプッチであった。そのため、“新大陸”はコロンブス大陸と呼ばれず、アメリカ大陸と呼ばれている。それ以後、欧州人はアメリカ大陸を植民地とし、2万年前にシベリアから渡った「インディアン」の96%が銃や欧州人が持ち込んだ病原菌によって命を落とした。また、労働力を補うため、アフリカから連れてきた黒人奴隷に強制労働をさせた。これらは欧州に莫大の富をもたらし、産業革命の基盤の一つとなっていった。

　1519年にマゼランがスペイン王カルロス1世の支援を受け、西廻りでインドネシアルートの開拓に出発した。マゼランは、南米大陸南端でマゼラン海峡を発見し、欧州人として初めて太平洋を横断した。彼は航海途中のフィリピンで命を落としたが、部下たちはそのまま航海を続け、インドネシアを経由して1522年にスペインに帰港した。この航海が最初の世界一周となった。

　1606年、オランダ東インド会社のウィレム・ヤンスゾーンが人類として4万年ぶりにオーストラリア大陸を再発見した。1770年にイギリスのジェームズ・クックがオーストラリア東海岸に到達した。

彼は、大陸の東海岸一帯をイギリス国王ジョージ3世の名において領有すると宣言した。これによって、ユーラシア以外のアフリカ大陸、アメリカ大陸、オーストラリア大陸の全てで西洋の植民地化が進んだ。

それだけでなく、西洋列強はユーラシア大陸の東にあるアジアでも植民地化を始めた。20世紀前半、西洋による植民地化を免れたアジアの国は僅かであった。

20世紀最大の出来事は植民地の独立

1807年にイギリスで奴隷貿易法が成立し、イギリスでの奴隷貿易を違法と定めた。しかし、法律成立後も大英帝国の各地で奴隷が売買、所有された。1833年、奴隷制度廃止法が成立し、イギリスの植民地における奴隷制度が違法とされた。これを機に、欧州、米州などでも奴隷制度廃止が広がっていった。

1861年に米国大統領に就任したリンカーンは、南部の分離独立を阻止するために戦った内戦（civil war。日本語では南北戦争）が終了した1863年に、奴隷解放を宣言。そして、1865年の憲法改正で奴隷制度を廃止した。しかし、黒人が公民権と投票権を手にしたのは百年後の1964年の「公民権法」と1965年の「投票権法」の成立以後である。

15世紀の大航海時代から500年程後、20世紀中盤になって西洋の植民地が相次いで独立を果たし、人類が新しいフェーズに突入した。

奴隷の解放と植民地の独立は、抑圧された側の長期にわたる戦いと、抑圧する側の良心の発露がベースにある一方、工業化によって、暴力よりも技術と知恵の方がより効率的に富の蓄積を可能としたことを発見したからでもある。奴隷制度は農業には向いていたが、工業には向いていない。西洋は植民地から得た莫大な富によって工業化を完成した今、軍隊ではなく貿易によって途上国から資源を購入し、工場で作った製品を途上国に販売して同様に富を得ることがで

きた。また、労働者の給料を上げることによって消費者にした方が
結局資本家に大きな利益をもたらすと同様に、途上国の経済成長に
よって先進国の市場を拡大することもできる。奴隷制度と植民地政
策は終焉したが、西洋は決して暴力装置を止めたわけではなく、引き
続き強大な軍事力を持ち、軍事力の覇権を生かして自分に有利な貿
易条件、独占的基軸通貨を守ろうとしてきた。奴隷制度と植民地政
策はなくなっても西洋と非西洋が対等な立場になったわけではない。

　途上国が独立を果たした当時は、西洋との経済格差が非常に大き
かった。しかし、自らの意思と自らの手で発展する環境が整い、多
くの途上国が独立から半世紀を経て、暗中模索しながら経済発展を
図った。非西洋の一人当たりGDPはまだ西洋に遠く及ばないもの
の、西洋より高い成長率を実現してきた。

　独立直後はソ連の共産主義体制を導入した国も多かったが、ソ連
の崩壊後、西洋の自由主義体制に切り替える国も多かった。これら
の学習プロセスを経て、現在、自国の歴史や文化に適した独自の道
を模索する国が多いように思える。

世界経済の65％を占める非西洋

　1950年の詳細なデータは見当たらないが、1980年以降はIMFの
公表データがある。

　表1-4から分かるように、世界全体の名目GDP総額に占める西
洋の割合は1980年に64.1％であったが、2021年には49.0％に下がっ
た。非西洋が占める割合は1980年35.9％から2021年の51.0％に上
昇した。なお、東アジアの割合は1980年の16.3％から2021年には
29.9％に上昇した。

　1980年から2021年までの成長率、冷戦終結後の1991年から2021
年までの成長率は、世界全体でそれぞれ864％と410％であったが、
西洋はそれぞれ661％と314％であった。これに対して、非西洋は

表1-4　1980年、1991年、2021年の世界の名目GDP

単位：10億米ドル

	1980年	占有率	1991年	占有率	2021年	占有率	91⇒21年の成長率	80⇒21年の成長率
世界全体	11,132.51	100.0%	23,466.03	100.0%	96,160.73	100.0%	410%	864%
米国	2,857.33	25.7%	6,158.13	26.2%	22,997.50	23.9%	373%	805%
日本	1,127.88	10.1%	3,657.35	15.6%	4,937.42	5.1%	135%	438%
ドイツ	853.71	7.7%	1,875.62	8.0%	4,225.92	4.4%	225%	495%
イギリス	603.6	5.4%	1,250.28	5.3%	3,187.63	3.3%	255%	528%
フランス	701.31	6.3%	1,269.23	5.4%	2,935.49	3.1%	231%	419%
イタリア	482.66	4.3%	1,236.78	5.3%	2,101.28	2.2%	170%	435%
カナダ	276.06	2.5%	612.51	2.6%	1,990.76	2.1%	325%	721%
G7合計	6,902.55	62.0%	16,059.90	68.4%	42,376.00	44.1%	264%	614%
EU＋英国	3,812.90	34.3%	7,869.18	33.5%	20,281.79	21.1%	258%	532%
オーストラリア	162.81	1.5%	324.22	1.4%	1,633.29	1.7%	504%	1003%
NZ	22.52	0.2%	43.44	0.2%	247.69	0.3%	570%	1100%
西洋合計	7,131.62	64.1%	15,007.48	64.0%	47,151.03	49.0%	314%	661%
中国	303	2.7%	413.21	1.8%	17458.04	18.2%	4225%	5762%
インド	189.44	1.7%	274.84	1.2%	3041.99	3.2%	1107%	1606%
ブラジル	145.82	1.3%	399.25	1.7%	1608.08	1.7%	403%	1103%
ロシア					1775.55	1.8%		
南アフリカ					418.02	0.4%		
韓国	65.37	0.6%	330.66	1.4%	1798.54	1.9%	544%	2751%
インドネシア	99.3	0.9%	154.56	0.7%	1186.07	1.2%	767%	1194%
サウジアラビア	164.54	1.5%	132.05	0.6%	833.54	0.9%	631%	507%
イラン	95.85	0.9%	304.07	1.3%	1426.3	1.5%	469%	1488%
トルコ	96.6	0.9%	208.4	0.9%	806.8	0.8%	387%	835%
パキスタン	34.82	0.3%	66.87	0.3%	347.74	0.4%	520%	999%
ナイジェリア			60.13	0.3%	441.54	0.5%	734%	
メキシコ	228.61	2.1%	348.14	1.5%	1294.83	1.3%	372%	566%
アルゼンチン	233.7	2.1%	211.98	0.9%	488.61	0.5%	230%	209%
ASEAN合計	245.91	2.2%	424.43	1.8%	3,358.61	3.5%	791%	1366%
台湾	42.29	0.4%	187.14	0.8%	789.51	0.8%	422%	1867%
香港	28.86	0.3%	88.96	0.4%	368.14	0.4%	414%	1276%
マカオ					29.91	0.0%		
東アジア合計	1,813.3	16.3%	5,101.8	21.7%	28,740.2	29.9%	563%	1585%
非西洋合計	4,000.89	35.9%	8,458.55	36.0%	49,009.70	51.0%	579%	1225%

（出所）世界の名目GDP（USドル）ランキング - 世界経済のネタ帳（https://ecodb.net/）

表1-5　1980年、1991年、2021年の世界の購買力平価PPP

単位：10億米ドル

	1980年	占有率	1991年	占有率	2021年	占有率	91⇒21年の成長率	80⇒21年の成長率	21年PPP/GDP倍率
世界全体	13222.43	100.00%	28951.6	100.00%	145,920.66	100.00%	504%	1104%	1.52
米国	2,857.33	21.60%	6,158.13	21.30%	22,997.50	15.80%	373%	805%	1
日本	1,068.09	8.10%	2679.43	9.30%	5615	3.80%	210%	526%	1.14
ドイツ	855.3	6.50%	1755.56	6.10%	4856.77	3.30%	277%	568%	1.15
イギリス	511.76	3.90%	1046.93	3.60%	3402.76	2.30%	325%	665%	1.07
フランス	577.95	4.40%	1162.52	4.00%	3361.63	2.30%	289%	582%	1.15
イタリア	614.4	4.60%	1209.21	4.20%	2734.43	1.90%	226%	445%	1.3
カナダ	288.71	2.20%	571.03	2.00%	2025.4	1.40%	355%	702%	1.02
G7合計	6,773.54	51.20%	14,582.81	50.40%	44,993.49	30.80%	309%	664%	1.06
EU＋英国	3980.55	30.10%	7848.07	27.10%	25108.85	17.20%	320%	631%	1.24
オーストラリア	155.39	1.20%	331.43	1.10%	1450.08	1.00%	438%	933%	0.89
NZ	28.53	0.20%	52.83	0.20%	238.28	0.20%	451%	835%	0.96
西洋合計	7,310.51	55.30%	14,961.49	51.70%	51,820.11	35.50%	346%	709%	1.1
中国	302.76	2.30%	1248.74	4.30%	27206.27	18.60%	2179%	8986%	1.56
インド	371.87	2.80%	1004.81	3.50%	10218.62	7.00%	1017%	2748%	3.36
ブラジル	570.51	4.30%	1046.71	3.60%	3435.9	2.40%	328%	602%	2.14
ロシア					4490.46	3.10%			2.53
南アフリカ					865.82	0.60%			2.07
韓国	82.71	0.60%	370.43	1.30%	2510.53	1.70%	678%	3035%	1.4
インドネシア	189.71	1.40%	599.11	2.10%	3566.28	2.40%	595%	1880%	3.01
サウジアラビア	418.07	3.20%	618.66	2.10%	1751.19	1.20%	283%	419%	2.1
イラン	225.95	1.70%	493.6	1.70%	1436.87	1.00%	291%	636%	1.01
トルコ	159.19	1.20%	414.66	1.40%	2943.07	2.00%	710%	1849%	3.65
パキスタン	78.98	0.60%	234.08	0.80%	1329.55	0.90%	568%	1683%	3.82
ナイジェリア		0.00%	178.85	0.60%	1154.08	0.80%	645%		2.61
メキシコ	404.34	3.10%	789.92	2.70%	2666.61	1.80%	338%	659%	2.06
アルゼンチン	172.52	1.30%	263.64	0.90%	1081.72	0.70%	410%	627%	2.21
ASEAN合計	456.57	3.50%	1371.25	4.70%	9070.44	6.20%	661%	1987%	2.7
台湾	61.57	0.50%	228.56	0.80%	1461.58	1.00%	639%	2374%	1.85
香港	36.08	0.30%	113.77	0.40%	489.06	0.30%	430%	1355%	1.33
マカオ					48.59	0.00%			1.62
東アジア合計	2,007.80	15.20%	6,012.20	20.80%	46,401.50	31.80%	772%	2311%	1.61
非西洋合計	5,911.92	44.70%	13,990.11	48.30%	94,100.55	64.50%	673%	1592%	1.92

（出所）世界の名目GDP（USドル）ランキング - 世界経済のネタ帳（https://ecodb.net/）

それぞれ1225％と579％であった。中国はそれぞれ5762％と4225％であった。

　表1-5は1980年、1991年、2021年の購買力平価PPP分布を示している。表から分かるように、西洋が世界全体の購買力平価PPP総額に占める割合は1980年に55.3％であったが、2021年には35.5％に下がった。非西洋は1980年に44.7％であったが、2021年には64.5％に上昇した。東アジア合計は1980年に15.2％であったが、2021年には31.8％に上昇した。

　1980年から2021年までの成長率、冷戦終結後の1991年から2021年までの成長率は、世界全体でそれぞれ1104％と504％であったが、西洋はそれぞれ709％と346％であった。これに対して、非西洋はそれぞれ1592％と673％。中国はそれぞれ8986％と2179％であった。冷戦後に世界全体の成長が加速しているが、中国は特に目立つ。名目GDPでは中国は米国に次いで二位であるが、PPPでは中国（27兆ドル）は既に米国（22兆ドル）を超えて世界最大である。三位はインド（10兆ドル）である。

　なお、2021年のPPPと名目GDPの倍率は米国の1倍を基準に、オーストラリアとニュージーランドを除く各国が1倍を超えていて、総じて先進国は低く、途上国で高い。中国は1.56倍で、インドなどは3倍を超えている。世界全体では1.52倍であった。この倍率は貿易条件を表しており、途上国が総じて不利な取引を強いられていると言える。

　世界の人口は1980年の40億人から2021年には77億人に増えた。西洋全体で1980年の7億人から9億人に増えたのに対して、非西洋は1980年の33億人から2021年の68億人に倍増した。世界人口に占める西洋の割合は1980年の18％から12％に下がった。非西洋は1980年の82％から2021年の88％に増加した。世界最大の人口を有する中国は1980年の10億人から2021年の14億人に増えたのに対して二位のインドは1980年の7億人から2021年の14億人に増えており、2023年に中国を超えて世界一になると見られている（**表1-6**）。

表1-6　世界と主要国の人口（1980 ～ 2021 年）

単位：百万人

	1980年	占有率	2021年	占有率	80⇒21年の成長率
世界全体	3,997.93	100.00%	7,682.81	100.00%	192%
米国	227.62	5.70%	332.18	4.30%	146%
日本	116.77	2.90%	125.51	1.60%	107%
ドイツ	76.84	1.90%	83.2	1.10%	108%
イギリス	56.33	1.40%	67.53	0.90%	120%
フランス	53.73	1.30%	65.45	0.90%	122%
イタリア	56.39	1.40%	59.24	0.80%	105%
カナダ	24.47	0.60%	38.23	0.50%	156%
G7合計	612.15	15.30%	771.34	10.00%	126%
EU＋英国	432.14	10.80%	512.79	6.70%	119%
オーストラリア	14.8	0.40%	25.71	0.30%	174%
NZ	3.11	0.10%	5.12	0.10%	165%
西洋合計	702.14	17.60%	914.03	11.90%	130%
中国	987.05	24.70%	1,412.60	18.40%	143%
インド	698.95	17.50%	1,392.01	18.10%	199%
ブラジル	118.56	3.00%	212.61	2.80%	179%
ロシア			145.56	1.90%	
南アフリカ	29.08	0.70%	60.14	0.80%	207%
韓国	38.12	1.00%	51.68	0.70%	136%
インドネシア	147.49	3.70%	272.25	3.50%	185%
サウジアラビア	9.32	0.20%	35.46	0.50%	380%
イラン	39.29	1.00%	84.98	1.10%	216%
トルコ	45.27	1.10%	84.68	1.10%	187%
パキスタン	80.38	2.00%	222.59	2.90%	277%
ナイジェリア	73.42	1.80%	211.4	2.80%	288%
メキシコ	67.56	1.70%	128.97	1.70%	191%
アルゼンチン	27.95	0.70%	45.84	0.60%	164%
ASEAN合計	316.43	7.90%	666.08	8.70%	210%
台湾	17.87	0.40%	23.38	0.30%	131%
香港	5.06	0.10%	7.4	0.10%	146%
マカオ			0.68	0.00%	
東アジア合計	1,481.30	37.10%	2,445.00	31.80%	165%
非西洋合計	3,295.79	82.40%	6,768.78	88.10%	205%

（出所）世界の名目GDP（USドル）ランキング - 世界経済のネタ帳（https://ecodb.net/）

　1980年の一人当たりの名目GDPは西洋平均では10157米ドルであったのに対して非西洋平均では僅か1214米ドルで8倍以上の差があった。2021年の一人当たりのGDPは西洋平均では51586米ドルで、非西洋平均では7241米ドルであった。同期の非西洋の成長率は596％で西洋の508％より高かったが、差はなお7倍残っている。非西洋の中では、東アジアは1980年の1224米ドルから2021年の11755ドルに成長し、成長率は960％であった。

　1980年の一人当たりの購買力平価PPPは西洋平均では10412米ドルであったのに対して非西洋平均では僅か1794米ドルで6倍程度の差があった。2021年の一人当たりのPPPは西洋平均では56694米ドルで、非西洋平均では13902米ドルであった。同期の非西洋の成長率は775％で西洋の545％より高かったが、差はなお4倍残っている。非西洋の中では、東アジアは1980年の1355米ドルから2021年の18978米ドルに成長し、成長率は1400％であった。

　2021年に中国の一人当たりGDP（12359ドル）とPPP（19260ドル）は世界全体の一人当たりGDP（12516ドル）とPPP（18993ドル）に追いついた。しかし、まだ世界平均でしかないとも言え、さらなる発展の余地があることを意味する。中国が大きな存在感を持つのはその人口規模が大きいからである。まもなく中国を抜いて人口で世界最大となると見られるインドも10年20年遅れで同様な旋風を巻き起こす可能性が十分にある。PPPではインドは既に中国と米国に次ぐ三位に位置している（表1-7）。

　非西洋の一人当たりの成長率がGDPそのものの成長率に及ばないのは、非西洋の人口増加が西洋を凌ぐからである。

　非西洋が農業文明から工業文明へ移行する中でまだ多くの課題を抱えているが、その発展速度が既に工業化を完成した西洋より速いという事実の背景には、知識と資本の伝播と地球規模の分業による生産性向上がある。この傾向は今後も維持されるであろう。一方、後進が先進を追い抜くことはどの時代も難しい。全ての途上国が先進国に追いつき追い抜くことは期待できない。

表1-7 一人当たりの GDP と一人あたりの PPP の変化

単位：米ドル

	一人当たり GDP			一人当たり PPP		
	1980年	2021年	80⇒21年の成長率	1980年	2021年	80⇒21年の成長率
世界全体	2785	12516	449%	3307	18993	574%
米国	12553	69232	552%	12553	69232	552%
日本	9659	39339	407%	9147	44737	489%
ドイツ	11110	50792	457%	11131	58375	524%
イギリス	10715	47203	441%	9085	50389	555%
フランス	13052	44851	344%	10757	51362	477%
イタリア	8559	35471	414%	10896	46159	424%
カナダ	11282	52073	462%	11799	52979	449%
G7合計	11276	54938	487%	11065	58332	527%
EU＋英国	8823	39552	448%	9211	48965	532%
オーストラリア	11001	63527	577%	10499	56401	537%
NZ	7241	48377	668%	9174	46539	507%
西洋合計	10157	51586	508%	10412	56694	545%
中国	307	12359	4026%	307	19260	6279%
インド	271	2185	806%	532	7341	1380%
ブラジル	1230	7564	615%	4812	16161	336%
ロシア		12198			30850	
南アフリカ		6951			14397	
韓国	1715	34801	2029%	2170	48578	2239%
インドネシア	673	4357	647%	1286	13099	1018%
サウジアラビア	17655	23506	133%	44857	49385	110%
イラン	2440	16784	688%	5751	16908	294%
トルコ	2134	9528	446%	3516	34755	988%
パキスタン	433	1562	361%	983	5973	608%
ナイジェリア		2089			5459	
メキシコ	3384	10040	297%	5985	20676	345%
アルゼンチン	8361	10659	127%	6172	23598	382%
ASEAN合計	777	5042	649%	1443	13618	944%
台湾	2367	33769	1427%	3445	62514	1814%
香港	5704	49749	872%	7130	66089	927%
マカオ		43985			71456	
東アジア合計	1224	11755	960%	1355	18978	1400%
非西洋合計	1214	7241	596%	1794	13902	775%

（出所）世界の名目 GDP（US ドル）ランキング - 世界経済のネタ帳（https://ecodb.net/）

東アジアの製造業付加価値は世界の約半分

　世界銀行の統計による全世界と上位10か国の製造業付加価値額を整理し**表1-8**にまとめた。

表1-8　上位10か国の製造業付加価値額

	製造業付加価値額	世界に占める割合
全世界	160472億ドル	100.0%
中国	48658億ドル	30.3%
米国	24971億ドル	15.6%
日本	9953億ドル	6.2%
ドイツ	8032億ドル	5.0%
韓国	4611億ドル	2.9%
インド	4439億ドル	2.8%
イタリア	3140億ドル	2.0%
英国	2748億ドル	1.7%
フランス	2626億ドル	1.6%
ロシア	2569億ドル	1.6%

（出所）世界銀行の統計　https://data.worldbank.org/indicator/NV.IND.MANF.CD?locations=1W

　最大は中国で世界の3割を占め、2位の米国の2倍となっている。また、日中韓3か国の合計で世界の4割を占める。G7の合計は32%であり、中国1か国を僅かに上回っている。上位5か国に日中韓3か国が入っており、北東アジアの製造業が世界全体に占める地位の高さを示す。インドも6位に食い込んでおり、ロシアは10位である。
　世界銀行の地域別統計を下表にまとめた。

表1-9　世界の地域別製造業付加価値額とシェア

	製造業付加価値額	世界に占める比率
全世界	16兆472億ドル	100.0%
東アジア・太平洋	7兆6516億ドル	47.7%
欧州・中央アジア	3兆5435億ドル	22.1%
北米	2兆6795億ドル	16.7%
中南米	8740億ドル	5.4%
南アジア	5929億ドル	3.7%
中東・北アフリカ	4744億ドル	3.0%
サブサハラアフリカ	2212億ドル	1.4%

（出所）世界銀行の統計　https://data.worldbank.org/indicator/NV.IND.MANF.CD?locations=1W

　日中韓および東南アジアと太平洋諸国を含む東アジア・太平洋の製造業付加価値で世界全体のほぼ半分を占めている。欧州・中央アジアが22.1％を占め、米国の属する北米は16.7％である。インドが属する南アジアは現在は3.7％だが、今後大きな成長が見込まれる。

　GDPに占める北東アジアと東アジアの比率が高いだけでなく、製造業付加価値に占める北東アジアと東アジアの比率はそれ以上に高い。北東アジア全体が工業化を成し遂げたことを示している。

ハンチントンによる世界文明の分類

　サミュエル・ハンチントン（Samuel P. Huntington）は著書『文明の衝突』（金星堂、集英社、1996年）の中で、世界の文明を西欧文明、正教文明、イスラム文明、儒教文明、ヒンドゥー文明、アフリカ文明、中南米文明、日本文明の8つに分類した。

　ハンチントンが定義する西欧文明は、本書で述べた西洋と同じ範囲である。プロテスタント諸国（米国、カナダ、オーストラリア、ニュージーランド、イギリス、ドイツ、北欧諸国等）と欧州のカトリック教国（フランス、イタリア、スペイン等）を含む。人口はざっと9億人。大航海も工業化も西洋文明の産物である。過去500年の経済の中心またはいわゆる覇権国がポルトガルからスペイン、スペインからオランダ、オランダからイギリス、イギリスから米国に移ってきたが、これらの国は全て西欧文明に属する。宗教としては、カトリックとカトリックから分離したプロテスタントをこれらの国では信じている。西欧文明は海洋文明と工業化をリードしてきており、今でも世界の名目GDPの49％と購買力平価PPPの35％を占める地球上で最も進んだ文明である。

　同じキリスト教でも、東ローマ帝国下で発展していった東方正教を信じる諸国は西欧文明ではなく、正教文明に分類されている。ロシア、ウクライナ、ベラルーシ、セルビア、ルーマニア、ブルガリア、グルジア、アルメニアなどである。人口はざっと3億人。ロシ

アと同じスラブ民族の中でチェコ、スロバキア、ポーランドはカトリックを国教としており、これらの国とハンガリーは西欧文明に含まれている。民族より宗教を重んじる分け方である。

EUは西欧文明に属する国を主としているが、正教文明に属するギリシア、ルーマニア、ブルガリアを受け入れており、また、ウクライナも受け入れようとしており、この二つの文明の違いは必ずしも大きくないことを意味している。一方、同じ正教文明のロシアを受け入れる気がなく、この違いは文明より地政学による。東ローマ帝国の継承者を自任するロシアはEUとNATOに入りたくても拒否されていることが今般のウクライナ戦争の遠因となっている。EUはイスラム文明に属するトルコを受け入れる可能性はロシアを受けいれる可能性より将来にわたって更に小さい。

正教文明圏は、科学技術、文学芸術、軍需産業などで西欧文明圏に劣らない実績を出している。共産主義革命も東西冷戦も正教文明圏が主役であったことを考えると、非常に大きな力を持っている。一方、西欧と比べて海に遠く、人口も少なく、その分工業化水準は西欧とかなりの差がある。また、アジアやイスラム圏と隣接しており、歴史的文化的に非西欧的要素は西欧諸国と比べて多い。東アジア出身の筆者には西欧人と東欧人の顔が同じように見えるが、考え方の違いがそれなりにあるようだ。

イスラム文明にはイスラム教を信仰する全ての国が入っている。中東だけでなく、中央アジア、東南アジア、アフリカにも広がっており、人口はざっと18億人で世界の4分の1を占める。最大のイスラム人口を有する国は東南アジアのインドネシア（2億7千万人）である。その次に人口が多いのはパキスタン（2億2千万人）、バングラデッシュ（1億6千万人）、エジプト（1億人）、トルコ（8千万人）とイラン（8千万人）。産油国のサウジアラビア等はお金持ちとして有名であるが、イスラム圏諸国はまだどこも工業化を目指す途中である。西洋が勝手に引いた国境線は多く、内部対立も一部では激しく、イスラム圏の中心国が明確ではないため、一つの文明と

して西洋と対等するにはまだ長い時間を要するだろう。一部のイスラム教国では貧困がひどく、絶望からテロに走る若者があるが、決してイスラム教自身が過激なわけではない。イスラム教はユダヤ教、キリスト教と一部教典を共有しており、共通のルーツを持っているといっても過言ではない。エルサレムはユダヤ教、キリスト教、イスラム教の共通の聖地である。

　ハンチントンの定義に従うと、儒教文明は中国、朝鮮半島、ベトナムを含んでいる。人口はざっと16億人。ハンチントンは日本を別の文明として定義しているが、日本文化の中には儒教的要素も大いにあることは否定されない。儒教は必ずしも宗教ではないが、宗教を人々の意識行動を規定する一つの思想体系とするならば、他に明確な宗教を持たない中国、ベトナム、北朝鮮と、最近キリスト教が増えても思考行動が儒教的なままである韓国を儒教文明として分類するには大きな問題がなさそうである。儒教文明圏は既に工業生産高では西欧文明圏を超えている。また、人口も西欧文明の2倍近くあるので、西欧文明の一番強い競争相手となっている。

　ヒンドゥー文明はインドとネパールを含む。人口はざっと15億人。ゼロを発明し、マイクロソフト、グーグル等のCEOを輩出したインドには傑出した科学者とエンジニアが多数いる。農業文明として非常に高い水準にあったインドは今、工業化を急速に推進しており、イスラム文明のように多数の別々の国であるのと比べて統一国家である効率性を有するため、非常に高い潜在力を持っている。インドは今の経済成長率をあと10年乃至20年続けるとそのPPPは米国に接近する。儒教文明の次にヒンドゥー文明が西欧文明の競争相手となる可能性が高い。

　中南米（ラテンアメリカ）文明は、北米（米国とカナダ）を除くアメリカ大陸の全てを含む。これらの諸国はカトリック教のスペイン人とポルトガル人の移民、アメリカ大陸の原住民（2万年前にシベリアから渡った「インディアン」）と黒人奴隷の子孫とのあらゆる比率の混血で構成されている。カトリック教が普及している。ざ

っと6億人。最大の国はブラジルで2億1千万人を有する。次はメキシコで1億3千万人。コロンビアとアルゼンチンもそれぞれ約5千万人。キリスト教人口18億人の中、9億人の西欧文明圏と3億の正教文明圏以外の6億人はラテンアメリカ文明圏に属する。中南米は自然資源に恵まれ、欧州の移民として科学技術も高い水準にある一方、工業化する勢いが一時期高かったものの、西欧文明に対等するにはまだ時間がかかりそうである。むしろ、地理的に近い米国への移民（ヒスパニック）が多く、彼らの出生率が高いため、遠くないうちにヒスパニック系米国大統領を誕生させ、合衆国をも中南米文明に包摂してしまうかもしれない。

　アフリカ文明はイスラム教の北アフリカ以外のアフリカ諸国を指す。ざっと8億人。アフリカ大陸は人類が生まれ育てられた地であるが、南北に長いため、農業はユーラシア大陸程発達せず、また、長い間奴隷を供出させられた歴史を持ち、地球上の最後の待開発地である。西欧の植民地時代にしっかりしたインフラが整備されなかったため、農作物や鉱産物を流通することが難しく、経済発展の障害となっていた。近年、インフラ建設に投資するように力を入れており、今後は近代化工業化のスピードが上がると期待されている。

　日本文明は「中国文明から派生し西暦100年ないし400年の時期に現れた」とハンチントンは述べている。日本一国を指す。人口は約1億人。聖徳太子が「日出る処の天子、書を、日没する処の天子に致す」との書を中国の皇帝に送るなどして独自性を強く主張してきた。大陸の農業文明と異なる海洋文明を育み、アジアの中で、または、欧州以外の全てで、最初に近代化を成し遂げた国である。儒教の影響を受けながらも儒教文明の一部と見なされたくない日本人の心情をハンチントンは良く理解していた。儒教文明が再び世界の中心に戻りつつある中で、近代以前ほど海によって隔離されない日本文明の独自性を維持し発展させていくことは近代以前よりも注力が求められよう。

　上記の8つの文明の人口を合計すると76億人となり、世界の総人

口とほぼ合致する。2022年中に世界の人口は80億人に達した。上記の8つの文明以外に仏教文明（タイ、ラオス、カンボジア、ミャンマー等）を入れる分類方法もあり、本書ではこれ以上の言及を避けたい。

　上記の各文明を更に分けるとすれば、一神教文明と非一神教文明が適切だと考える。この分類で行けば、西欧文明、正教文明、イスラム文明は一神教文明で、儒教文明、ヒンドゥー文明、アフリカ文明と日本文明は非一神教文明となろう。中南米文明は宗教で見た場合はカトリックがほとんどなので一神教文明となるが、人々の思想が一神教的かどうかは更なる考察が必要である。

人類の民主化と世界の多極化

　経済が成長すれば個人の自由も拡大することは西洋の歴史が証明した通りである。非西洋も個人の自由と幸福を拡大するためには、何より重要なのは経済の成長である。先進国が途上国の自由を拡大したいなら、「不自由」を批判したり政権転覆を図ったりするよりは、途上国の経済発展を支援するのが一番の近道である。国民が豊かになれば、国民の自由も自然に拡大する。貧しい状態で自由を実現したことは歴史上どこの国にもない。

　その上で、西洋だけが豊かで自由を享受するのは、人類が民主化したことにならない。途上国も経済が発達し、豊かさと自由を享受できるようになって初めて地球上の人類全体が民主化したことになる。

　人類全体が民主化するためには、西洋以外の国々も経済発展することが必要不可欠である。西洋が世界人口の12％を占めるにすぎないことを考えると、残りの88％の人口が西洋と同等または西洋に近い経済力を持つことは、国単位で見た場合に米国以上の経済体では、中国、インド、EU、ASEANとなり、インドネシア、ブラジル、ナイジェリア、パキスタンも米国に近い経済力を持つことに

なる。これが人類の民主化の自然な結果である。これこそ究極の民主主義である。

　となれば、現在、西洋が握る多くの特権を分散することになる。世界は多極化する。これは本来の民主主義の思想に合致する。西洋が民主主義を標榜するなら、これを推進すべきである。自国内だけの民主主義では不十分である。最悪なのは、民主主義を隠れ蓑にして他国の分裂を図り、自らの覇権を維持することである。これは民主主義に真っ向から反する。

　幸い、上記のデータが示す通り、世界は人類の民主化に向かって着実に進んでいる。植民地からの独立が相次いだのは1950年代から1960年代であったことを考えると、60年〜70年の歳月は人類史的には決して長くないが、西洋以外の一人あたりPPPが西洋の4分の1にまで成長した。この流れは今後更に加速していくことであろう。

　このような大きな環境と大きな背景の中で生じたのが中国の平和的再興である。中国と米国の覇権争いに見えるこの競争は、西洋による世界支配が終焉するワンステップであり、米国に代わって中国が世界を支配することはない。世界支配は中国が追い求めているものでなく、中国の歴史にも合致しない。その先にあるのは世界の更なる多極化であり、各文明が接近し、競争と協力が繰り広げられる。西洋文明は世界を支配する力はないものの、文明の一つとして引き続き世界に貢献するであろう。

　共通の祖先をもつ人類がアフリカから地球の各地に到達し、それぞれの地理環境によって異なる道を進み、異なる文明の水準に置かれた。一方、文明の中心は一定ではなく、人類の発祥はアフリカだが、農耕の開始はメソポタミアで、最大の農業は中国とインドにあった。海洋文明の開始は欧州の端にあるポルトガルから起こり、第一次産業革命は欧州の島国である英国から起きた。第二次、第三次産業革命は欧州からアメリカ大陸に渡った移民によって起こされた。このように、文明の中心は常に移り変わっていった。これからもそ

うであろう。

　大航海により、人類は大陸の農業文明から海洋文明に一歩踏み出した。海洋は遠くまで大量の物質を運んで貿易することを可能とした。工業化は海運が必要で、海運がなければ工業化も不可能であった。海洋文明は工業文明の前提である。20世紀の強国はいずれも海洋強国であった。日本もアジアにおいて大陸の農業文明の中国より先に海洋文明へ一歩を踏み出し、その差が現在まで続いている。大陸の農業文明の中国も500年経ってようやく海洋進出、工業化に成功し、海洋文明にほぼ追いついた。

　欧州には多くの中小国があったため、コロンブスが投資家を見つけることができ資金援助を受けられた。これは今流行りのベンチャー企業とベンチャーキャピタルの関係と同じである。統一国家の明は逆に皇帝の意向が唯一となり、別のスポンサーを見つけることができなかった。この中小国の競争体制と「大一統」の国家体制の違いはパラダイムシフトの探索の段階において決定的差をもたらした。一方、ベンチャー企業は発見に適しているが、商品サービスの普及には必ずしも向いていない。大企業は発見には往々にして不向きだが、発見、開発された商品サービスを普及させることにはベンチャー企業より大きな威力を発揮する。西欧がベンチャー企業で中国は大企業であると例えると、この違いは分かりやすい。自らが「世界の中心にいる」であると認識できた時代と異なり、今の中国は欧州の中小国と同じようにグローバルな競争環境に置かれており、もはや鎖国はできない。世界に門戸を開いた中国は国内でも制度的に競争を作り出していて、ユニコーンを多数育成している。ベンチャー企業から様々なアイデアを積極的に取り入れる大企業のように機能し、西洋と並び立とうとしている。正に「30年河東、30年河西」である。（黄河は川筋がよく変わるので、元々川の東側だったところが何年かすると西側に変わっていたりする。世の中の盛衰は常に移ろい易いことのたとえである）。

　西欧文明の絶対優位は確実に終わろうとしている。人口規模と中

核国家を有する儒教文明の次にヒンドゥー文明が大きく成長し、西欧文明、日本文明、正教文明と伍するようになろう。イスラム文明、ラテンアメリカ文明、アフリカ文明を全体で見た場合にもう少し時間がかかるが、イスラム文明のインドネシア、イランとトルコ、ラテンアメリカ文明のブラジルとメキシコ、アフリカ文明のナイジェリアと南アフリカは地域の強国としてそれぞれの文明を代表して強く自己主張していく。

　世界は確実に多極化に向かっている。人類の民主化も確実に前進している。

第二章

人類の進化史に見る
発展の法則と方向性

　本章では、人類の発展の根底にある共通の法則と課題を明らかにし、それにより、複雑に見えるこの世界を理解しやすくし、将来の方向性を見出す枠組みと法則を形成する。

エントロピーの増加と減少

　自然科学の法則のうち、熱力学の第二法則はそのまま人間社会に適用することができる。

　熱力学の第一法則はエネルギーの保存則であるが、熱力学の第二法則はエネルギーの流れの不可逆性である。高温から低温への熱の移動は不可逆で、その逆の変化を起こすためには外からエネルギーを与えなければならないということである。この無効になったエネルギーをエントロピーと呼ぶ。熱力学の第二法則はこのエントロピーは常に増大すると述べている。エントロピーは増大し続け、最終的には系は完全な均衡を迎える。生命体の完全均衡は死を意味する。

　系全体ではたしかにエントロピーが増大し続けるが、局所的には別のエネルギーを使用して、負のエントロピーを作り出すことができる。

　一つの例として光合成が挙げられる。太陽光（エネルギー）と二酸化炭素を吸収し、光合成した結果、酸素とある種の構造を有する植物ができ、この構造を有する植物は有効なエネルギーを有する。この有効なエネルギーはまさに負のエントロピーである。

　我々は構造である筋肉を鍛えてその筋肉が力を発揮することがで

きるので、負のエントロピーとなる。一方、この筋肉を鍛えるには必ず別のエネルギーを消費しなければならない。このような構造を散逸構造という。外部エネルギーを吸収し消費することで内部が自己組織化され、自己組織化された散逸構造が力を発揮する。

　人類の進化史は、まさに、散逸構造の自己組織化の歴史である、あるいは、エントロピーが増大する大きな系の中で局所的に負のエントロピーを作り出す歴史であると言える。

　ダーウィンの進化論で言えば、進化は突然変異で自然選択されていくとなっているので、進化の方向が定まっているとは言っていないが、実際はチンパンジーからヒトに進化することがあっても、ヒトからチンパンジーに進化することはない。進化の方向は決してランダムではなく、増大するエントロピーに逆行する負のエントロピーを生み出す方向に必ず進んできたし、これからもそう進むに違いない。

分業、組織化、安定性

　生物は単細胞、単細胞から双細胞ができ、更に複雑な構造の生物に進化していった。単細胞なら皆同じ役割を担うが、双細胞になると二つの細胞は別々の役割を担うようになり、分業が起きた。細胞の分業が進んだ結果、最終的に大脳のような高度に複雑な構造が自己組織化された。負のエントロピーの本質は分業と組織化である。

　言語ができ、言語を通じて個々の大脳がつながるようになることで、人間社会は分業を通じて更に構造化、組織化した。これは個体内の構造ではなく、個体間と社会の構造化である。これも負のエントロピーである。

　文字ができ、時間と空間を超えて知識が拡散できるようになることで、人間社会が更に大きな構造を作り上げた。これも負のエントロピーである。

　人類は構造化と組織化した結果、他の動物より強くなり他の動物

を食べるようになり、食物連鎖の頂点に立った。食物連鎖の頂点に立って他の動物を摂取することで更に、負のエントロピーを作り出すのに必要なエネルギーを獲得でき、更なる組織の拡大と強化が可能となった。

　人間は狩猟社会から農耕社会に、農耕社会から工業社会へと発展し、その都度大きな組織を作り出したし、また、それによって更に多くのエネルギーを獲得し、更に大きな負のエントロピーを作り出した。

　アダム・スミスの国富論で説く「神の見えざる手」による分業は、自己組織化の一環であり、彼自身が認識していなかったのかもしれないが、人類もその一部である大自然の一方向の変化の法則に従っている。

　人間社会はもともと家族単位、村落単位であったが、言語と文字の発達に伴って国単位に拡大し、現在は世界単位になった。分業はもともと国内で行われたが、現在は国境を越えて、世界が一つの組織構造になった。まさにグローバル化である。これも負のエントロピーをもたらす。

　グローバル化は各段階において様々な軋轢を生んだ。大航海、西洋による植民地支配、様々な戦争も人類のグローバル化の一部とみなすこともできる。様々な軋轢があっても、グローバル化への抵抗があっても、人類は形を修正し、紆余曲折を経ながらグローバル化を進めてきた。これは人類が負のエントロピーを生み出す進化を続けざるをえない運命にあり、自然の摂理だからである。誰も自然の摂理に逆らうことはできない。軋轢を回避するために負のエントロピーを自分の意志で諦めることはできない。今後もグローバル化は紆余曲折しながら更に進むしかないであろう。これは進化そのものである。

　組織の構成要素間で分業する以上、協調のためのやりとりが必ず発生する。経済学では分業する以上、交換が発生する。交換のためには情報流と物流が必要である。組織構成員同士の情報流が届く範

囲とスピード、組織構成員同士の物流の届く範囲とスピードによっ
て、分業の進む程度が決まる。脳細胞間はシナプスで結ばれている。
このシナプスの数と長さによってその脳の能力が決まる。情報の流
通には郵便、ラジオ、テレビ、インターネットといった情報インフ
ラが、人の往来には道路、高速道、自動車、電車、新幹線、飛行機
といった交通インフラが、物の移動には、道路、橋梁、鉄道、港、
空港、船、トラック、列車、飛行機といった物流インフラが必要で
あり、その整備がその組織の分業とエントロピーの量を大きく左右
する。

　一つの最終製品は多くの部品でできあがっており、その部品は
様々な国で作られている。原材料から最終製品を消費者に届けるま
では、非常に複雑で長いサプライチェーンがある。これはまさに負
のエントロピーである。このサプライチェーンの範囲は国単位であ
る必要はなく、広ければ広いほど、大きな負のエントロピーが作ら
れる。

　工業化の中でコンピュータが誕生し、そのコンピュータはネット
ワークでつながるようになり、コンピュータも複雑なネットワーク
「社会構造」を構成し、ビッグデータを生み出し、ビッグデータを
処理するようになりつつある。このネットワーク化したコンピュー
タが処理できる情報量は人間の脳が処理できる量を遥かに超えたと
言える。このコンピュータで構成された組織も大きな負のエントロ
ピーを作り出している。その分、コンピュータは非常に大量の電力
エネルギーを消費している。

　個人間、企業間、集団間、国家間、地域間の競争は全て、負のエ
ントロピーをめぐる競争であり、負のエントロピーを生み出すのに
必要なエネルギーをめぐる競争であり、分業、組織化、散逸構造の
競争である。

　一方、組織化すればするほど、ある種の脆さが増し、安定性が落
ちる。双細胞よりは単細胞が安定する。恐竜が絶滅しても恐竜の構
成物質が残っているので恐竜の構成物質よりは恐竜そのものの安定

性が低い。建物が機能しなくなっても建物の部品はまだ使えるので建物という組織の方が建物の部品より安定性は低い。国が滅びても個人は生きられるので、個人より国という組織の安定性の方が低い。組織化の方向で進化を止めることはできないが、進化すればするほど組織が複雑になり脆くなる。これも自然の摂理である。全ての組織はその構成要素よりも安定性が低い。

「囚人のジレンマ」にみる協調と全体最適

　生物としての構造体の構成員は自身の利益のために自身の遺伝子を残すために行動するとされている。非協調を選んだ方が自身に有利か、協調を選んだ方が自身に有利か、ゲーム理論ではこの問題を端的に表した、非常に有名な問題設定がある。「囚人のジレンマ」である。

　二人の囚人が共犯で、自供（＝非協調）するか、否認（＝協調）するかの選択を迫られる。相手が否認し自分も否認した場合は二人とも2年の懲役で済むが、相手が自供し自分が否認した場合は相手が釈放され自分が10年間の懲役となり、相手も自分も自供した場合は二人とも5年の懲役となる、というルールになっている。さて、あなたはどう考えるか。仮に相手が自供するとしよう。自分が自供した場合に5年の懲役で済むが、自分が否認した場合には10年の懲役になるので自供を選ぶのが合理的である。仮に相手が否認するとしよう。自分が自供した場合に自分が釈放され、否認した場合に2年の懲役になるのでやはり自供を選ぶのが合理的な選択となる。結果的に、いずれの場合も自供を選ぶのが合理的であると結論づけられる。結局、二人とも同じように考え、二人とも5年の懲役となる。本来は二人とも否認した方がそれぞれ2年の懲役で済むのに、合理的に考えた結果が非合理的結末となった。

　この状態はゲーム理論ではナッシュの均衡という。ナッシュは「ナッシュの均衡」を解のひとつとする「非協力ゲーム理論」によ

ってノーベル経済学賞を受賞した。

　二人とも否認しそれぞれが2年の懲役で済むという解は、経済学ではパレート最適という。パレート最適とは、誰かの効用を犠牲にしないと他者の効用を高められない、無駄のない状態を指す。

　「囚人のジレンマ」に関する研究は、「神の見えざる手」に任せれば、必ずしも、いや、むしろ往々にして、パレート最適に到達しないことを示したとも言える。

　一回切りの選択ならナッシュの均衡から脱出しにくいが、繰り返し選択する場合にはパレート最適解に辿り着くのか。これを明らかにするためにアクセルロッドはプログラムコンテストを企画した。

　一回目のコンテストでは、次のシンプルな戦略を実装したプログラムが優勝した。「一回目は協調、その後は毎回、前回の相手の手をそのまま返す」。

　一回目のコンテスト後に、アクセルロッドは優勝したこのプログラムを公開し、これを超えるものを再度公募した。しかし、二回目のコンテストでも同じプログラムが優勝し、結局これを超えるものは出なかった。

　このシンプルなプログラムを自身と対戦させたら、どちらも協調で始まり、協調で終わるので、明らかにパレート最適である。

　もし相手のプログラムが非協調の手を出してきたら、次回はこちらは必ず同じ非協調を返すので、相手が一回だけ得するが、その直後は必ず仕返しを食らうので、非協調によって相手を搾取し続けることはできないことが分かる。一方、相手が協調に戻れば、こちらもすぐに協調に戻るので、それ以上「懲罰」をせず、協調関係の回復と維持の動機を与え、協調し合う回数が増える。一回の選択時にナッシュの均衡が合理的であるのに対して、繰り返して選択する中でこのシンプルな戦略が最も良い得点が得られ、パレート最適に近づくことができた。

　この研究成果から言えるのは、①善意を持ち協調すること、②相手の搾取を抑止するために非協調に対して同等の非協調を返すこと、

③寛大であり、相手が協調に戻れば自分もすぐに協調に戻ること、④シンプルで相手にも分かりやすい原則を持つこと、が一番得な生き方だということである。これは私たちの生活実感にも近いのではないだろうか。企業間も国家間にも当てはまるのではないだろうか。

　次の議論につなげるために提起しておく。もし、二人の囚人に上司がいるとすれば、上司の命令で二人は協調し、パレート最適を実現したことが容易に分かる。これこそが政府の役割であり、政府が必要とされる理由である。

　経済学におけるパレート最適は、「誰かの効用を犠牲にしないと他者の効用を高められない、無駄のない状態」であるが、実際には、誰かの効用を犠牲にしなければ実現せず、誰かの効用を一部犠牲にすれば実現できるような全体最適も多い。たとえば、高速道路を作る場合、一直線で作ったコストが最も安いが、たまたまその直線上にあった家を犠牲にしなければ全体最適が実現されない。言いかえれば、貧富の差が大きすぎて格差が固定されると、社会が混乱し停滞するので、累進課税によって格差を是正することは全体最適のためであるが、所得の高い人を犠牲にしなければ実現できない。全体最適も政府しか果たせない役割であるが、政府があっても全体最適は容易ではない。

政府の役割と統治形態の変遷

　前述のナッシュの均衡を脱出し、パレート最適と全体最適を実現することがまさに政府の役割である。このような専門用語を用いるまでもなく、警察官がいなくなると怖いので、政府が不可欠の存在であることは周知のとおりである。ジョン・ホッブスは「万人の万人に対する闘争」を回避するために、国家が必要であり、国民が権利の一部を政府に委ねる契約をするのだと説いた。

　国家だけでなく、どの組織も構成員の利益を超える組織全体の利益を最大にし、結果としてその構成員の利益を最大にするために、

誰かが意思決定の権限と責任を持たなければならない。

　理論的には、全てのことを全ての構成員が相談して決定することも可能ではあるが、そもそも構成員の間で利益対立があり、物事に対する理解の度合いが異なり、相談する上で存在する物理的限界や意思決定にかかる時間の限界を考えると、家族以上の人数では現実的に難しい。

　そこで、誰が権力を持つか、どこまでの権力を持つか、これらをどのように決めるか、権力者が構成員をどう扱うか、構成員が権力者を変えることができるか、等が問題となる。歴史は普通の人々の生活よりも、これらの問題をめぐって展開され、記述されているように見える。

　家族内では、互いを良く理解し、能力も人望もある人が自然にリーダーのポジションにつく。村落、部落単位でもこの形が多い。もっと大きな単位になると、全員が全員を理解することは不可能で、戦争で勝った人が王様になった。戦争に勝つには、腕力だけでなく、人望も必要である。このことは何よりも分かりやすい。従わなければ殺されるので、その統治下に全員が入ることが強制され反抗もできなかった。一方、戦争に勝ち、権力を手にした後、病気になった場合、老衰で意思決定が困難になった場合、死期を迎えた場合にどうするかが再び問題となる。王様の長男が権力を引き継ぐのが一般的であるが、長男が能力不足である、あるいは、長男に権力継承の意思がなかった場合にどうするかなど、問題は尽きない。

　人類は有史以来この問題について様々な模索をしてきた。昔からあり、今も一部の国で続いているのは君主政治（monarchy）であった。一人の君主ではなく少数の貴族による統治も多くあった。これを貴族政治（aristocracy）という。2500年前のギリシャでは、奴隷でない男性が法律や法案に直接投票する民主政治（democracy）が行われていた。中国では隋の時代から、出身と関係なく試験のみで官僚を決定する科挙が行われ、実力政治（meritocracy）を実践した。

　近代になると、主権は国民にあるとの思想が広がり、今はほとんどの国で選挙が行われている（男女や人種に関係なく参政権が与えられるようになったのはほんの数十年前からであるが）。実際の政治は政策が近い人間集団でないと行えないため、政党が組織されている。選挙もほとんどの場合、政策を代表する政党を選ぶ形になっている。複数の政党で競い合う国もあれば、一つの政党が政治を担う国もある。一党制を専制政治（autocracy）という。金持ちが実際に支配する政治を金銭政治（plutocracy）という。実力と実績のある人が選ばれる政治を実力政治（meritocracy）という。イランのように神の意志を代表する人たちが行う政治を神権政治（theocracy）という。

　統治形態は国王や貴族のためから人民のために変わってきている。民主政治（democracy）を定義すれば、「人民の（of the people）、人民による（by the people）、人民のため（for the people）の政治」（米国リンカーン大統領による）が良い定義である。「人民の」政治とは、国王、貴族、金持ち（だけ）ではなく人民の中から政府を構成すること、「人民による」政治とは、人民が参加し決定する政治であること、「人民のための」政治とは、王族、貴族、金持ちなど特定の利益集団のためではなく人民全体の利益のためになる政治であることを意味する。現代においてこの原則を否定する政治勢力は基本的に見あたらない。君主政治以外の全ての国が同じ原則を共有していると考える。

　この3つの条件を満たす民主政治は、複数政党制が良いのか、一党制が良いのか。それぞれ一長一短があり、大いなる論争、競争が進行中であるが、歴史的にみてこの論争、競争はまだまだ続くと思われる。

　複数政党制のメリットは、国民が投票を通じて政府や政策の決定に参加した実感を持てること、結果を出せなかった政府あるいは権力乱用した政府を選挙で交代させることができること等がある。一方、デメリットは、選挙にはお金がかかるため、結局は金持ちが支

持する人以外に候補者となりにくいこと、普段政治に関心や時間を
割けない人が平等の一票を投じても、必ずしも全体最適となる選択
ができないことである。また、そもそも実績も能力も乏しい候補者
がルックスと口のうまさだけで選ばれる可能性があること、国が複
数の利益集団に分裂し、共通した政策が政権交代によって安定的継
続的に運用できないこと、などがある。

　一党制のメリットは、政策の継続性が担保されやすいこと、政府
が国民全体のために政策を作成し実行するならば国民が分裂しにく
いこと、長期的な幹部養成、幹部選抜ができることなどである。一
方、デメリットは、政権交代が非常に難しいので権力乱用が生じや
すいこと、国民は選挙で大きな変化を起こせないため、参政権を実
感しにくいこと、権力集中は大きな間違いがあっても止めにくいこ
となどがあげられる。

　このような一長一短がある中で、複数政党制による政権交代は一
般的に受けが良いが、国民にとって一番大事な経済がどちらの制度
下でより発展するか、どちらがより負のエントロピーを生み出すか
については、次節で別の研究成果を紹介する。

　複数政党制が良いか一党制が良いかは、理論的に明確ではないだ
けでなく、それぞれの国の歴史と文化を無視して無理矢理導入して
も機能しないため、それぞれの国の実情に合わせて学習模索のプロ
セスを行うことが不可欠である。自分がそう思っていても、そう思
っていない相手に対して、同じように思えというだけでは相手が同
じように思うようにはならない。人間の脳はそうなっていない。

　二元論に陥らないように補足すると、複数政党制の形をとるが、
実質的に一党支配が長く続く国もある。シンガポールや日本はその
部類に含まれる。国民には選挙の参加実感があり、政権交代も理論
上可能だが、一党制のメリットである政策の継続性も可能である。

　人間社会の構造では、組織の「政府」はその組織の大脳の役割を
果たしている。この大脳の複雑度によって、運営できる社会の規模
と複雑度が決まり、エントロピーの大小を左右する。

　グローバル化が進むにつれて「世界政府」も求められている。それぞれの国内でもまだ模索されている現状を見ると、国連が「世界政府」になるにはまだ時間がかかるが、長い目で見ると避けて通れない問題である。

工業化の条件

　2001年のノーベル経済学賞の受賞者であるMichael Spenceが受賞直後に世界銀行のプロジェクトに参加し、年7パーセント以上の経済成長を25年以上続けた経済体について調査し、経済成長の条件と枠組みを明らかにする研究に取り組んだ。2008年にその成果を発表した。

　第二次世界大戦後の200以上の経済体の中でこの条件に合致したのは13ある。ボツワナ、ブラジル、中国大陸、香港、台湾、インドネシア、韓国、マレーシア、マルタ、オマーン、シンガポール、タイ、日本である。

　これらの経済体には5つの共通点があった。①世界市場に開放されている、②政治と社会が安定している、③貯蓄率が高く多額の再投資をしている、④市場経済である、⑤積極的な政府がある。①と④は分業と交換に関するもので、工業にはインフラや工場プラントの建設に多額の資金が必要なため、③も分かりやすい。②と⑤は政治に関することであり、不安定な社会では経済が発展せず、社会の安定には強い政府が必要である。

　この研究成果で注目すべき事項は次の4点である。①東アジアの国・地域が13の中の9を占めている、②複数政党制で政権交代の国・地域もあるが、一党長期政権の国・地域がむしろ多く、政治と社会の安定という条件と積極的政府という条件を満たしていると考えられる。③北東アジアに属する中国大陸、香港、台湾、韓国、日本は儒教の影響を受けており、勤勉で貯蓄に励む傾向が強い。また、東南アジアに属するインドネシア、マレーシア、シンガポール、タ

イはいずれも経済における華人、華僑の役割が大きく、北東アジアとの共通点が多い。これは高貯蓄、高投資という条件を満たしている。④いずれの国や地域も米国と良好な関係を結んでおり、その結果、世界市場に参加している。

　世界的に見ると、現段階で農業文明から完全な工業文明に進むことができたのは、西欧北欧、北米、北東アジアの3地域だけである。西欧北欧と北米の共通点はプロテスタント教の地域である。マックス・ウェーバーは著書『プロテスタンティズムの倫理と資本主義の精神』（岩波文庫、1989年）において、プロテスタントの「禁欲的労働」の価値観を通じて世俗（利潤の追求）社会を修道院化し、資本主義の発達に必要な勤勉、利潤の肯定、貯蓄の再投資をもたらした、と論じている。それに対してカトリックの地域と東方正教の地域は、プロテスタントの地域ほど資本主義の発達条件がなかった。イスラム教、ヒンズー教の地域は神に価値を置いているが、利潤の追求にはそれほどの価値を置いていない。儒教の影響を強く受けた地域は一神教でもなく無宗教も多い世俗化社会であり、勤勉と貯蓄ではプロテスタント教の地域以上である。以上のように世界を見渡すと、なぜ西欧北欧、北米、北東アジアの3地域だけが工業化に成功したかの理由も、各地域の共通点も明確になる。

　なお、この13の国と地域は、南米、西アジア、アフリカ、欧州にあり、経済成長はどの地域でも可能で、一定条件が整えばどの地域でも工業化が可能であることを示している。

自由主義、資本主義、社会主義、個人主義、集団主義

　工業化に成功したのは、西欧北欧、北米、北東アジアの3地域であり、西欧北欧、北米のプロテスタント教と北東アジアの儒教の共通点は勤勉と貯蓄再投資であると述べた。一方、西洋文明の一部であるプロテスタント教と東洋文明の一部である儒教では、個人と集団の重視度に大きな違いがある。

　中世の暗黒からルネサンスと啓蒙運動を経て、ヨーロッパでは自由という概念が普及した。多くの人々が自由のために戦い、宗教と王政から自由を勝ち取った。自由は原理的に、権力からの個人の自由を指す。政府や教会等の権力は悪いものであり、必要悪として認めても、最小限にとどめるべきだとする。愛国はあっても愛政府はありえないという捉え方である。当時の権力は相当悪かった、全く信用に値しなかったに違いない。

　古典的自由主義（classical liberalism）の思想では、個々人は政府から干渉されずに自由に経済活動することで「神の見えざる手」の分業と交換によって富が効率的に作られ、その結果国家も栄えると説いている。これは分業と交換が大幅に増える工業化と資本主義経済に非常に合致する考え方であった。政治においては、個人の自由権を尊重し政府の役割を最小限に抑える、という考え方である。古典的自由主義は、多数決では往々にして個人の自由と権利が守られないとの考えのもとで全国民参政権には反対であった。古典的自由権は資本家と経済の強者には好都合であった。

　資本主義は古典的自由主義の思想とともに発展した。一方、資本主義のみでは、貧富の差が大きくなり、社会が不安定になっていった。資本主義が発達した欧州では社会主義と共産主義の思想が広がり、ソ連と東欧では共産主義革命が起きた。西欧と北米では革命こそ起きなかったが、革命を防ぐために、西欧では社会民主主義の改革が行われ、労働者の権利保護と社会福祉が進み、社会主義の要素を政治に多く取り入れた。

　米国では、近代自由主義（modern liberalism）が生まれた。政治においては、古典自由主義の自由権に加え、1960年前後の公民権運動が起き、男女と人種に関係なく全国民に公民権（平等に扱われる権利、全国民参政権、差別されない権利等）が付与された。経済においては、政府による規制が認められ政府の役割が拡大した。ケインズの経済理論によって、公共工事と貧困対策も講じられるようになった。近代自由主義の経済政策は、社会主義の理念と共通点

が多い。欧州では社会民主主義という言葉が定着しているが、米国では社会主義が自由主義の対極にあるということで社会主義という言葉自体に拒否感があり使われない。社会主義的政策は近代自由主義の名において実行する必要があった。

　近代自由主義が進むと、社会の平等が一定改善した。その中で政府の債務も増えた。20世紀の70年代以降、拡大した政府の役割を減らすことを主張する新自由主義（neoliberalism）が提唱されるようになった。新自由主義は経済の領域において古典自由主義への回帰である。国営企業の民営化が推進され、グローバル化が進んだ。貧富の格差が再び拡大した。一方、政治においては、近代自由主義で確立した公民権は古典自由主義に戻ることはなかった。

　旧ソ連と東欧では、社会平等と正義を実現すべく資本主義経済と逆の方向で、国が全てを所有する国有計画経済を行った。自分の働きが自分の利益に直接繋がらない制度下では個人の創意工夫が乏しく、資本主義経済との競争に負け、89年、90年に東欧と旧ソ連の政治体制が崩壊した。東欧圏はいわゆる「ショック療法」を採用し、私有経済、資本主義に急ハンドルで方向転換したが、今のところ経済が大きな発展を遂げるには至っていない。

　中国は78年に鄧小平のもとで「改革開放」を始め、いわゆる「漸進的アプローチ」を取り、国有経済を残しつつも少しずつ資本主義市場経済の範囲を増やしていった。以来40年以上にわたって年10％弱の高度成長を続けてきた。資本主義という言葉自体に拒否感があるため、「中国の特色ある社会主義」という言い方をしている。東欧のようなショック療法をとらず漸進的に改革を進めたので、経済成長の5つの条件の1つである社会の安定が保たれた。

　中国は経済成長の5つの条件ともう1つ「積極的政府」も有しており、基礎教育、インフラ建設、産業育成、技術開発に精力的に取り組み、今では世界最先端のインフラを持つに至った。政府は国全体に影響するセクターについては自ら取り組む成功例を示し、政府は経済発展を阻害するものであるという古典自由主義の前提を覆し

た。現在は自由主義を標榜する米国でも、政府がインフラ投資、産業育成に積極的に取り組むように変わってきた。口では認めたがらないが、実際は中国を見習っているところも多い。

　上記の歴史から言えるのは、純粋な資本主義も純粋な社会主義も問題が大きい、ということである。純粋な資本主義では、比較的短期で資本の利益になるセクターでは、大いなる創意工夫がなされ経済が発展するが、貧富の差が大きくなり社会が不安定になるリスクがある。また、国全体にとって有益だが、中長期的投資が必要で私有経済に向かないセクターは政府自身が取り組むしかないことも明らかになった。一方、純粋な社会主義では、個人の創意工夫、勤労、再投資が起きにくく、経済の発展は遅い。このように、二元論ではなく、陰陽論のように社会主義と資本主義の良いバランスと相互作用を模索していくのがあるべき姿である。

　儒教の影響が強い地域では、個人と集団、個人と政府の関係は一般的に対立的ではない。集団は個人を大切にしつつも、個人の利益が集団全体の利益と衝突するときは個人が集団の利益を優先し譲る伝統がある。個人の自由といっても、個人が銃を所有し手放さないことは儒教の影響が強い地域では考えられない。個人の自由の名においてコロナ下で他人に迷惑をかけるマスク不着用も儒教の影響の強い地域では考えられない。今回のコロナ感染による死者数はその国や地域の「個人の自由」とほぼ反比例している。

　極端な個人主義では、社会の調和が難しく、不平等や治安の問題が深刻化しやすい。極端な集団主義では、個人が生き苦しく生産的でなくなる。どちらも不幸である。ここでも、二元論ではなく、陰陽論のように個人主義と集団主義の良いバランスと相互作用を模索していくのがあるべき姿である。

　理想は、個人の創意工夫が発揮され報われる環境が確保される一方、全体最適のために個人が協力すべき場合には互いに協力する紀律のある社会ではないだろうか。これこそ、系全体の負のエントロピーを最大にするからである。

通貨、基軸通貨、トリフィンのジレンマ、現代通貨理論、世界通貨

　経済は交換によって成り立つため、交換の媒体として通貨が必要となる。原始的には物々交換も行われていたが、お互いに必要な物を持ち交換し合いたい相手を探すことが難しいし、計量も十分な分解能を持ちにくいので非常に不便であった。その中で、皆が認める通貨が発明されるのはごく自然な流れであった。当初は貝であったりしたが、次第に金属のコインが使われるようになった。金属自体に固有の希少価値があり、信用に値するが、持ち運びにくく、十分な量の供給が難しかった。金属の中では銅＜銀＜金の順番で価値が高かった。その順番はまさにオリンピックのメダルの順番である。今でも金が価値の究極的基準として世界中で使われている。

　金属の次に使われるようになったのは紙幣である。これも自然な流れではあるが、紙幣には固有の価値がなく、1万円と書かれている紙幣と1千円と書かれている紙幣のコストはほぼ同じである（千円札の原価は10円、5千円札の原価は20円、1万円札の原価は25円と言われる）。価値から原価を差し引いた差額はシニョリッジ（seigniorage）という。数十倍ないし数百倍の価値差があるのは紙幣の発行者に対する信頼があって初めて成立する。歴史上、最初は信用があったがその後信用を無くした紙幣はいくらでもある。

　紙幣とコインを合わせて通貨という。今は国家が通貨を発行する権利を独占しており、国家の信用でもってその通貨の価値を裏付けている。国家が発行する通貨を主権通貨とも言う。国家は経済活動に必要な量の通貨を発行しないと経済が停滞する。物とサービスを調達するのにもお金が要るし、生産した物とサービスを売るのにも相手側にお金が要る。お金は血液のように流れなければ経済が回らない。十分な信用を経済活動に提供しなければならないので、十分な量の通貨を発行する必要がある。一方、実物の価値以上に通貨を発行しすぎると、お金が溢れ、相対的にお金の価値が下がってしまう。それは物とサービスの値段が上がる形となって現れる。いわゆ

るインフレである。インフレは通貨の信用が落ちる意味でもあり、それが長期間続くと大きな信用問題に発展し、政府が信用を無くすと政権が崩壊することにもなりかねない。今進行中の高いインフレの一因に、コロナ救済のために各国政府が大量に通貨を発行したことがある。

　一国内ならその信用問題は国内だけに留まるが、主権国家間の国際貿易に何を通貨とするかも非常に大きな問題である。

　金を使うのが最も安心するが、金の生産量が限られており、他の物の生産効率と比較して大きく劣る。大量生産できない金だからこそその価値に信用を置けるが、しかし、だからこそ、世界貿易に必要な量の信用を金では提供できない、というジレンマがある。

　結局は一番強い経済を持つ国の通貨を使うのが過去の歴史であった。各国が一番使う通貨のことを基軸通貨と言う。西暦1500年以降、スペインの後はオランダ、オランダの後はイギリス、イギリスの後は米国の通貨が基軸通貨であった。経済が一番強い国は例外なく一番強い軍事力を持つ国でもあった。その国の発行する通貨の価値は他のどの国の発行する通貨の価値よりも信頼できるのでそれを使うしかなかった。

　第二次世界大戦が終わる前に、米国とイギリスが基軸通貨をどうするかを議論した。イギリス側はかの著名な経済学者ケインズが代表であったが、米国側は若い財務次官補のホワイトが代表であった。ポンドが基軸通貨の地位をもはや維持できないと理解したケインズは一国の通貨ではなく、バンコール（bancor）という世界通貨を主張したのに対して、ホワイトは金とリンクするドルを基軸通貨とするという主張を譲らず、結局は国力差の前で経済学の大家であるケインズも諦めるしかなかった。イギリスポンドから米ドルへの基軸通貨の交代が決まった。最終的には45か国の代表が1944年にブレトンウッズに集まり、35ドルを1オンスの金と交換できるとの米国の約束を前提に、第二次世界大戦後の通貨体制で合意した。各国の通貨は米ドルとの交換レートを固定にすることにより結果的に金

との交換レートを固定にし、各国の通貨の価値を担保する、という
ものであった。米国は第一次世界大戦と第二次世界大戦においては
大量の武器を欧州に販売し、各国の紙幣ではなく金で支払ってもら
ったので大量の金をため込み最も信用のある裏付けを持っていた。

　金の保有量と比較してドルの発行量が絶対に多いと見破ったフラ
ンスのドゴール大統領は、米ドルを軍艦で米国に運び、35ドル＝1
オンス金の比率で金と交換し、その金をフランスに持ち帰った。次
にその金を担保に更にドルを借りて再度米国に運んで金と交換して
金を持ち帰った。金の流出を止めなければいけないことを悟ったニ
クソン大統領は1971年8月15日に、金とドルの交換を「一時停止」
すると宣言した。その「一時停止」は今も続いている。

　この宣言により、金の保有量を意識しながらドルの発行量をセー
ブする必要のあった米国は、その制約から解放された。その結果、
米ドルの発行量も、米国政府の国債発行量も飛躍的に増えた。米政
府の国債保有量は1971年の900億ドルから2022年の31兆ドルへ
300倍以上増えた。米国はコストがタダ同然の紙幣を印刷し、世界
中から何でも買うことができた（正確に言うと、米政府が米ドルを
刷っているのではなく、米国の中央銀行FRBがドルを発行し、米
政府の国債を買う形をとっている）。このドル覇権の力に頼って圧
倒的軍事力を持ち、その軍事力で米ドルの覇権と信用を維持する、
循環を回してきた。

　それは一面では世界経済に必要なことであった。トリフィンとい
う経済学者は以下のジレンマに気づいた。つまり、基軸通貨を発行
する国は、世界経済に必要な自国通貨を提供する責任がある。その
通貨は無償で他国に配るのではなく、基軸通貨の国が他国から物を
買う形で供給する。そうすれば自然に基軸通貨の国が恒常的に貿易
赤字になる。その貿易赤字が世界経済の成長とともに大きくなる。
貿易赤字がずっと増えていけば、基軸通貨の国の信用も基軸通貨の
信用がいずれ無くなっていく運命にある。

　このままいくと米ドルは基軸通貨としての信用を無くすことにな

るのだろうか。

　現在、先進国はほぼ例外なく、多くの国債を発行し借金して財政赤字を補填している。財政赤字を埋めるために増税するのが本来あるべき姿だが、古今東西、政府は増税よりは容易な借金＝通貨発行を選ぶ。米国政府の借金はGDPの約130％で日本政府の借金はGDPの約220％である。厳密に言うと、通貨発行は中央銀行が行うもので政府ではない。しかし、別機関なので制約はあるものの、実績としてみると、政府の財政赤字を中央銀行が国債を買う形で補填し、中央銀行が国債を買うお金は自分で印刷している。そういう意味で政府債務は一種の課税であるとも理解できる。

　他国の通貨を借りるなら返済は難しいが、自国通貨で借りる限り、借金で借金を返すことができ、永久的に続けても良い、とするのが、現代通貨理論である。米国以外の国は自国内で借金を消化する必要があるが、世界で唯一米国だけは自国の借金の希釈を全世界に負わせることができる。米国だけは自国のために世界に対して課税できる、とも言える。世界が経済成長のために一生懸命に働けば働くほど、無意識的に米国に納税している。この事実は、米国が標榜する自由と民主主義に反する。この点においては一生懸命働いて稼いだ黒字を米国債の購入に注ぎ込むしかない日本と中国は同じ立場である。

　現代通貨理論の言う、国の借金を永久的に増やし続けられることは論理的にはありえないが、今のところ、まだどの先進国でもこの理論が破綻したという結果には至っていない。

　基軸通貨の米国はタダ同然の紙幣を印刷し世界中から政府借金分の物を入手したとも考えられるが、それで米国は幸せかというとそれは必ずしもそうではない。トリフィンのジレンマが指摘した通りの結果が起きている。貿易赤字は必然的に製造業の海外流出をもたらし、その結果、国内で失業問題が深刻化し貧富の差が拡大し社会の分裂が進んだ。

　では、どうすれば世界経済の発展に必要で持続可能な通貨体制を

新たに構築することができるか。やはり、どこかの一国の主権通貨ではなく、世界通貨でなければならないのではないか。本件については、第五章で改めて論じたい。

債務周期と国家の盛衰

　世の中の多くの物事には周期がある。日の出と日没は一日の周期、満月と新月は一か月の周期、四季は一年の周期で繰り返される。

　債務も周期があり、世界最大のヘッジファンドであるBridgewaterを率いるレイ・ダリオが1500年以降の数百年にわたる債務周期について調べ上げ、的確な投資判断に活かせている。5～8年の短期周期と50～75年の長期周期がある、という。

図2-1　レイ・ダリオの債務周期理論

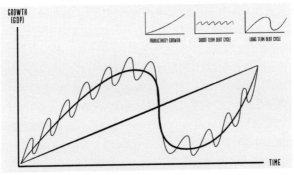

（出所）Ray Dalio, "Principles for Dealing with the Changing World Order: Why Nations Succeed or Fail", Avid Reader Press / Simon & Schuster, 2021

　これはレイ・ダリオの債務周期理論を示した図である。3つの構成要素がある。右肩上がりの直線は生産性の向上を示す。周期の長い波は長期債務周期を表し、その波の上に小さな波が乗っているが、これらの短周期の波は短期的債務周期を表す。

　彼の理論によると、経済を円滑にするために信用貸与が行われる。

58

将来に返す金を借りて今使うことによって、経済のスピードを上げさせるが、そのお金を返さないといけないので返す時期には消費が減って経済のスピードを逆に下げてしまう。これが短期の債務周期を形成する。

　短期的債務周期を繰り返しながら、債務総額が積みあがっていくとともに株価等の資産価格が上がっていく。金持ちが多く持つ資産価格が上がると、貧富の格差は更に拡大していく。しかし、どこかで債務の返済プレッシャーと貧富の格差が限界に達し、資産バブルが崩壊し、社会が混乱し、極端の場合は革命が起きる。ここで、通貨システムをリセットすることがたびたび起きている。長期的債務周期のプロセスの中において、政府は経済を刺激するために往々にして金利を下げる。福祉や経済対策にはお金がかかるので、政府もお金を調達するが、税金を取るのが難しいため、政府自身も徴税よりは借金を好む。中央銀行は金利を0にし、紙幣を大量に発行し、政府の国債を買う（いわゆる量的緩和＝QE＝quantitative easing）。更に国全体の債務総額を増やしてしまう。ここまでくると、バブルの崩壊は時間の問題となる。

　この長期的債務周期は国家の盛衰の周期とほぼ一致する。国家の盛衰は経済の盛衰であり、経済の盛衰は債務の盛衰（拡大縮小）と切り離せないので、国家の盛衰周期を債務総額の拡大縮小のグラフを見て判断してほぼ間違いない。それぞれの国の利率と負債対GDP比を見ると、その国の年齢は判断できる。

　彼は、最新作『Principles For Dealing With The Changing World Order: Why Nations Succeed Or Fail』（Avid Reader Press／Simon & Schuster, 2021）において、教育水準、技術イノベーション、コスト競争力、インフラ投資、GDP、成長率、貿易、軍事力、金融センター、備蓄通貨、債務負担、国内衝突、統治及び法の支配、地理地質、貧富格差及び機会均等、民度、資源配分効率、自然災害の18の指標で各国を数値化し、1500年以降の大国の興亡をこれらの数値で説明した。16世紀のスペイン覇権から17世紀のオランダ覇

権に移行し、17世紀のオランダ覇権から18世紀のイギリス覇権に移行し、18世紀のイギリス覇権から20世紀の米国覇権に移行した歴史は見事にこれらの数値と一致した。彼はこれらの指標を使って世界規模で投資を意思決定して成果を上げている。この指標をみると、米国は20世紀の半ばにピークに達し、その後は下落に転じた。中国は20世紀の半ばから上昇に転じ、今は米国に急接近してきていることが分かる。

図2-2　国家の相対的地位の推移

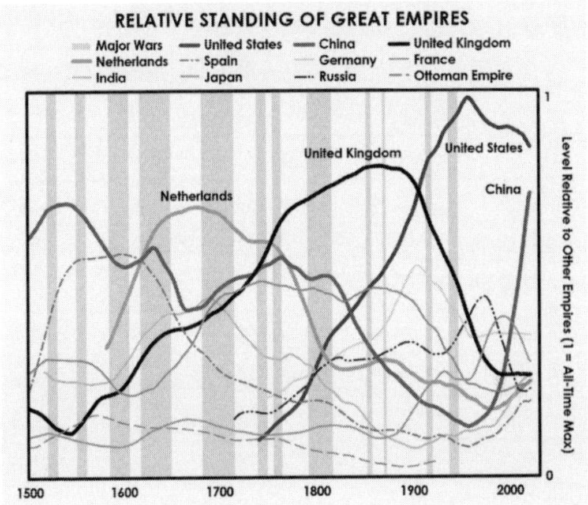

RELATIVE STANDING OF GREAT EMPIRES

（出所）Ray Dalio, "Principles for Dealing with the Changing World Order: Why Nations Succeed or Fail", Avid Reader Press / Simon & Schuster, 2021

覇権の交代、トゥキュディデスの罠、サッルスティウスの定理

　国家は大小あり、覇権国の盛衰は自国にのみならず他国や世界にも大きな影響をもたらす。歴史上、覇権国と挑戦国が接近し順位が変わろうとするときは、覇権国地位を維持し挑戦国の追いつきを阻止する力と、覇権国を追い越し覇権国の阻止を打破する力との激しい争いが起きる。この争いは不可避であることをハーバード大学グ

レアム・アリソン教授は著書『米中戦争前夜——新旧大国を衝突させる歴史の法則と回避のシナリオ』（ダイヤモンド，2017年）の中でトゥキュディデスの罠（Thucydides Trap）と呼び、そして、この争いは戦争によって決着することが多いことを指摘した。

　トゥキュディデスは古代ギリシャの将軍であり、彼がペロポネソス戦争史（History of the Peloponnesian War）という本の中で、「アテネの台頭とそれに対するスパルタの恐れがアテネとスパルタの戦争を不可避にした」と述べている。アリソンはこのトゥキュディデスの罠を過去500年の覇権交替の攻防に当てはめて調べた。このような例は16回あり、12回は戦争が起き、4回のみ戦争が回避された、という。アリソンが調べた16例は以下の通りである。

	覇権国　　　挑戦国	
15世紀後半	ポルトガル 対 スペイン	非戦争
16世紀前半	フランス 対 ハプスブルグ	戦争
16〜17世紀	ハプスブルグ 対 オスマン帝国	戦争
17世紀前半	オスマン帝国 対 スウェーデン	戦争
17世紀後半	オランダ 対 イングランド	戦争
17〜18世紀	フランス 対 イギリス	戦争
18〜19世紀	イギリス 対 フランス	戦争
19世紀中頃	イギリス、フランス 対 ロシア	戦争
19世紀	フランス 対 ドイツ	戦争
19〜20世紀	中国、ロシア 対 日本	戦争
20世紀初頭	イギリス 対 米国	非戦争
20世紀前半	イギリス、フランス 対 ドイツ	戦争
20世紀前半	ソ連、英国、フランス 対 ドイツ	戦争
20世紀前半	米国 対 日本	戦争
20世紀後半	米国 対 ソ連	非戦争
20世紀末	イギリス、フランス 対 ドイツ	非戦争

　この16例の中で、1990年代のドイツがイギリスとフランスに挑戦する例は、トゥキュディデスの罠に該当するかどうかが微妙であると私は考える。むしろ、1970年代1980年代の日本が経済的に米国の覇権に挑戦した例が取り上げられるべきだったかもしれない。もし、この例を除くならば、15例となり、戦争にならなかったのは、覇権がポルトガルからスペインに移った例、覇権が親のイギリスから子の米国に移った例と、核の恐怖による均衡で戦争を免れた米ソ冷戦の3例だけであった。

　中国の国力が米国のそれに接近してきた現在、トゥキュディデスの罠が再現されている最中であることは明らかである。望んでいなくてもこの力学からは逃れられない。問題は戦争まで発展するかどうか。核兵器を持つ両国が戦争を始めるとホモサピエンスが壊滅する可能性があるのでそれを防がなければならない。

　サッルスティウスは紀元前1世紀の共和政ローマの政務官である。引退後は著述に専念し、歴史家として知られ、前述のトゥキュディデスの研究でも有名だ。サッルスティウスの定理とは、外敵の存在により仲間内を固め内部対立を抑えることを指す。カルタゴという外敵があったときは、ローマの内部の多くの問題に蓋をすることができたが、カルタゴという外敵を滅ぼした途端、ローマの内部の多くの対立が表面化した。このメカニズムを一般化したのがサッルスティウスの定理（Sallust's Theorem）。内部の団結は必ずしも仲間への信頼によらず外敵への恐怖がものをいう。この内部は国内にとどまらず同盟国間をも含む。国内および同盟国の内部を固めるには外敵の存在が必要不可欠であり、権力者は往々にして外敵がいなくても外敵を作り出すことによって自分の統治をしやすくする。トゥキュディデスの罠は覇権国と挑戦国との力学を定式化しているが、サッルスティウスの定理は外敵の存在と内部対立との力学を定式化していて、後者はより一般的に広く適用できるのではないだろうか。

第三章
中華文明の平和的再興

中華文明と「大一統」の政治文化

　前述の通り、人類は約1万年前に農耕を始めた。農耕には水が不可欠なため、チグリス川およびユーフラテス川を中心としたメソポタミア文明、ナイル川を中心としたエジプト文明、インダス川を中心としたインダス文明、黄河を中心とした黄河文明が発達した。黄河文明を継承したのが中華文明である。

　史書にある伝説によると、紀元前3000年頃の炎帝と紀元前2500年頃の黄帝が中国人の祖先である。中国人は自らを炎黄の子孫と考えている。周王朝の一族と末裔を「華族」、夏王朝の一族と末裔を「夏族」と言い、これらの部族が融合して華夏族ができたとされる。分かりやすく言うと、黄河流域に居住していた、新石器時代後期および青銅器時代初期の、太古の諸部族が融合してできた農業部族である。文明が栄えた漢時代以降、華夏族よりは漢族と呼ぶようになり、今に至っている。

　漢族の定義は血縁的よりは文化的であり、漢族の文化を受け入れれば誰でも漢族となることができていた。華夏族はそもそも多数の部落が融合してできた部族であり、その後も周辺の多くの部族を同化して大きくなっていった。漢族は軍事力でもって周辺部族を征服することがほとんどなく、むしろ、北の騎馬遊牧部族に侵攻されることがしばしばあった。近くで言えば、元はモンゴル族、清は満州族の立てた王朝であった。戦闘的な元も清も結果的に国の版図を大きくし、もともと中国に属していなかったチベット、新疆、モンゴ

ル、東北を中国の版図にもたらした。また、時間が経つと、支配者であった異族も漢族に同化していった。モンゴル族も満州族もその後かなりの割合で漢族と自称するようになった。暴力ではなく他民族を受け入れ同化する文化的包容力は漢族の文化の一つの大きな特徴である。

　清王朝を引き継いだ中華民国は、漢族以外の少数民族も含めて中華民族という概念を打ち立てた。このときになって初めて民族というヨーロッパから来た近代的政治概念を適用する必要があった。中華人民共和国もこの言い方を引き継いでいる。民族という言葉はもともと中国語にはなく、日本が最初にヨーロッパから翻訳して中国に伝わったものである。

　中華民族の人口は、中国本土において14億1千万人、台湾に2300万人、香港、タイ、インドネシア、マレーシアにそれぞれ700万人前後、シンガポールとアメリカにそれぞれ400万人弱いて、合わせて全世界で約15億いる。世界最大の民族であり、人類の約20％を占める。

　中国本土の14億1千万人のうち、漢族が12億8千万人で91％を占めており、漢族以外に55の少数民族がいる。比較的人数が多い少数民族は、1700万人のチワン族、1000万人強の満州族、1000万人強の回族、1000万人強のウイグル族、900万人強のミャオ族、900万人弱のイ族、800万人強のトゥチャ族、600万人強のチベット族、600万人のモンゴル族、である。少数民族優先政策をとっており、人口増加率は少数民族の方が大きい（少数民族は2010年の8.49％から2020年の8.89％に、漢族は2010年の91.51％から2020年の91.11％に）が、少数民族の母数がもともと小さいので、この比率が大きく変わることはなさそうである。混血も進んでおり、漢族から様々な優遇がある少数民族に民族登録を変える人もおり、統計にもぶれがある。

　ヨーロッパは長い歴史を経ても、多数の民族国家のままで異なる言語や文化を維持し、一つの国家に統一されることはなかった。一

方で、漢族の地域では小さな部族が統合と同化を繰り返し、共通の文化とアイデンティティを醸成してきた。そして、このような大一統の政治文化が漢族、モンゴル族、チベット族、新疆イスラム、満州族などの関係にも拡大していった。それに対してヨーロッパは分権独立の政治文化ができていた。ここは中華文明と西洋文明が根本的に異なる部分で、その違いは政治体制の違いをもたらし、今日の多くの論争の根底にある。

このような違いはなぜ生じたのだろうか。それは地理的要因による。黄河は定期的に氾濫したが、その対応は個別の部族単位ではできず、統合して対応するしかなかった。欧州にはそのような地理的条件が存在せず、それぞれの民族は別々に生存することができた。ナポレオンやヒトラーがヨーロッパを統一を期して戦争をしかけたが、結局成功しなかった。

現在の中国は、中華民族という概念でNation State（民族国家）を構成しているが、西洋の民族国家とは必ずしも一致しない。むしろ中国はCivilizational State（文明国家）という言い方でも呼ばれており、その方が現実に合っていると考える。中華民国ができるまでは一つの国家というより、一つの文明を体現する「世界」であった。

中国政治を理解するために必要な4つの思想

中国の政治は明らかに西洋と異なる。そもそも西洋の思想体系と異なるので西洋が支配する現在の世界ではそれを理解することも容易ではない。しかし、中国の政治には決して拠り所がないわけではなく、しっかりした思想体系があり、それを理解すれば中国の国内政治と国際関係における中国の行動を理解することができる。

主に儒家、道家、法家、兵家の4つの思想をベースとしている。儒家の思想は為政者と国民に仁徳と秩序を説くものであり、法家の思想は優しさよりも厳しさと強さを説くもので、道家は自然とのバランスを説くもので、兵家の思想は戦いと勝利の法則を説くもので

ある。この四つの思想はそれぞれ一側面を強調しているが、バランスが重要である。中国の政治は時にはその一側面が強く表れるが、決して他の側面がなくなることはない。紙面の関係で各思想を深く紹介することはできないが、それぞれから代表的な文章をピックアップして現代語訳をつける。これらの代表的文章を理解すれば、中国政治、そして、中華文明の平和的再興の文化的背景をかなり理解でき、台湾への「武力行使の可能性」や時期、日本に対する「軍事進攻の可能性」について見通す根拠になると考える。

1. 儒家

原文「賢賢易色、事父母、能竭其力、事君、能致其身、与朋友交、
　　　言而有信。雖曰未学、吾必謂之学矣。」

書き下し文「賢賢たるかな易の色や、とあり。父母に事えては能く
　　　　　　其の力を竭し、君に事えては能く其の身を致し、朋友
　　　　　　と交わり、言いて信あらば、未だ学ばずと曰うと雖も、
　　　　　　吾は必ず之を学びたりと謂わん。」

現代語訳「美人を好むのと同じように、賢人は賢人として敬う。父
　　　　　母に孝行するときは全力を尽くし、主君に仕えるときは
　　　　　身を尽くし、友人には約束を守る。このような人が『ま
　　　　　だ学問を修めていないので自分は賢人ではない』と言っ
　　　　　ても、私はこの人を立派な賢人と認めて接する。」

原文「徳不孤，必有隣」

書き下し文「徳は孤ならず、必ず隣あり」

現代語訳「徳のある人は決して孤立しない。必ず理解して協力する
　　　　　人が出てくるものである」

原文「其身正，不令而行；其身不正，雖令不从」

書き下し文「其の身正しければ令せずして行はる。其の身正しから
　　　　　　ざれば、令すと雖も従はれず。」

現代語訳「わが身が正しければ、命令しなくても行われるが、わが
　　　　　身が正しくなければ、命令したところで従われない。」

原文「古之欲明明德於天下者、先治其国。欲治其国者、先齋其家。
　　　欲齋其家者、先修其身。欲修其身者、先正其心。欲正其心者、
　　　先誠其意。欲誠其意者、先致其知。致知在格物。」

書き下し文「古の明德を天下に明らかにせんと欲する者は、先ず其
　　　　　　の国を治む。其の国を治めんと欲する者は、先ず其の
　　　　　　家を斉ふ。其の家を斉えんと欲する者は、先ず其の身
　　　　　　を修む。其の身を修めんと欲する者は、先ず其の心を
　　　　　　正す。其の心を正さんと欲する者は、先ず其の意を誠
　　　　　　にす。其の意を誠にせんと欲する者は、先ず其の知を
　　　　　　致す。其の知を致せんと欲する者は物を格す。」

現代語訳「古来の明德を天下に示すなら、まずその国を治める。そ
　　　　　の国を治めるなら、まず自分の家をととのう。自分の家
　　　　　をととのうなら、まず自分の身を修める。自分の身を修
　　　　　めるなら、まず自分の心を正す。自分の心を正すなら、
　　　　　まず自分の意を誠にする。自分の意を誠にするなら、ま
　　　　　ず物事を知る。物事を知るなら、物事を深く研究する。」

2. 道 家

原文「道生一、一生二、二生三、三生萬物。萬物負陰而抱陽、冲氣
　　　以爲和。」

書き下し文「道は一を生じ、一は二を生じ、二は三を生じ、三は万
　　　　　　物を生じる。万物は陰を負いて陽を抱き、沖気を以て
　　　　　　和を為す。」

現代語訳「道は一を生み、一は二を生み、二は三を生み、三はあら
　　　　　ゆるものを創りだす。すべての存在には陰と陽があり、
　　　　　中心にからっぽの部分があってバランスを保っている。」

原文「為学日益，為道日損，損之又損，以至于無為。無為而無不為。
　　　取天下常以無事，及其有事，不足以取天下。」

書き下し文「学を為せば日々に益し、道を為せば日々に損す。これ
　　　　　を損して又た損し、以て無為に至る。無為にして為さ
　　　　　ざるは無し。天下を取るは、常に無事を以ってす。そ
　　　　　の事有るに及びては、以って天下を取るに足らず。」

現代語訳「学問を修めると日に日に増し、道を修めると日に日に減
　　　　る。減らしに減らしてついに無為の境地に至る。無為で
　　　　あれば逆に事を為す。天下を取るなら常に無為であれ。
　　　　事を行うようでは天下を取るに足らない。」

原文「太上下知有之。其次親而誉之。其次畏之。其次侮之。信不足、
　　　焉有不信。悠兮其貴言、功成事遂、百姓皆謂我自然。」

書き下し文「太上は下これあるを知る。その次は親しみてこれを誉
　　　　　む。その次はこれを畏る。その次はこれを侮る。信足
　　　　　らざれば、焉ち信ざられざること有り。悠としてそれ
　　　　　言を貴くすれば、功は成り事は遂げられて、百姓は皆
　　　　　我自ら然りと謂う。」

現代語訳「最も理想的な君主とは、民衆はただその存在を知るのみ
　　　　の君主である。次に良い君主は民衆がその功績を讃える
　　　　ような君主である。その次は法と罰を厳しくして民衆が
　　　　恐れるような君主である。その次は民衆から愚かだと侮
　　　　られるような君主である。民衆の信頼を欠くのは、君主
　　　　が信頼を失うような行いをしたからである。君主が悠然
　　　　として軽く口を挟まないようにすれば、人々は力を併せ
　　　　て事業を成し遂げる。民衆は、我々の力で国が良くなっ
　　　　た、と皆が言う。」

原文「上善若水。水善利万物、而不争。処衆人之所悪。故幾於道。
　　　居善地、心善淵、与善仁、言善信、正善治、事善能、動善時。

夫唯不争、故無尤。」

書き下し文「上善は水の若し。水は善く万物を利して争わず。衆人
の悪む所に処る。故に道に幾し。居るには地を善くし、
心は淵なるを善しとし、与うるには仁なるを善しとし、
言は信なるを善しとし、生は治まるを善しとし、事に
は能あるを善しとし、動くには時なるを善しとす。夫
れ唯だ争わず、故に尤無し。」

現代語訳「上善とは水のようなものである（上善水のごとし）。水
は万物の助けとなり、争うことが無い。多くの者が蔑み
避ける位置に止まっている。これは道の働きに近いとい
えよう。住むには地面の上がよく、心は深いほうがよく、
仁は与えるほうがよく、言葉は信義を守るがよく、政事
は治まるほうがよく、事は有能なのがよく、動くは時世
のるのがよい。このように争わないからこそ間違いも起
こらないのである。」

3. 法家

原文「愛多者則法不立，威寡者則下侵上。是以刑罰不必、則禁令不
行。」

書き下し文「愛多きは、すなわち法立たず。威寡きは、すなわち下、
上を侵す。ここをもって、刑罰、必せざれば、すなわ
ち禁令、行われず。」

現代語訳「部下を溺愛すると法令が確立せず、威厳が足りないと臣
下になめられる。刑罰を厳しくしなければ、禁令は行き
わたらない。」

原文「物有所宜材有所施。」

書き下し文「其れ物は宜しき所あり、材は施す所あり。」

現代語訳「物にはそれに見合った正しい使い道があるように、人材
にもそれを配する適切な場所や処遇がある。」

原文「嚴家無悍虜，慈母有敗子」

書き下し文「嚴家には悍虜無し、慈母には敗子あり」

現代語訳「厳しい家には狂暴な子はいない。情け深い母親には、その愛におぼれてとかく残念な子ができる。」

4. 兵 家

原文「兵者國之大事、死生之地、存亡之道、不可不察也。」

書き下し文「兵とは国の大事なり、死生の地、存亡の道、察せざるべからざるなり。」

現代語訳「軍事は国家の命運を決する重大事であり、生死にかかわり、存続か滅亡かの分れ道となり、慎重に考えなければならないものである。」

原文「凡用兵之法、全國爲上、破國次之、全軍爲上、破軍次之、全旅爲上、破旅次之、全卒爲上、破卒次之、全伍爲上、破伍次之、是故百戰百勝、非善之善者也。不戰而屈人之兵、善之善者也。」

書き下し文「凡そ用兵の法は、国を全うするを上と為し、国を破るはこれに次ぐ、軍を全うするを上と為し、軍を破るはこれに次ぐ、旅を全うするを上と為し、旅を破るはこれに次ぐ、卒を全うするを上と為し、卒を破るはこれに次ぐ、是の故に百戦百勝は善の善なる者に非ざるなり。戦わずして人の兵を屈するは善の善なるものなり。」

現代語訳「戦争における最善の戦略は、武力を行使することなく謀略を以て自ら講和を提起させ、敵国を破ることなく我が勢力圏に編入することである。敵軍を編入するのが上策で、敵軍を破るのは次策である。敵師団を降伏させるのが上策で、敵師団を殲滅させるのは次策である。敵軍の兵卒を降伏させるのが上策で敵軍の兵卒を殺すのが次策である。従って、百戦百勝は最善ではなく、戦わずして

相手を屈服させるのが最善である」

原文「非利不動、非得不用、非危不戦」

書き下し文「利するに非ざれば動かず、得るに非ざれば用いず、危うきに非ざれば戦わず。」

現代語訳「国家の目的達成に寄与しなければ武力行使を行ってはならない。目的実現の可能性がなければ武力行使は行ってはならない。他に対応手段がない危急存亡の時でなければ武力行使は行ってはならない。」

原文「知彼知己者、百戰不殆。」

書き下し文「彼を知り己を知れば百戦して殆うからず。」

現代語訳「敵も己も正確に知っていれば幾度戦っても破れることはない。」

原文「知可以戰與不可以戰者勝。」

書き下し文「以て戦うべきと以て戦うべからざるとを知る者は勝つ」

現代語訳「戦うべきときと戦うべからざるときとを知ることができる者は勝利する。」

原文「勝兵先勝而後求戰、敗兵先戰而後求勝。」

書き下し文「勝兵は先ず勝ちて而る後に戦いを求め、敗兵はまず戦いて而る後に勝を求む。」

現代語訳「戦争において敵に勝つ軍隊は、まず勝利の条件を整えてから戦う。これに対して、戦争で敗れる軍隊は、まず戦ってからあわてて勝利の条件を整えようとする。」

原文「用兵之法、十則囲之、五則攻之、倍則分之、敵則能戰之、少則能逃之、不若則能避之。」

書き下し文「兵を用うるの法、十なれば則ちこれを囲み、五なれば
　　　　　　則ちこれを攻め、倍すれば則ちこれを分かち、敵すれ
　　　　　　ば則ち能く之と戦い、少なければ則ち能く之を逃る。」
現代語訳「軍事戦略の要諦は、わが戦力が敵戦力の十倍であれば敵
　　　　　を包囲せよ。五倍であれば敵を攻撃せよ。二倍であれば
　　　　　敵を分断せよ。同等であれば全力を尽くせよ。劣勢であ
　　　　　れば戦いを回避せよ。」
原文「故兵聞拙速、未睹巧之久。」
書き下し文「兵は拙速なるを聞くも、いまだ巧久なるを睹ざるなり」
現代語訳「多少まずいやり方で短期決戦に出ることはあっても、長
　　　　　期戦に持ち込んで成功した例は知らない。」

原文「兵者詭道也。故能而示之不能、用而示之不用、近而示之遠、
　　　遠而示之近、利而誘之、亂而取之、實而備之、強而避之、怒而
　　　撓之、卑而驕之、佚而勞之、親而離之。攻其無備、出其不意。」
書き下ろし文「兵は詭道なり。故に能なるも之に不能を示し、用な
　　　　　　　るも之に不用を示し、近くとも之に遠きを示し、遠
　　　　　　　くとも之に近きを示し、利にして之を誘い、乱にし
　　　　　　　て之を取り、実にして之に備え、強にして之を避け、
　　　　　　　怒にして之を撓し、卑にして之を驕らせ、佚にして
　　　　　　　之を労し、親にして之を離す。其の無備を攻め、其
　　　　　　　の不意に出ず。」
現代語訳「戦いとは騙し合いである。できるのにできないふりをし、
　　　　　必要でも必要でないふりをし、近くにいても遠くにいる
　　　　　ように見せかけ、有利と思わせて敵を誘い出し、混乱し
　　　　　ていれば奪い取り、充実していれば守りを固め、強けれ
　　　　　ば戦いを避け、怒り狂っているときはかき乱し、謙虚で
　　　　　あれば低姿勢に出て驕りたかぶらせ、休息が十分であれ
　　　　　ば疲労させ、結束していれば離間させる。そうして敵の
　　　　　手薄な部分を攻め、敵の不意を突く。」

栄光から屈辱へ

前述のとおり、中国は黄河文明から絶えることなく続く文明の継承者であり、5000年の歴史を有する。

孔子、老子、韓非子、孫子など多数の思想家が生まれ、儒教、道教、法家、兵家などの思想を発展させた。火薬、印刷術、羅針盤などを発明し、薬草、鍼灸などの医学も発達した。漢字という象形文字を使い、書道、漢詩、水墨画の遺産も豊富である。陶磁器、シルク、お茶、香辛料も有名で世界各地で重宝された。

明の時代の1405年〜1433年、イスラム教徒の武将鄭和が兵士を含む2万7千人の大艦隊を率いてインド洋とアフリカに向かって大航海を7回行った。これは1492年にコロンブスが「間違って」米州大陸を発見する大航海より87年も早かった。鄭和の船の長さは60メートルもあった。鄭和の大艦隊は各地で貿易をしたが、占領や略奪は行わなかった。

中国を中心とした世界秩序は朝貢の形で保たれた。中国の皇帝に対して周辺国の君主が貢物を捧げ、皇帝側が相手に対して君主であると認めて恩賜を与えるというものであった。貢物よりも恩賜はその数倍から数十倍の宝物となることが多いため、経済面だけ見ると、朝貢は受ける側にとって非常に不利である。豊かで「徳のある」中国に対する敬意と、その敬意に対して中国の豊かな物産の一部を「下賜」する、というギブアンドテークが成り立っていた。

16世紀以降には、西洋の宣教師がインドと中国にも来るようになり、貿易も始まった。18世紀、イギリスは中国からお茶を輸入していた。織物を中国に売るつもりであったが、中国も織物を作っており、買おうとしなかったため、中国に銀を支払っていた。イギリスの銀が減り、国家財政の負担となっていた。そこで、インドに織物を売り、インドのアヘンを買って中国に売り、中国のお茶をイギリスに買って帰ることにした。

アヘンを禁止しても密輸が蔓延する中で、今度は中国の銀がどん

どん減り、大きな社会問題となった。皇帝の命を受け、この問題に
あたった林則徐がアヘンを焼き、イギリスに対して「アヘン輸出を
止めない限り一切の貿易を止める」と宣言した。

　これに対して、1840年、イギリスは軍隊を送り、戦争を始めた。
工業化に成功したイギリスには先進的な兵器があり、中国は戦争に
負けて、1842年に南京条約を結び、イギリスに賠償金を支払い、
香港島を割譲した。これを端緒として、他の欧米諸国も中国に様々
な不平等条約を結ぶよう迫り、中国は少しずつ主権を失い、混乱を
きたした。

　1851年、太平天国運動が起き、清朝の統治は更に揺らいだ。

　1860年、第二次アヘン戦争が勃発し、イギリスとフランスの連
合軍が、首都の北京を占領し、皇帝の離宮である円明園に放火し略
奪を行った。清朝政府は、北京条約を強制され、賠償金を支払った
上で、イギリスに香港対岸の九龍半島の一部も割譲した。アヘンが
合法化し、貿易が自由となり、中国は半植民地化した。

　この頃の日本は隣国などで起きた西洋による侵略を見て、危機感
を強めた。「興亜論」が起きた。1868年に明治維新が始まり、富国
強兵を目指す近代国家建設を推進するために様々な改革を進めた。
欧米列強に追いつこうと徴兵制を始め、「殖産興業」で多くの産業、
企業を起こし、「脱亜入欧」という言葉が流行った。

　急速に近代化した日本は、欧米列強と同じ侵略の道に進み始める。
1872年に琉球王国を琉球藩にし、1875年、琉球藩の「処分」（いわ
ゆる琉球処分）を決定、1879年に沖縄県を設置し、これで琉球王
国の併合が完了した。琉球王国は14世紀から中国に朝貢し冊封を
受けてきたが、1609年の薩摩藩による侵攻以降、琉球王国は日本
にも朝貢し、いわゆる二重朝貢の状態にあった。1875年の琉球処
分では清への朝貢の停止を命じられた琉球は「日本は父、中国は
母」として、旧来の二重忠誠制度への復帰を求める嘆願書が日本政
府に14通提出されたが、「二人の皇帝に仕えるのは、二人の夫に仕
える妻のようなものだ」との答えが返ってきたという。1874年2月、

閣議は「台湾蕃地処分要略」を決定し、「無主の地」として清国領土外とみなす「生蕃」地域に対して、琉球民遭難への「報復」の「役」を発動することを基本方針とした。5月に出陣し、日本が近代国家となってから初の海外への武力行使を行った。

その後、中国に長く朝貢した朝鮮の権益をめぐり、1894年に日清戦争が勃発。日本が勝利し、下関条約において中国は日本に対して当時の日本の国家予算の4年分に相当する賠償金の支払いと台湾の割譲を余儀なくされた。

日清戦争のあと、1900年に列強の侵略に反対する義和団運動が山東省等で起き、義和団および清朝政府軍対八か国連合軍の戦争に発展した。八か国はイギリス、米国、ロシア、フランス、ドイツ、オーストリア＝ハンガリー、イタリア、日本であった。国民を組織できていない中国が再び敗れ、連合軍は北京に入城し、皇居である紫禁城から多数の文物を略奪して国外に持ち出し、王侯貴族の邸宅や皇帝の離宮である頤和園などの文化遺産を略奪、放火、破壊した。その文物の多くは今も大英博物館に展示されており、いつ本国に戻されるか注目されている。日本は連合軍の中で最大の兵力を派遣し、最多の戦利品を獲得した。清朝は連合国に当時中国の国家予算の11年分の賠償金を支払うことになった。オーストリア＝ハンガリー以外の7か国は今もG7およびG8の主要メンバー（カナダ以外は同じ顔触れ）であり、120年前の国際秩序が今日まで続いている。

1904年の日露戦争で日本は帝政ロシアに勝ち、ポーツマス条約において朝鮮半島における日本の権益を認めさせ、中国の東北地方におけるロシアの権益の一部を獲得した。非白人国家が初めて白人国家に勝利したことに世界は大きな関心を寄せた。1910年に日本は朝鮮半島を併合し琉球と台湾に続き3つ目の植民地を獲得した。次に中国全体の占領を狙い、日中戦争へ突入し、第二次世界大戦まで続いた。

アヘン戦争以降、中国では様々な改革が行われたが、清朝の体制内からの改革は全て失敗した。日清戦争以降、特に日露戦争以降、

近代化に成功した日本に学ぼうと多数の中国人留学生が日本を訪れ、その数は数万人に及んだ。後の革命家の多くは日本留学経験者である。中でも孫文は特に多くの人望を集めていた。幾つもの武装蜂起のあとの1911年10月10日に武昌蜂起を起こし、1912年1月1日に中華民国を建国し、孫文初代臨時大統領に就任。1912年2月12日に清朝の皇帝溥儀が退位し、2000年以上続いた中国の帝政がこれで終了した。一方、中華民国となってからも各地で軍閥が割拠し、北京に首都を置いた中華民国の大統領は毎年のように変わった。

　そんな中、1914年に第一次世界大戦が欧州で勃発し、日本も中国も戦勝側であったが、1919年のベルサイユ条約では敗戦国ドイツの中国における権益を中国に返還するのではなく、日本に渡すことになった。これに対して、五月四日に知識人や大学生を始めとする中国国民が激しく抗議し、「五四運動」が起き、反日機運が高まった。

　折しも、1917年のロシア革命の影響を受けて、孫文の中国国民党が1919年10月10日に設立された。ソ連の指導を受け入れ、エリートの野合から近代政党への脱皮を図った。1921年に中国共産党が設立された。孫文は共産党と統一戦線を組み革命を推進したが、1925年に死去。1927年に反共の蒋介石が国民党を掌握すると、共産党を排斥した。1928年に蒋介石は北伐で北京にあった当時の中華民国政府を倒すことに成功し、南京に首都を置いた中華民国の総統となる。しかし、国民党は各地の軍閥の雑居政党であり、蒋介石は軍隊を完全に掌握できない状態が続いた。

　1931年9月18日、日本軍は満州事変を起こし、中華民国の一部を満州国として独立させ傀儡政権を立てた。これに対して、欧米は日本による中国の独占を恐れ、それを認めないとした。国民党が共産党の殲滅を狙い内戦を続けたが、1937年7月7日北京郊外の盧溝橋事件を発端に、日本と中国は全面戦争に突入。反共の蒋介石でも2回目の国共合作をせざるを得なかった。日本は欧米列強が欧州の「内戦」の対応に追われる隙きを狙って中国を手中にしようとした

が、中国が大きすぎ、膠着状態に陥った。1939年に欧州で第二次
世界大戦が勃発し、日中の全面戦争は1945年まで続いた。結果は
周知のとおりである。

　次節に移る前に触れておくが、孫文は1924年11月に神戸で有名
な「大アジア主義講演」を行った。西洋の覇道に対し東洋の王道、
仁義道徳の思想を説き、日本に対して「西洋覇道の犬となるのか、
東洋王道の干城となるのか」と問い、日中の友好を訴えた。この演
説の内容は今日的意味も大きいため、巻末に全文を原文と日本語訳
を掲載した。孫文の中国革命を惜しみなく支援したアジア主義者の
梅屋庄吉や宮崎滔天らは、中華民国時代だけでなく中華人民共和国
になった後も「井戸を掘った」恩人として尊敬され、記念されてい
る。彼らのような存在は、国同士の関係を超えた人間の心の深みと
希望を伝えている。

毛沢東の革命で立ち上がった中国

　アヘン戦争以降、西洋に遅れをとっていることに気づいた中国は
様々な改革を行った。まずは清朝の枠組みでの改革を目指したが失
敗した。その後、孫文らは辛亥革命を起こし、清朝を倒し、中華民
国を建国したが、統一した政党組織がなく、軍閥が権力闘争を繰り
返して混乱が続いた。ソ連の援助と指導を受けて中国国民党と中国
共産党が樹立され、近代的な革命政党を作ろうと模索したが、強い
組織を作れたのは共産党であった。

　蒋介石の国民党はエリートと資本家たちの政党であり列強の支持
はあったが草の根の支持はなかった。共産党は本来の理論上プロレ
タリアの政党でなければいけないが、中国は工業化前だったのでプ
ロレタリアは殆どなく、あるのは農民であった。ロシア革命は「先
進的」プロレタリアの革命であったが、毛沢東は、字が読める人す
ら少数しかいない中国の「遅れた」農民を信頼し味方にして、農民に
依拠した革命を考案し推進した。共産党の根拠地では地主の土地を

没収し農民に分け与えた。農民は熱烈に共産党を支持し税金を納め、紅軍をボランティアで支援した。国民党幹部は革命と同時に商売もしていて、外国の傀儡になる人が多かったのに対して、共産党は幹部の蓄財を一切許さず上部の指示命令に服従し死の覚悟を持った革命政党組織と、共産党の指揮に服従する人民解放軍を作り上げた。

その結果、第二次世界大戦が終了して間もなく始まった内戦において、武器、資金と支配地域で圧倒的劣勢にある共産党は、米国が武器資金を援助した国民党とその軍隊に破竹の勢いで勝ち、国民党は台湾に逃げ移るしかなかった。

1949年10月1日に中華人民共和国が建国され、毛沢東は天安門で「中国人民は立ち上がった」と宣言。アヘン戦争から数えて109年、中国がようやく列強から独立し、自らの手で自分の運命を握ることができるようになった。

国民党を支持した米国の大使が中華民国の首都南京に残り共産党政権と交渉しようとしたが、毛沢東はそれを拒否した。英国は揚子江に戦艦を派遣したが人民解放軍の砲撃を受けて退却した。中国共産党はソ連以外の諸外国の中国における一切の財産を没収し、全ての不平等条約とそれに基づく権益の無効を宣言した。国内では地主から土地を没収し、農民に分け与えた。工場も国有化した。これらの措置は不平等と貧富の差を一掃することになり、第二章で述べたレイ・ダリオ理論の債務周期のリセットに相当する。国家も経済もゼロから再出発した。

毛沢東の革命は、農村から都市を包囲する戦略であった。その後この戦略は国際的にも適用された。中国は第三世界、途上国の一員としてアフリカ、アジア、中南米と協力し多くの友人を得ている。彼らの支持によって1971年に中華人民共和国は国連に復帰し、国連常任理事国の地位は中華民国から中華人民共和国に移った。日本の報道では分からないと思うが、中国は西洋から批判されても途上国から広く支持されており、決して孤立していない。中国企業の海外進出も同様で、途上国の市場で圧倒的支持を得た後に先進国の市

場に進出するケースが多い。西洋に対して強い態度で臨んでも、多くの途上国に対してソフトに接するため、途上国から賛同を得る場面が多い。この点において中国と日本の立ち位置は大きく異なる。

　中華人民共和国が誕生した翌年、中国は朝鮮戦争に参戦した。マッカーサーの米軍が仁川に上陸し、中朝国境に迫った。義勇軍と称する人民解放軍は原爆を有する世界最強の米軍を相手に善戦し、引き分けに持ち込み、38度線以南に米軍を追い返した。この戦いにより、「立ち上がった」中国を世界に認知させ、結果として唯一ソ連が中国東北地方に保持していた権益をも回収することができた。外国の軍隊を中国から一掃した。更に、ソ連から156の技術移転が伴う工業化援助プロジェクトを獲得し、重工業化の基礎を築くことができた。

　中国はベトナム戦争にも兵士（中国の軍服を着用しない）を送り、ベトナム人民軍を支援した。世界最強とされた米軍は敗れた。中国は米軍と二度戦い、一勝一引き分けであった。米軍は第二次世界大戦後、東洋人に勝ったことはない。

　毛沢東の自主独立の精神がソ連とは合わず、中国とソ連が衝突するようになっていった。毛沢東は米国と接触し、1971年にニクソン大統領が電撃訪中して両国の関係正常化が動き出した。日本も翌年、田中角栄首相が訪中して中国との国交正常化を実現した。米国とは1979年に国交回復した。

　米中接近により中ソの関係決裂が決定的となった。これも影響を及ぼし、ワルシャワ条約機構に加盟する東ヨーロッパ各国の共産党政権は1989年から1990年にかけて相次いで崩壊した。人口と国土の規模が大きいこの3か国は、三国志のように2対1になると1の立場が苦しくなる。

　西側諸国との関係正常化により、後の鄧小平の改革開放の前提条件が整った。

　新中国が設立された1949年から毛沢東が死去した1976年までの27年間で、GDPの年成長率は5.02％であった。この数字は1949年

のスタート時点を考えれば決して低い数字ではない。識字率が大きく向上し、平均寿命も35歳からほぼ倍に伸び、ソ連の援助のもと重工業の基礎を作り上げた。そして、1964年に原爆実験に成功し、米ソ超大国の威嚇にも動じない究極的戦略兵器を持った。

　一方、「大躍進」という、「数年で米英を超える」という無謀な急進的工業化政策に失敗し、全国で多くの餓死者を出した。また、毛沢東が発動した「文化大革命」においても多数の死者を出した。

　毛沢東の最大の功績は、人民に根ざした共産党を作り上げ、バラバラだった中国人を組織し、列強を中国から追い出し、半植民地状態を終わらせ、中国を立ち上がらせたことである。毛沢東という稀代の「強人」にしかなし得ない偉業であった。彼の功績は彼が犯した過ちよりはるかに大きいため、今も広く国民から崇拝されている。

鄧小平の改革開放で豊かになった中国

　1976年9月9日に逝去した毛沢東の後を継いだのは鄧小平であった。毛沢東が発動した「文化大革命」で荒廃した中国を変えようと、鄧小平は1978年に「改革開放」の新方針を打ち出した。「改革」では従来の公有制経済を改革し、部分的漸進的に私有制経済を導入した。「開放」では資本主義諸国に市場を開放し、先進的な技術と資本を導入した。従来の計画経済では価格も量も全て政府が定めていたが、市場が価格を決め、市場ニーズに合わせて生産量を調整するよう改革した。

　これは経済的には合理的であるが、従来の社会主義という建前とは合わない。かといって、社会主義を標榜する中国が資本主義を実施するとは言えず、言いたくない。そこで、「中国特色のある社会主義」という名称をつけた。この名称は資本主義の要素を取り入れる余地が非常に大きく、政治体制改革に手を出さない限り、経済改革のあらゆる実験を一旦やってみることができるようになった。

　中国政府の積極的な誘致を受けて、華人の多い香港、シンガポー

ル、台湾を皮切りに先進国が競って人件費の安い中国に工場を移し、加工貿易が栄えた。次の段階に入ると、これらの工場は豊かになった中国人向けに品質の良い製品を作り売った。中国人はもともと学習能力が高く、自ら同じレベルのものを作れるようになり、海外に輸出するようになった。中央政府も地方政府も研究開発の投資に力を入れ、海外の技術を積極的に吸収し、技術水準も向上した。

中国は西側先進国の市場に受け入れられ、経済が急成長した。15年に及ぶ長期交渉の末、中国は2001年にWTOに加盟した。その後更に成長を加速させた。

改革開放後約40年にわたり、名目GDPは1980年の3030億ドルから2020年の14兆8660億ドルへと約50倍に急成長し、年成長率は10％に達した。一人当たりの名目GDPも1980年の307ドルから2020年の1万511ドルへと約35倍になった。更に、国全体の購買力平価PPPは、1980年の3030億ドルから2020年の24兆1910億ドルへ、一人当たりの購買力平価PPPは1980年の307ドルから2020年の1万7104ドルへと成長した。購買力平価PPPと名目GDPの間で、241910／148660＝1.63倍の違いがあり、これは中国元対米ドルの為替レートが中国元を過小評価していることを意味している。中国政府は購買力平価PPPを発表しておらず、上記の数字はIMFによるものである。中国の実力は名目GDPだけでなく、購買力平価PPPも見て判断した方が良い。2020年の名目GDPは、中国は米国の70％を僅かに超えたが、同年の購買力平価PPPで見ると、中国は既に米国の115％になっている。為替レートのからくりについては第四章でも詳しく述べる。

中国は今、世界の3分の2に相当する130以上の国家・地域の最大貿易相手となっている。トップはアセアン諸国、次いでEU、米国、日本だが、国単位で見れば米国は1位、日本は2位である。日本にとって中国は最大の貿易相手国である。

純粋な社会主義は社会が平等であることがメリットであるが、皆が貧しいことをも意味する。そこで資本主義を導入して経済発展を

図るしかないが、鄧小平は先富論（先に豊かになれる者たちを富ま
せ、遅れている者たちを助けること、富裕層が貧困層を援助するこ
とを一つの義務とする）を説き、皆を説得した。想定通り、貧富の
格差が拡大し、国の資産や許認可権を持つ共産党幹部が腐敗し、自
らの蓄財に走る問題が拡大した。取り残された人々を中心に国民の
不満が高まった。また、国民の一部では複数政党による民主化を実
現すればもっと早く豊かになれると考える人たちもいた。共産党指
導部の上層にもそうした考えを持つ人が存在した。

　1989年にこれらの不満や思惑が相まって学生運動が拡大し、5月
には政治改革を求める学生と市民が天安門広場を埋め尽くした。鄧
小平は人民解放軍を送り鎮圧した。いわゆる天安門事件である。多
数の死者が出た大変な悲劇であったが、これによって中国は政治体
制改革の議論に向かわず、経済改革に専念し、高成長を維持した。
当時、筆者も複数政党制による選挙が経済発展と近代化の必須条件
だとの認識のもとで学生運動を支持した。多数の死者が出たことに
対する悲しさだけではなく、「中国の近代化が終わった、中国が終
わった」との失望感が強かった。しかし、歴史は筆者の認識とは真
逆の証明をした。アヘン戦争以降の中国人の近代化に対する模索は
いつも紆余曲折が満ちていた。

　中国の貧富の格差はジニ指数が0.467（2017年の中国政府統計）
で米国の0.482（米国政府統計）には及ばないが、日本の0.372（日
本政府統計）を大きく超えている。国民が最も不満を持つ腐敗と格
差の二つの問題は習近平政権に残されている。

　次節に移る前に触れておくが、1978年に鄧小平がシンガポール
を訪問した際に、当時のリー・クアンユー首相からイデオロギーの
輸出を止めるように求められ、それ以来、中国はイデオロギーの輸
出を止めた。それ以前は中国は東南アジアの共産党を支援していた。

習近平政権が目指す「米国超え」

　中国人は勤勉で、賢く、商売上手なので、自由にビジネスできれ
ばまたたく間に経済成長できる。しかし、大昔から存在する腐敗、
汚職、貧富の格差という問題の解決が一番難しい。

　習近平は2012年11月に中国共産党総書記に就任した。すぐに反
腐敗運動を展開し、2021年までの9年間に全国で大小の汚職幹部を
180万人ほど摘発した。中には共産党政治局常務委員だった人も含
まれている。汚職と腐敗は改革開放以来国民が最も不満を高めた問
題であり、習近平はこの最も難しい仕事に着手し手を緩めなかった。
これだけの規模の摘発は多くの人を敵に回すことにもなったが、国
民からは高い支持を得た。西側のマスコミではこれを権力闘争とみ
る向きもある。既得権を剥奪された人たちが恨みを募らせたのは間
違いない。

　2020年に、中国政府は絶対的貧困状態にある人口を0にしたと宣
言した。基準を下回る貧困地域や貧困家庭を特定し、中央政府や先
に豊かになった沿海地域の自治体が目標を定めて、これらの地域と
家庭の収入を引き上げる計画を立て実行した結果である。基準金額
は地域によって異なるが、一人あたり年収が4千元が最も低く、7
千元、1万元の地域もある。

　胡潤研究院の2021年の調査結果によると、10億ドル以上の資産
を持つ中国の大富豪の数は6年連続で世界一となっており、直近の
1058人は米国の696人との差を更に広げた。一方、首相の李克強は
2020年、毎月の収入が1000元(約2万円)の人は全国で6億人いる
と発表した。中国の個人間格差も大きな問題だが、地域間格差の問
題も大きい。2020年の北京市の一人当たりGDPは164929元である
のに対して、甘粛省は36039元であり、北京の4分の1未満であった。
絶対的貧困人口はなくなったが、人類の2割が暮らす中国では相対
的貧困人口はまだ多い。パイを増やすことはもちろんのこと、相対
的貧困人口に恩恵が及ぶように分配する仕組みも必要だ。貧しい農

民を出発点とした革命政党である共産党は初心を忘れずにこの問題に取り組み続けるしかない。

　2021年、中国政府は「共同富裕」を打ち出し、富豪や高利益をあげる企業に寄付を呼び掛けた。これはもちろん重要なことだが、寄付による再分配には自ずと限界がある。中国には、先進国では既に当たり前になっている不動産税や相続税がまだない。試験的導入に着手しているが、非常に抵抗が強い。「強権」を発動できる中国ですら簡単ではない。しかし、これに取り組み、成功する以外に共同富裕を実現する方法はなく、3期目に入る習近平政権はこれを成し遂げていくだろう。逆に言えば、これさえやり遂げれば、再分配の大きな財源を手にすることができる。

　共同富裕はパイの分配も大事だが更なる成長でパイを大きくすることも大事である。しかし、従来の高度成長モデルは既に限界に達している。輸出頼みの経済成長は限界に来ており、内需拡大による成長に変えていかなければならない。また、投資頼みの経済成長も限界に来ており、消費主導の経済成長に変えていかなければならない。さらに、量的成長はから質的成長に移行しなければならない。経済成長のみならず、安心して子どもを生み育てることのできる社会システムも必要である。

　今までの中国の経済成長は工場建設、インフラ建設、都市化、住宅などの投資が牽引したが、これからの中国の経済は以下の3つが成長の要となる。

　一つ目はさらなる都市化である。中国は工業化の中で農村人口を都市人口に変えてきたが、現在の都市化率はまだ60％程度である。これを先進国と同様の80〜85％に引き上げるために、高速道路や高速鉄道などのインフラを急ピッチで整備してきた。更に、広大な農村そのものを発展させることが必要だ。「緑水青山はすなわち金山銀山」というスローガンがあり、環境と生態を重視したバランスの取れた国土開発を推奨している。農村部の一人当たりGDPよりは都市部の一人あたりGDPが多いため、農村人口を都市化すると、

当然国全体のGDPはそれだけ増える。農村人口を14億人の40％から15％に減らすことは、3億人以上を都市化することを意味する。都市部の一人当たりGDPは農村部の3倍程度と言われており、(85×3＋15×1)／(60×3＋40×1)＝1.227となり、国全体のGDPは約20％増える。

二つ目は技術開発による産業の高度化である。初めはソ連、次に西側諸国から学んだが、現在は中国の独自開発技術も多い。自動車ではエンジンの独自開発に苦労したが、電気自動車（EV）では世界の60％が中国製であり、世界先端レベルに肩を並べている。中国の製造業はほぼ全てのモノづくりを網羅しており、中国で作れないものはほぼない。かつ、技術的に中国が独自に製造できないのはハイエンドの半導体のみで、現在、急ピッチで投資と開発を進めている。14nmの独自の半導体製造は2022年に開始することができた。技術的に世界最先端レベルにあるのは、5G、キャッシュレス、超高電圧輸送、量子通信、量子コンピュータ、北斗（米国GPSの上を行く衛星測位システム）、人工知能、高速鉄道、スペースステーション、等々。これらは中国の更なるGDPの成長の基礎をなす。中国は2011年以降、特許出願数1位を維持してきており、2021年の特許出願の国別集計では、総出願件数340万件のうち、中国が158.5万件で1位、2位の米国の59.1万件の約3倍である。Nature誌が2022年2月に発表した最新のNature指数では、米国が19117点でトップであり、中国は15553点でこれに続き、三位の4592点を大きくリードしている。Nature指数の大学ランキングでは上位10大学（ハーバード大学、スタンフォード大学、中国科学院大学、北京大学、中国科学技術大学、オックスフォード大学、南京大学、清華大学、東京大学、ケンブリッジ大学）の中で中国の大学が半数の5大学を占めた。中国の躍進ぶりからすると、遠くない将来にNature指数でも米中逆転が予想される。2022年8月9日の日経新聞によると、文科省科学技術・学術政策研究所が公表した最新の報告で、中国は研究者による引用回数が上位1％に入る「トップ論文」

でも米国を初めて抜き、総論文数、引用上位10%に入る「注目論文」の数とともに首位となった。中国の基礎研究は量だけでなく質でも世界最先端に到達したことを意味する。学術研究の逆転は、産業競争力の逆転を裏付けるものであり、産業競争力の長期的発展を支える。中国は先進国から技術を盗んでいるとする根拠が薄まる。中国は技術力の向上により、サプライチェーンの上流分野にも進出し、付加価値を高め、GDPを増やすことができる。今後10年間でこの流れは一層加速するだろう。中国は2014年の李克強首相による「大衆創業、万衆創新」の呼びかけにより、新規創業も盛んである。Fortune誌の発表によると、2020年のユニコーン500強の中で中国は271社、米国は192社となっている。同じ技術でも中国の生産量が桁違いなので、価格は先進国より大幅に安くなり、多くの途上国に受け入れられることにより世界全体の経済規模を大きくすることができる。

　三つ目は消費による成長である。所得を増やすことも重要であるが、所得を貯蓄に回し消費に回さないことが課題である。これは社会保障を更に拡充することで解決を図ると見られる。中国の医療体制が良い例である。家計の貯蓄のかなりの部分は大きな病気にかかった際の治療費として備えられているが、これを保険で賄うことができるだけでも消費に回すお金がかなり増える。住宅は資産形成の対象となり、価格が上昇し続けたが、もはや限界に到達した。また、あまりにも高額になりすぎたため、住宅の購入費用が消費を抑える大きな要因となっている。若者に住宅を公的に提供することで出生数をある程度増やせる。やるべきことが山ほどある。

　中国の人口は2030年までは大きく変わらないが、2030年から2050年にかけて約1割減ると見込まれている。合計特殊出生率は1.3%であり日本よりも低い。これを大きく引き上げる政策が打てなければ、中国の人口は2050年以降大きく減少する。一方、15歳～59歳の人口は過去十年間で4000万人減ったが、労働参加率の上昇と失業率の低下で実際の労働人口は年0.2%の成長であった。

2020年は8.8億人であった。今後も、60歳から65歳への定年延長や、都市化の推進等を通じて、労働人口の維持を図るが、2030年以降は労働人口も減っていく。そうした中で、平均教育年数は大きく伸びており、生産量は増えなくても生産性向上により経済成長維持に貢献することができるであろう。中国の大学進学率は約50％で、大学生のうち理工系は約50％である。中国は世界最大のエンジニア集団を擁し、全先進国のエンジニア合計数よりも多い。ノーベル賞はまだ少ないが、先述の研究開発の成果を迅速に製品に変えて市場に投入する力は絶大である。ちなみに、日本の大学生の理工系比率は25％である。

　最後に、外部環境の変化という大きな課題について述べる。存在感を増した中国に対して、先行者であり既得権益を持つ先進国が非常に厳しく対処するようになった。本来、先進国は中国のB2CビジネスにB2Bで部品を提供するビジネスと、超高級ブランド品を提供するビジネスに特化することによって世界経済の拡大の利益を引き続き享受できるが、従来の地位を中国に取って代わられてしまうことに対する危機感があり、これは理解できなくはない。中国は平和的台頭路線を堅持することはもちろんのこと、防衛力を強化し、発展の成果を守り更なる発展の可能性を守らなければならない。

　「中国の米国超え」は象徴的言葉として注目されやすい。しかし、その中身を吟味しなければならない。国全体のGDPを意味するのか、一人あたりGDPを意味するのか、それとも、科学技術を意味するのか、ノーベル賞受賞者数を意味するか、空母の数やトン数を意味するのか。人口が4倍の中国が経済規模で米国を超えても決してゴールにはならないが、世界一に慣れきった米国からすればそれはなかなか穏やかには受け入れられない。

　中国は14億1千万の人口を抱えており、先進国人口の総和より多い。米国3億3千万人、EU4億5千万人、日本1億3千万人、イギリス7千万人、カナダ4千万人、オーストラリアとニュージーランド3千万人、合計で10億4千人である。中国はその合計よりも30％多い。

　米国と比べれば、中国の人口は米国の4倍強。つまり、中国の一人当たりGDPが米国の4分の1を超えれば、国全体のGDPは米国を超える。中国の成長率は2000年代の10％から2010年代の8％に、そして2020年代の5〜6％に減速したとは言え、先進国の成長率を大きく上回っている。IMFや多くの金融機関の予測によると、中国は2030年前後には名目GDPで米国を超える。つまり、中国の一人当たりの名目GDPは米国の4分の1に達することを意味する。逆にいうとまだ4分の1しかなく、まだまだ成長余地がある。2050年には、一人当たりの名目GDPは米国の半分になることが見込まれている。その時には、国全体の名目GDPは米国の2倍になるので、両国はトゥキュディデスの罠から抜け出せるのではないかと期待される。ドル単位の名目GDPは、インフレ率と為替レートが影響するので、経済規模を比較する尺度の一つであるが、絶対ではない。前述のとおり、購買力平価でみた場合に中国は既に米国の1.15倍になっており、2030年には米国の2倍近くになっている可能性は高い。米国CIAのホームページに行けば、世界最大の経済は中国だと既に明記してある。

　従って、国全体の経済規模で言えば、たとえ現在の名目GDPではまだ中国は米国の8割程度しかなくても米国超えはある意味で既成の現実として捉えられる。では、中国と米国は何をめぐって競争するのか。第四章で詳しく述べる。

中国共産党に対する国民の支持率

　先進国では、共産党と聞くだけでネガティブに感じる人が多い。中国共産党は国民を弾圧しており、無理に政権を維持しているだけだと思う人が多いように感じられる。

　米国ハーバード大学 Ash Center for Democratic Governance and Innovation が、2003年から2016年まで、継続的に中国で聞き取り調査を行い、Edward Cunningham, Tony Saich, Jesse Turiel の3人が

レポートをまとめ、「長期にわたる世論調査からみる中国共産党の強さ」(Understanding CCP Resilience: Surveying Chinese Public Opinion Through Time) という題で2021年に発表した（ネットでダウンロード可）。それによると、地方政府レベルでは支持率が下がる傾向にあるが、中央政府に対する支持率は80％から95％までの変動はあるものの、過去2007年から2016年までは安定的に90％以上の高い支持を得ている。

表3-1　中国の中央政府に対する満足度

Table 1: Overall Satisfaction by
Level of Government(2003-2016)

		2003	2004	2005	2007	2009	2011	2015	2016
	1	1.3	1.8	1.4	0.6	0.3	1.2	0.4	0.3
	2	7.6	9.5	7.6	5.2	2.9	5.0	6.3	4.0
	3	60.7	59.2	59.8	54.1	50.9	54.5	55.2	61.5
Central	4	25.4	22.9	20.7	38.2	45.0	37.3	37.6	31.6
	Avg	3.16	3.11	3.11	3.32	3.41	3.3	3.31	3.3
	Dis.	8.9	11.3	9.0	5.8	3.2	6.2	6.7	4.3
	Sat.	86.1	82.1	80.5	92.3	95.9	91.8	92.8	93.1

（出所）Understanding CCP Resilience: Surveying Chinese Public Opinion Through Time
（注1）この表の最後の行(Sat.)は各年の中央政府に対する満足度を示している。
（注2）"1"は非常に不満、"2"はかなり不満、"3"はかなり満足、"4"は非常に満足、をそれぞれ表す。
（注3）"central"は中央政府を意味する。地方政府に対する満足度も調査しているが、ここでは省略している。

　中国政府が実施した調査結果であれば、この数値の正当性に疑問を感じる人もいるかもしれない。また、この数値が正しいとすれば、中国人は情報から遮断されているので本当のことが分かっていないからだと言う人もいるであろう。人間の脳は居住国とは関係なく、自分の信念と合わない情報を否定する傾向があることは心理学で知られている。中国ではコロナ前は1億5千万人が海外旅行に出ていた。確かにネットは検閲されているという問題があるが、VPNでそれを回避して海外のネットにアクセスする人も多い。何よりも、

中国のことは実際に中国で生活している本人が一番よく知っている。なぜこのような認知と現実のギャップが存在するかは別途分析したい。

　中国共産党は党員9500万人を抱える世界最大の政党である。14億人の国民に対して0.95億人の党員というのは、国民15人に1人が党員であることになる。ちなみに、日本は1億2500万人の国民に対して自民党員は約110万人（国民110人に1人の党員）、公明党員は約40万人、共産党員は約30万人である。

　15人に1人ということは、自分の家族か親戚には1人くらい党員がいるという感覚である。共産党員になるのはどんな人物かというと、率先して皆のために責任を引き受け、人望のある人というのが分かりやすい。中国で会った人の中でこの人はしっかりしているなと感じるなら、共産党員である確率は高い。彼らは、武漢でコロナが発生し支援が必要になった時に真っ先に現地に飛んで行ける人たちである。また、共産党は民主集中制であり、党員は意見を述べるが、一旦党が決めたことには絶対服従しなければいけないという厳しい紀律を守れる人たちである。

　中には汚職、腐敗する共産党員もおり、上記の180万人の摘発された人たちも多くは共産党員である（党員の2％に相当）。一方、ほとんどの党員は身近にいる「普通」の人たちで、末端の人々の困り事や意見を政策に反映するパイプ役も務める。

　共産党は全国の隅々に数百万の支部があり、党員の中から幹部が選抜される。共産党の幹部になるには、まず地方支部での活動から始める必要がある。共産党には「組織部」があり、これは日本企業の人事部のような部署であるが、党員に対して実績、意欲、能力、人望などの人事評価を行う。評価の高い人がまず末端の地方政府で行政職に就く。繰り返し評価を受け、厳しい出世競争を経て昇進する。実績をあげなければ出世コースに参入できない。「中途採用」はない。中央政府で高い地位に就く人は、複数の地方政府（省）でトップを経験し、実績を積み重ねた人のみである。省政府のトップに

なるにはその下のレベルで実績を残さなければならない。中国の省はどこも数千万人の人口を抱えており、最大の広東省には1億2600万人の住民がおり、日本と同じで、西欧のどの国よりも人口が多い。このような厳しい競争を経て昇進した人たちの実力は証明済みであり、確実に行政能力にも長けている。また、選挙のようにお金はかからないため、富を手にしているか否かは関係ない。そして、選挙区の世襲もない。中国の中央政治局常務委員（第19期）は7人いるが、習近平以外は全員普通の家庭の出である。習近平も高級幹部の家に生まれたが、農村に下放され、村の幹部からスタートして一歩ずつ実績を積んで昇進した。この仕組みはmeritocracy（実力政治、実力主義）と言える。

　では、中国共産党が国民の9割以上の支持を得ているのはなぜだろうか。以下の理由によると考えられる。

1. 新中国成立以来、「大躍進」運動や「文化大革命」の一時期を除き、国民生活が改善され続けている。貧富の差が拡大しているとはいえ、スピードの差があっても殆どの人が生活は改善しているとの実感がある。
2. 過去40年間、マイナス成長や経済危機に陥ることがなく、高度成長が続いたことで、政府の実績や実力に対する信頼がある。
3. 列強による侵略から中国を解放した歴史と、現在の列強による中国台頭阻止の動きが国民を共産党の下で団結させる力となって働いている。
4. 儒教に基づく「大一統」の中国の政治文化がある。

　先進国の中には、中国政府の弾圧により中国の国民には不支持の選択肢がないとの理由で、中国政府に対する高い支持を認めたがらない言動がある。しかし、その理論では、中国政府の支配を受けない海外在住の中国人による中国政府支持を説明できない。

　先進国は、侵略、植民地支配、奴隷酷使、略奪を行い、一歩先に

工業化に成功し、その成果としての市民社会の成熟を手にしたが、それは自分らの倫理性が高いからだと誤解しており、発展途上国に対して自らと同じ道を歩むように指図しがちだ。途上国は何よりもまず、工業化を成し遂げて市民社会の基盤を整えることが大事である。この順番が逆になれば、市民社会の成熟はありえない。先進国は自分らが工業化の途上でなし得なかったことを現在の途上国に求めるべきではない。

　途上国にとって最も重要なのは工業化し、豊かになることである。その上で市民社会が自然と成熟する。プロセスの公平性を重視する選挙による政権交代が良いかどうかは、今後も実験が続くだろうが、情報公開を含む市民社会の成熟は一人当たりのGDPとともに増す傾向にある。中国も例外ではない。中国における市民の自由は先進国と比べてまだ十分でないところはあるが、かつてのどの時期よりも高い。今後は更に高まるだろう。現在はトゥキュディデスの罠の只中にあり、米国から戦争をしかけられる可能性すらある中であり、ある意味「戦時」である。米中とも緊張感が高まり、余裕のない言動が目立つ。中国が名目GDPでも米国を超え、トゥキュディデスの罠を抜け出た後には、もっとソフトになれるだろう。

　イデオロギーと国益が合致するときは理想的なイデオロギーを唱えればよいが、イデオロギーと国益が合致しない場合、国家はイデオロギーを優先しない。米国は民主主義の旗手を自称しながら、国益に必要と判断した際には躊躇なく独裁者と手を組んできた歴史がある。情報公開と称しながら、権力乱用という「国家秘密」を暴露したスノーデンやアサンジュに対しては、死に追いやる勢いで追及している。「民主主義」や「自由」は途上国における反政府の存在と反政府の自由を意味するものであり、途上国を混乱させて米国のオフショア・バランスに利する下心が垣間見える。

　中国共産党は共産主義を目指しているのか。尊い理想であるが、すぐに実現できるとは誰も思っていない。共産党百周年記念式典における習近平の演説では、共産主義を実現するという話は全く出な

かった。現在の中国にとって、共産主義はそれほど重要ではないのだ。

　では、中国人は西洋の民主主義をどう思っているのか。今の先進国が中国の政治文化と政治制度を実感できないように、中国の国民も西洋の政治文化と政治制度を実感できてはいない。「改革開放」前、「改革開放」直後と2010年以降の三段階に分けると、「改革開放」前、帝国主義制度は悪だと宣伝された。「改革開放」直後は資本主義諸国の豊かさに憧れ、その政治制度をも導入すべきという思いが一部で強まったが、2010年以降は中国の高速成長を実感して、自国の政治制度に対する自信が湧いた。

　権力が腐敗する傾向にあるという命題は間違いではないが、選挙で信任を問うという命題がどの程度正しいか判断するのは難しい。どの程度の腐敗か、選挙以外の解決方法がないのか、選挙にかかるコストとのバランスはどうかなどの課題も考えないといけない。シンガポールは人民行動党の一党独裁であるが、米国よりクリーンである（シンガポールはバイデン大統領の「民主主義サミット」に招待されなかった）。論理学で言えば、反例が一例でもあればその命題は成立しない。しかし、まえがきで論じたように、排中律の二元論では世界を正しく認識できない。

　客観的に見ると、全てのものには一長一短がある。「現実的なものは合理的であり、合理的なものは現実的である」（ヘーゲル）。民主主義の「旗手」を自称する米国の政治を見て憧れる日本人は何人いるだろうか。仮に良いと思っても自分ですぐにやれるわけでもない。それぞれの国民が自分で選べばよいことである。自分の方が上で、相手は劣っているというような上から目線や上からの物言いは反発を招くだけである。

　中国は国と集団のために個人の自由が制限されることが現在の先進国より多いことは事実である。そこには先進国で人権と呼ばれているものも含まれる。横の比較では確かにそうなる。一方、昔と今の縦の比較では、個人の自由はずっと拡大している。今後も経済と

社会の成長とともに個人の自由が更に拡大していかないとする理由は見当たらない。中国の一人当たりGDPはまだまだ低く、そして、米国や西洋による抑止に対抗するためには団結が必要であることを国民は良く理解している。

　日本でもよく知られているアリババの創業者ジャック・マーは金融業を規制され、批判されたが、「共同富裕」政策に応えて習近平に手紙を送り、「残りの人生を農村の教育事業に捧げたい」と申し出たとロイター通信は報じた。これを良いと見るか悪いと見るか、見る人の価値観によって異なるが、米国では考えられないことである。ジャック・マーは共産党員であり、共産党員としてやるべきことをやっている。これが中国であり西洋の個人優先の価値体系と異なる原理で動いていることだけは間違いない。

急速な工業化を実現した「株式会社中国」

　世界人口の2割を占める中国はわずか70年で農業国から工業国に変身した。先進諸国では200年もかかっていた。8億ともいわれる人々が絶対貧困からややゆとりのある「小康」状態に生活を向上させた。これほど短期間でこれほど多くの人々が工業化を成し遂げた前例は人類史上にはない。それだけでなく、どの国をも侵略せず、他国から略奪せずに、自らの働きで実現したことに大きな意味がある。もちろん、世界市場にアクセスできたという外部条件も決定的に大きい。

　第二章の「工業化の条件」という節で述べたMichael Spenceらの研究成果では、年率7パーセント以上の経済成長を25年以上続けた13の経済体の共通点として、①世界市場に開放されている、②政治と社会が安定している、③貯蓄率が高く多額の再投資をしている、④市場経済である、⑤積極的な政府がある、の5つであった。これら5つは中国にも当てはまるが、中国には他にも幾つかの要因がある。

　中国の人口規模はプラス要因の一つである。中国で局所的に一つの実験で有効と判断された政策はそのまま、14億人に適用し拡大できる。また、一つの技術革新を行えば、そのまま14億人の市場に投入して大きく拡大できる。特に「ネットワークの外部性」が適用できる通信、インターネット、交通インフラの場合は、その効果は線形ではなく二乗で拡大される。

　中国には科挙の伝統があり教育熱心である。特に理工系教育に力を入れている。国際数学オリンピック等のコンテストでは常に1位か2位を獲得している。大学進学率が向上する中でも50％の理工系比率を維持しており、大量のエンジニアが社会に出て工業化技術を支えている。

　どの国も工業化では資本の原始的蓄積を経なければいけない。労働力と資金の2つである。イギリスの場合は、ヨーマンが囲い込みによって解体され、多数の農民が土地を追い出されて労働者となった。中国の場合は、土地改革で農民も土地の使用権を持つ（土地の所有権はあくまで国が持つ）ようになり、余剰労働力を工場に投入できるようになった。出稼ぎ先の都会で仮に失業しても農民は地元に戻って生活できるため、途上国でよく見かけるスラム街は中国には存在しない。また、女性を纏足から解放したことも多くの労働力を生み出した要因の一つになった。

　工業化には大量の資金が必要である。最初の資金は、現在の先進国では植民地、奴隷、侵略による戦争賠償金で賄われた。中国は、①国民の節約と貯蓄によって作られた。中国の平均的貯蓄率は45％〜50％である（これは工業化の初期には良いが、工業化を実現した現在はむしろ消費しなければ更なる成長が難しい）。②農民の犠牲によって作られた。政府は農民から多くを徴収し都市の工業投資に回して工業化を優先させていた。2006年に農業税を廃止し、現在は先進国と同様に、工業から農民に資金を再分配するようになってきた。

　中国の安定した一党制は長期的国家戦略を推進し、ぶれない実行

を可能にした。これも非常にプラスに作用した。

　以上を総合すると、中国を一つの株式会社としてみると分かりやすい。国民は株主だが、経営は取締役会を通して行う。共産党はその取締役会となる。共産党の取締役会から役員を派遣して会社を経営している。共産党書記は取締役会会長で総経理は社長。取締役会は長期計画を立てて安定性を持って実行する。人事部は幹部に対して厳しく人事評価を行い、選抜と育成を行う。

　株式会社でも理論上、複数の候補者を立てて社員や株主が社長を直接選ぶことが可能である。ただ、実際にそうした会社はない。それにより業績が伸び、株主も社員も幸せになるならそうした会社がもっと増えるだろうが、実際にはそうなっていない。会社単位で選択しない仕組みを国単位で選択すべきだろうか。それは選択したくても選択できないからか、それとも、そもそもこの仕組みが悪いのか。米国の会社も日本の会社も業績が良いのは安定した経営体制のある会社であり、強いガバナンスと権限移譲のバランスの良い会社であり、中国はある意味でそうした業績の良い会社と同じ仕組みで経営されていると思うと分かりやすい。

　最後に挙げる要因はグローバル化という世界的潮流と中国の「韜光養晦」政策である。(「韜光養晦」とは、1990年代に鄧小平が強調した「才能を隠して、内に力を蓄える」という中国の外交および安保の方針)。米国の4倍以上の人口を抱える中国が工業化すれば、米国の覇権の脅威になることは容易に思いあたることである。ならば、工業化前にその芽を摘んでしまおうという考え方も当然あり得た。しかし、John Mearsheimerのようなリアリストの戦略家からそう指摘されながらも米国政府はそうせず、気づいた時には既に手遅れだった。なぜそういう流れになったのか。大きく5つの要因がある。①経済発展すれば民主化するというリベラリスト（自由主義者）の信念があった、②米国の金融資本にとってイデオロギーと国益を超える経済利益があった、③米国は反テロ対策に気を取られた、④中国崩壊論の存在があった、⑤中国の「韜光養晦」政策があった。

　中国という古い文明を民主主義に改造したいと願うのは、一神教であるキリスト教の考え方に合う。キリスト教は世界中をキリスト教社会にすべく努力してきた。経済発展すれば自由化、民主化すると信じており、経済発展に手を貸すのは当然のことである。250年足らずの歴史しか有さない米国は5000年の歴史を有する中国を理解できていなかった。自由化、民主化はキリスト教と同じく西洋の信仰の対象である。

　グローバル化は中国の工業化の外部要因を作り、結果的に中国のGDPが大きく伸びたことは間違いないが、米国経済もこれによって大きく成長した。過去30年のイギリスと米国のドル計上の名目GDPの年成長率は3％前後、日本はほぼ1.5％であるのに対して、中国は年12.8％であった。1990年から2020年までの30年間で、米国の名目GDPは5兆9631億ドルから20兆8937億ドルへ14兆9306億ドル成長し、中国の名目GDPは3966億ドルから14兆8667億ドルへ14兆4701億ドル成長した。比率では中国の方が上だが、金額的には米国の方が僅かに上である。米国はハイテク製品を中国に輸出し、中国から廉価な工業品を購入した。そして、中国に支払った米ドルを国債の形で米国に還流させて、米国はそれを更に金融業に投資し稼いだ。米国の支配層は大儲けした（この成長が中間層に裨益しなかったことが米国の分断を生んだことは第四章で述べる）。そして、両国は新冷戦と言われる状況に陥りながらも米国から中国への直接投資は引き続き増えている。米国では国益を超えて資本が行動する自由が確保されているのに対して、中国は国益のために自らの不自由を受け入れるという、それぞれの文化と仕組みの違いが歴然とある。

　2001年9月11日のテロ事件と米国がその後の反テロ戦争に注力したことも、中国に猶予を与えた。2021年8月のアフガニスタン撤退までの20年間、米国は一連の対テロ戦争で8兆ドルの資金を費やし、戦争の犠牲者は90万人に上ると米国ブラウン大学は推定している。現在のウクライナ紛争も程度の差こそあれ、米国はエネルギ

ーを削がれ、中国に猶予をもたらしている。

　米国が中国の工業化を阻止しなかったもう一つの大きな要因は「中国崩壊論」の存在である。民主主義でないと経済が発展しないとか、共産党支配の中国は豊かになれないという信念が一般的に存在し、現在でもよく見聞きする。前述の経済成長のケーススタディから分かるように、経済成長は政治体制とは直接的相関性がない。中国崩壊論は40年前が唱えられてきた。いずれ崩壊する中国に対してあえて抑止政策をとる必要はないという甘い期待が中国崩壊論には埋め込まれていた。これが鄧小平の「韜光養晦」政策と整合した。

　「韜光養晦」は目立たないようにし、経済発展に没頭せよという意味である。中国は、国連安保理で米国の提案に対して棄権票を投じることはあっても、否決表を投じることはほとんどなかった。米国がユーゴスラビアにある中国大使館をミサイルで「誤爆」しても反撃せず、台湾海峡に米国が空母を送り込んでも我慢し、「韜光養晦」を貫いた。その間、これらの屈辱をバネに密かに奮闘し、遂に工業化を実現した。

　追われる立場の先進国としては、中国崩壊を願う気持ちがないといえば嘘になる。崩壊論は多少減ったものの、現在は人口ピークを迎えたことによる衰退論、「中所得国の罠理論」が登場している。「中所得国の罠理論」は、一人当たりGDPが1万ドルを超えないままの新興国が多いこととこれらの国の民主化指数が高くないこととの高い相関性に基づいて、「民主化しないと一人当たりのGDPは1万ドルを超えられない」とする「理論」である。「理論」という以上はこちらも理論で述べたい。論理学で言えば、統計的相関関係は演繹法ではなく帰納法であり、因果関係を証明したことにならない。たとえば、「金持ちは年寄りが多い」という相関関係が成り立つからといって、年寄りと金持ちの間に因果関係はない。ましてや「年寄りは皆金持ちになる」わけでも、「年寄りにならないと金持ちになれない」わけではない。

　中国の一人当たり名目GDPは2020年の1.04万ドルから2021年に

1.24万ドルに一気に増えた。GDPは本来8.1％しか成長していない
が、価格上昇約4％とドルに対する人民元高7％が貢献し、ドルベ
ースの名目GDPは奇異的にも20％も成長した。中国の名目GDPが
いつ米国に追いつくかは、実質成長率も重要だが、両国の相対的イ
ンフレ率の差と為替レートの変化が大きな影響を与える。基本的に
は名目GDPは購買力平価PPPに収斂していくので名目GDPの逆転
は時間の問題に過ぎない。

中国は侵略的なのか

　歴史的にみると、中国は外に向けて兵を送ることがなかったわけ
ではないが、それは少なく、軍事力を武器に富を収奪することはな
かった。万里の長城は北の騎馬民族の侵入を防ぐために作られた。
あれだけの大工事をする力があるなら攻めて行けばよいのではと思
う人もいるだろう。鄭和の7回にわたる大航海でも土地の占領や物
資の略奪はしなかった。これらは長い伝統であり、中国の文化の素
地となっている。中国は植民地支配や奴隷制度を行わなかった。
　中華人民共和国成立後は、1950年に朝鮮戦争に参戦し、北朝鮮
を支援したが、1953年の停戦協定締結後に撤兵した。法的には現
在も停戦状態である。1960年代末にベトナム戦争にも参戦し、ベ
トナムを支援したが、こちらも終戦後に撤兵した。他に、1962年
の中印国境紛争、1969年の中ソ国境紛争、1979年の中越国境戦争
もあった。1979年以降中国は参戦せず、経済建設に邁進した。
　中国は朝鮮民主主義人民共和国、ロシア、モンゴル、カザフスタ
ン、キルギス、タジキスタン、アフガニスタン、パキスタン、イン
ド、ネパール、ブータン、ミャンマー、ラオス、ベトナムの14カ
国と陸上で国境を接し、韓国、日本、フィリピン、ブルネイ、マレ
ーシア、インドネシアなどの6カ国とは海を隔て相対している。
　陸の国境は、インドとブータン以外の12か国とは平和交渉によ
って国境を確定した。これだけ長い国境線の平和的確定は世界史上

でも稀である。西洋諸国はどれだけ平和交渉で国境を確定できたか自国の歴史を振り返ってみてほしい。現在、ブータンとも交渉加速を合意しており、インドとも交渉は継続中である。

　一方、海を隔てて相対する上記6か国と島や岩礁の所有権で意見の相違が残っている。中国は元来ランドパワーであり、鄭和の大航海が示した技術力があったが、シーパワーへの転換が遅れ、結果としてシーパワーによる侵略を受けた歴史がある。そういう中で工業化を推進するとともにシーパワーへの転換も積極的に図られている。工業化すると資源の輸入と製品の輸出が活発になり、陸輸送も増やしても海運の比率が相変わらず高く、シーレーンの安全を確保することが不可欠となっている。そのためには、海軍の増強と南シナ海と東シナ海における拠点確保が必要となる。そうした中で、無人島や岩礁の領有権がクローズアップされた。中国は第一列島線の米軍基地に囲まれており、それを突破して自由に太平洋に出入りするには台湾の統一が不可欠である。陸の国境の穏やかさと比べると、海の境界に関する争いが目立つが、中国はランドパワーからシーパワーへの転換の途中にあり、この転換が終われば陸の国境と同じように穏やかになるだろう。

　台湾の話は次節に譲るとして、南シナ海における島や岩礁の領有権について中国の立場から見た史実を記しておく。①明、清のときに既に中国が南シナ海の諸島を調査しており文献に残していた。②1935年1月に中華民国政府が「中国南海各島嶼の中英名称対照表」に基づく「中国南海各島嶼図」を出版し、南シナ海の島嶼を西沙諸島、東沙諸島、南沙諸島、中沙諸島に分け中華民国の行政区域版図に編入していた。③1939年日本がこれらの島を占領したときは新南諸島と西沙諸島と呼び日本統治下の台湾に編入していたが、日本によるカイロ宣言とポツダム宣言の受諾によってこれらの島嶼は台湾、澎湖諸島と一緒に中華民国政府に返還され、1946年12月12日に中華民国は一部の南沙諸島に軍隊を派遣し主権回復を宣言した。④1952年4月28日の日華平和条約第二条において、カイロ宣言と

ポツダム宣言に基づくサン・フランシスコ平和条約第二条に基づき、日本は中華民国に対して「台湾及び澎湖諸島並びに新南諸島及び西沙諸島に対するすべての権利」を放棄したことを再確認した。

　周辺国間で領有権に関する合意がない中で、それぞれが一部実効支配しているのが現状である。南沙諸島に関して言えば、ベトナムが22か所、フィリピンが8か所、中華人民共和国が7か所、マレーシアが5か所、中華民国（台湾）が1か所を実効支配している。外交関係が険悪になる時があるが、戦争は起きていない。関係各国が「行動規範」の締結を目指して交渉を続けている。軍事力だけでいえば全ての島嶼を占領するだけの実力が中国にはあるが、そのような実力行使は行っていない。

　中国がGDPで米国に接近し、2030年までに米国を追い抜くと見られており、軍事力でも米軍に接近する中で、トゥキュディデスの罠による戦争が強く懸念されている。

　中国は強面であっても軍事力の行使には非常に慎重であり、孫子の兵法に厳密に則っている。中国は平和的台頭を目指すと宣言しており、戦争を極力回避しようとしているが、万が一台湾独立宣言やそれに近い動きがあれば中国は軍事力を行使せざるをえなくなるとも明言している。

　現在の先進国にはほぼ例外なく侵略と植民地支配の歴史がある。中国はこれまでのところ、侵略や植民地支配に頼らずに自らの勤勉と工夫で工業化に成功した。台湾を平和的に統一することができれば戦争の可能性はほぼなくなるであろう。

なぜ台湾統一にこだわるのか

　なぜ中国人はこれほど台湾統一にこだわるのか。最大の理由は次の2つである。

　1.屈辱の象徴であるからである。中国から植民地として分割され

た香港は1997年、マカオは1999年にそれぞれ中国に主権が回復されたが、唯一主権が回復されていないのが台湾である。(他に帝政ロシアに割譲された広大な土地もあるが、そこには中国人が住んでいないので国境を平和交渉で確定した)。

2.米国は日本本土、沖縄、フィリピンに軍隊を駐留しており、中国は長い海岸線を有しているが、人民解放軍は自由に太平洋に出られず封鎖された状況にある。中国はその包囲網を突破するためには台湾統一が不可欠だと考えている。

このように台湾統一は圧倒的多数の中国人の共通の悲願となっている。

台湾と福建省の間の台湾海峡は最も狭いところで130kmの距離である。清朝に追われた鄭成功が明朝の回復を目指して台湾を拠点としたのは1662年であり、その息子たちが清朝の攻撃に降伏したのは1683年である。1895年の日清戦争の結果、台湾は清朝から日本に割譲され、1945年までは日本の統治下にあった。1945年、台湾はカイロ宣言とポツダム宣言に従い中華民国に返還された。直後から中国で共産党と国民党の内戦が始まり、国民党率いる中華民国政府が大陸から台湾に逃げて今に至っている。大陸においては共産党の率いる中華人民共和国が1949年10月1日に発足した。共産党と国民党の間では法的には今も内戦状態にあり、中国は世界第二位の経済大国でありながら分断国家のままとなっている。

台湾の人口は2300万人、GDPは6600億ドルである。中国大陸の人口14億1千万人、GDP17兆7千億ドルと比べると大きな差がある。中国の立場から見ると、統一を阻んでいるのは米国の存在があるからである。

共産党による台湾攻略を防ぐため1954年から台湾に米軍が駐留していた。ベトナム戦争時は3万人と言われる米軍が台湾にいた。1979年に米国が中華民国と断交し、中華人民共和国と国交を結んだ際に、米軍は台湾から撤退した。それより前の1971年の国連総

会における第2758号決議によって、中国の正当な代表資格は中華民国政府から中華人民共和国政府に移った。中華人民共和国と国交を結ぶ全ての国は、「中国は一つであること、台湾は中国の一部であること、中華人民共和国政府は中国の唯一の合法政権であること」を認めることが前提となっている。当然米国もその前提を受け入れて（英語のacknowledgeもその範疇内）の国交であるが、米国は国内法である台湾関係法を制定し台湾防衛に武器を提供すると規定している。内戦が再発したときに米国が参戦するかしないかは明言しないという「戦略的曖昧」政策をとっているが、中国に残された統一方法は平和的統一か米国との全面戦争をも想定した武力的統一の2つである。

　同胞である台湾の中国人に対して武力行使は極力避けたい。そのため、大陸側は平和統一に向けて様々な努力をしてきた。現在、台湾の対外貿易において大陸や香港との貿易量が占める割合は40〜50％にものぼる。多くの台湾人が大陸でビジネスをしており、台湾軍の退役将校で大陸に移り住んでいる人も多い。

　大陸側と台湾側は交渉を重ねてきた。1992年の香港協議を通じて「一つの中国」原則を堅持しつつ、その解釈権を双方が留保する（いわゆる一中各表：大陸側は中国を中華人民共和国と解釈し、台湾側は中国を中華民国と解釈する）という内容で合意、いわゆる九二共識が成立していた。大陸側からは台湾側に軍隊の保持も含めた高度の自治を認める一国二制度の提案も行った。

　台湾では、中国全体の統治者としての歴史と理念を持つ国民党は中国が一つであるとの原則を貫いているが、民進党は一つの中国を認めない立場である。2015年11月7日に、中華人民共和国習近平国家主席と中華民国馬英九総統がシンガポールで会談し、九二共識を再確認した。しかし、民進党の蔡英文が中華民国総統に当選すると「九二共識」を認めなくなったので、これは台湾独立の意志を示すものとして受け止められて、両岸の緊張が高まった。

　台湾の独立を容認できない大陸側は、台湾独立に対して武力を行

使するしかないことを明確にしている。「台湾独立勢力による挑発と無理強い、レッドライン越えには断固とした措置を取る」と2021年11月16日の習近平国家主席とバイデン大統領の首脳会談で中国側から米国側に伝えている。

　一部の評論家は、台湾問題に関連して国連憲章によって武力行使が禁止されていると指摘しているが、国連憲章第2条4項は「すべての加盟国は、その国際関係において、武力による威嚇または武力の行使を……慎まなければならない」と規定しているのであって、内戦に対して規定しているわけではないことを指摘しておく（この条項は国連の決議に基づかない米軍によるイラク侵攻とロシアによるウクライナ侵攻に対してこそ適用されるべきものである）。

　万が一米国の支持を受けた台湾独立勢力に対して内戦を継続しても、他国を侵略しているわけではないので、中華文明の平和的再興は変わらない。蔡英文総統による「九二共識」の不承認によって平和的解決が難しくなった今、大陸側の世論はなお平和的統一を望んでいるが、武力による統一を支持する声も多い。

　台湾の独立を許すようなことがあれば共産党は国民からの支持を失い、結果として正当性を失う。中国が台湾統一を目指す意思は変わらない。米国が永遠にその意思を阻止することはできないだろう。

　台湾での世論調査の結果では、今のところ、独立も統一もせず現状維持を望む台湾人の比率が一番高い。この状態であれば、威嚇示威があっても戦争は起きないが、もし米国にそそのかされて台湾が独立宣言に踏み切るような事態になれば、人民解放軍は軍事力を行使するしかなくなる。中国の国力が増し、中国に時間的余裕が生まれる中で、今のうちに中国を打ち負かそうと考える米国の勢力が、そのようなそそのかしをしないとも限らない。ウクライナにおいて米国がそのような「勝利の方程式」を確立すれば、同じパターンを台湾で繰り返す可能性が高まる。

中国に「自由化・民主化」はあるのか

　中国が経済成長すれば自由化や民主化が進むという米国の信念は決して間違ってはいなかった。実際中国国民の自由度は40年前より大きく前進した。かつての中国では海外からの情報が遮断され、テレサテンの歌も禁じられた時期があったが、現在は海外から情報を入手しようとすればできる。かつてはパスポートを持つことが特権であったが、今は誰でも申請でき、海外に渡航することもできる。コロナ前には毎年1億5千万人の中国人が海外旅行に出かけていた。これは経済成長すれば自由化が進むことを如実に表している。

　民主化も進んでいる。選挙も民主主義の一つの形であるが全てではない。中国政府の政策立案では頻繁に世論調査を実施し、複数回の意見集約と修正案提示を繰り返してから確定するという意味では民主的である。これはインターネットや近代的通信手段があって初めて可能となるので、経済成長がベースとなっている。今後、ビッグデータの利用によって民意を更に吸い上げることが可能となり、政策立案の根拠が更に強固になろう。

　自由を標榜する西洋はこのような前進を喜ぶべきである。中国の国力が米国を超えるのを見て自分の信念を曲げるのなら、それは大した信念ではないのではないだろうか。そもそも中国の政治体制が変わったからといって、米国は自らの覇権を「民主化」した中国に譲ることができるのか、米国は一度も言及したことはない。中国の民主化と自らの覇権維持を天秤にかけた場合、米国は後者を選ぶであろう。

　現段階の中国では、複数政党による選挙を実施した場合、外国からの干渉を受けるリスクがあり、国がばらばらになる可能性がまだある。中国の名目GDPが米国の2倍になれば、その可能性はほぼなくなり、自由が一層広がり、シンガポールや日本のように、実質的一党支配の安定性を享受しながら、また、中国の固有の幹部選抜システムの優位性を維持しながら、複数政党による選挙が定期的に

行われるような政治システムに移行することも十分にありうる。1
億人弱の党員を有する共産党は引き続き政権を担い続けるであろう。
しかし、その移行は今ではない。今は経済発展に集中し、挙国一致
の団結力で米国による抑止を克服する時期である。米国、西洋は中
国を脅威と感じているが、中国も米国の政治的軍事的圧力を非常に
脅威と感じている。中国の政治制度が、直接選挙の範囲拡大に向け
て改革されるのは、上記の圧力が弱まり、安定してからになる。筆
者は2050年前後、中華人民共和国の建国から100年経った後とみる。
そのときには、西洋による世界支配が終わり、アジアの経済統合と
安全保障体制が確立し、東アジア共同体が成立されているであろう。
一方、たとえ経済発展に伴い社会の自由が増しても、中国の伝統的
儒教的価値観は維持されるであろうし、米国のような銃所持の自由
は絶対に認められないだろう。

第四章

しのぎを削る米中、勝者はいずれか

　米中はあらゆる面で競争をしている。米国はこれまでの蓄積が厚いが、中国には勢いとスピードがある。中国は潜在的成長を実現したいだけで米国の覇権にとってかわるつもりは毛頭ないが、米国は取って代わられてしまうことを恐れるあまり、中国の成長を抑えるのに躍起になっている。抑えられることを恐れる中国は懸命に跳ね返そうとする。それが競争の構図である。

　詳細は後ほど述べるが、軍事的にはどちらも決定的全面的に勝利することは期待できない。核戦争への発展は自殺行為となるからである。米ソ冷戦はそうだった。核大国同士であり、戦争で決着できない以上、どちらの経済と社会により高い持続性があるかの競争となった。また、米ソ冷戦と大きく異なる点がある。米ソはそれぞれ独立した経済圏を持ち、互いに依存することがなかったが、今まで述べてきたように、米中は経済的に深く組み込まれており、片方が経済的にこけたら他方も大きく傷づく。これも戦争を抑止する力として働く。

　戦争による勝負がつかない中で非常に長期にわたる全面的総合的競争が続くであろう。どちらが勝つかよりも、どちらが負けないかという競争である。米ソ冷戦の結果はレーガン大統領がしかけた軍備競争に元々経済規模の小さかったソ連がついていくことができず、内部から崩壊した。米中の競争は米ソ冷戦と異なる点も多いものの、最終的にはどちらの経済と社会が高い持続性を誇るかの競争であり、内部崩壊を避けられるのはどちらかの競争である。

　つまり、どちらが国内問題をよりよく解決し、どちらが国民をよ

り幸せにできるかの競争であり、また、どちらが世界からより支持されるかの競争でもある。中国には強国化しても覇権は追わず、途上国から支持され続けられるかが問われ、米国には覇権を失ってもなお国家として機能し続けられるかが問われよう。

16世紀から現在までの500年間で、西洋は大航海、植民地、奴隷貿易、科学技術、鉄砲と原爆、自由貿易、基軸通貨、キリスト教、「民主主義」を通じて世界にその影響を広げ、直接にも間接にも世界を支配してきた。西洋に属さない中国が工業化に成功し、西洋とは別の進化モデルが存在しうることを示し、結果的に西洋による世界支配を終わらせる可能性がある。中国の平和的再興により、米国には聖壇から降りてもらい、西洋人にはその他諸民族と同じ立場に立ってもらう。同時に、中国が米国に代わって覇権を握るのではなく、世界は多極化し、人類の民主化が進む。ホモサピエンスの歴史においては、これこそが米中の勝敗よりもずっと大きな意義を持つ。

東洋文明と西洋文明の哲学的相違

アリストテレスの時代から、思考の法則として、同一律、無矛盾律、排中律の3つが提唱されてきた。無矛盾律（Law of noncontradiction）は、「ある事象がある属性を持つと同時に持たない（持つことの否定）ということはあり得ない」ことを指す。排中律（Law of excluded middle）は、「どの事象も、ある属性を持つか持たないかのどちらかである」を意味する。持つことと持たないこと以外に第三の状態があれば、その可能性も考慮するが、その第三の状態がないのなら、持つか持たないかの二者択一となる。

ある・なしのような二項対立（dichotomy）の属性を持つ事象なら、この論理体系で良いが、白と黒を例にとると、この論理体系は適用できない。白の反対は黒で、黒の反対は白である、ここまでは間違いないが、白と黒以外に多くの灰色が存在する。つまり、排中律は成り立たず、容中律（Law of included middle）が必要となる。

世の中は二項対立の事象も多値の事象もどちらも多く存在する。目の前の事象に対して排中律を適用するか、容中律を適用するかは、文明や文化によって大きな差異がある。

　西洋文明は論理学を含むギリシャ哲学とキリスト教が大きな柱である。キリスト教は更にカトリック、東方正教、プロテスタント（新教）に分かれる。キリスト教の前身はユダヤ教であり、イスラム教もユダヤ教の経典を使うので、キリスト教の兄弟である。ユダヤ教もキリスト教もイスラム教も一神教である。一神教は自分の神が絶対的で他の神を認めない。一神教は世界中に布教し、他の宗教と無宗教の人々を改宗させる活動に熱心である。彼らは自分の神が愛情深く素晴らしいと信じているので、布教活動は心の救済活動であり、決して迷惑とは思わない。自分の神を唯一の神とし他のすべての神を否定する一神教は根源的に二項対立的二元論の心的習慣を持っており、二元論の中でも更に対極を無くし、究極的に一元論に陥りやすい。このような心的習慣を持つ者は競争心が強く、論争や戦争を含む競争をしがちである。西洋人のみが戦争するという主張は明らかに間違いであるが、欧州の歴史を学ぶと戦争の多さに驚く。また、今日の世界を見ても、一神教が関わらない戦争は非常に少ない。この一神教には米国もロシアも含まれる。これらの根底には、世の中を排中律で見る心的習慣があるからである。

　東洋は必ずしも明確に定義されていないが、一般的に北東アジアとして理解される。北東アジアに共通する宗教として仏教があるが、同時に儒教の影響を強く受けている。日本が儒教圏に属するかどうかは第六章で述べるが、東洋は基本的に儒教圏と重なると言える。仏教は排他性がなくそもそも明確な神様がいない。儒教という言葉は日本語であり、中国語では儒家または儒家思想であり宗教ではない。東南アジアには仏教地域もイスラム教地域もキリスト教地域もあり非常に多様であるが、華僑が重要な地位を占めて重要な役割を果たしているため、北東アジアと似た部分がかなりある。

　東洋諸国では漢字を使用していた、もしくは現在も使用している。

　漢字という表意文字の使用を止めた朝鮮半島とベトナムでもその語彙及び言葉の意味は昔と変わらない。韓国では仏教からキリスト教に改宗した人も多いので仏教だけではなくなった。政治体制も複数政党を前提とした普通選挙の国もあれば一党独裁の国もある。日本以外の国では今も春節を祝うが、日本は田舎を除くと春節を祝う習慣はなくなった。唯一今も変わらない共通点は箸を使うことだけかもしれない。しかし、そうした表面的なことよりももっと根本的なこととして、家族内関係をはじめとする人間関係を規定する文化において共通点が多く、儒教的影響が色濃く残っている。更に、哲学的には、基本的に排中律よりは容中律が一般的である。容中律は中庸の前提である。東アジアも決して戦争と無縁ではないが、西洋と比べるとかなり少ない。

　容中律を超えて、大韓民国の国旗のベースにもなった中国の陰陽思想が更に深い。対立する陰と陽が一つの全体を構成する2つの要素であり、互いに補完しあうだけでなく、陰の中に陽があり陽の中に陰がある。陰が陽に変わり陽が陰に変わるという考え方は、ヘーゲルの弁証法にもつながる。ヘーゲルの弁証法がマルクスの弁証論的唯物論に発展し、一周してまた中国に戻り、中国で花を咲かせたことは決して偶然ではない。これについては別途議論する。

図4-1　太陰大極図（たいいんたいきょくず）

（出所）Wikipedia「太極図」より
https://ja.wikipedia.org/wiki/%E5%A4%AA%E6%A5%B5%E5%9B%B3

　東洋では一見矛盾する事柄でも心の中に共存させても特に心理的負担はない。しかし、西洋では白黒をはっきりさせないと気が済まないという人が多いようだ。この根本的で哲学的な違いは東洋文明と西洋文明の大きな違いをもたらしている。日本は明らかに西洋ではないが、東洋でありながら西側の一部である「矛盾」に特に心理的抵抗を感じていない。一方、西洋の場合、西洋でありながら東洋の一部になるという「矛盾」を受け入れるのには大きな心理的抵抗を感じるであろう。中国は社会主義と資本主義の双方を織り交ぜながら実践しているが、西洋ではそのような「矛盾」した状態を維持することは恐らくない。

　この容中律と排中律の心的習慣の違いこそ、東洋と西洋の根本的違いである。

米中の競争戦略

　私が理解する米中の競争戦略について記述する。まず米国の競争戦略から。

・半導体等の技術封鎖によって中国の発展を遅らせる。
・高額関税や部分的デカップリングによって中国の経済規模の成長を抑える。
・サッルスティウスの定理に従い中国脅威論に基づく反中同盟を固めて米国の覇権死守戦略を同盟国にも実行させる。
・中国内外で中国政府との対立を作り出すオフショアバランシング。
・アフガニスタンからの撤退等、世界の警察官という従来の役割を縮小し、中国との競争に資源を温存し集中させ長期戦に備える。

　これらの競争戦略は中国の発展の足を引っ張ることができるが、どれも中国の総合国力の米国超えを完全に止めるほどの力はないだろう。

　次は、対する中国の戦略である。

・国内の対立を抑え、戦時指揮体制を敷いて持久戦を戦う。その上、技術の自立化を図り、経済の質を高め、改革開放によって持続的経済成長を推進する。

・BRI、BRICS、SCO、G77等を通じて広く途上国と連携し、途上国全体の地位向上を図ると同時に中国経済圏を拡大する。結果的に西洋の相対的優位を弱め、途上国援助の競争に参加せざるをえない米国の財政支出を増やす。中国革命で成功した「農村から都市を包囲する」という戦略を世界レベルで展開する。

・多数の国々との自国通貨決済を増やすことにより、SWIFTによる中国制裁の可能性を無効にする。結果的に米国の国債増発余力を狭める効果も持つ。

・中国を包囲する強大な米軍に対する自衛のためのハイテク軍事力の開発を加速させる。結果的に、西洋の伝統である軍事力優位を譲れない米国の軍備増強による財政負担を増やす

・台湾問題で平和解決を模索し続けると同時に、将来非平和的手段による解決が避けられない事態となった場合に備えて万全な準備を整える。

　上記を一読するとわかるように、中国の競争戦略はジョージ・ケナンの対ソ戦略と一致する。冷戦における米国の対ソ戦略が逆に今、米国に対して実行されている。既にGDPの130％を超える米国の国債がこれ以上発行できなくなり、その巨大な軍事費をこれ以上賄えなくなったときが来れば、そのときは米国が負けるが、当然米国はそれを回避しようとする。

　習近平の三期目入りが西洋のマスコミでは「独裁」と批判されているが、米国とのこの厳しい競争を勝ち抜くには強い指導者が必要であり、習近平はその任に最適であるとのコンセンサスが中国にある。このため、中国国内では全く問題にならない。もはや戦時であ

112

り、指揮を一元化するのも当然である。中国共産党は各種闘争を長期的に勝ち抜いた革命政党である。西洋の強い批判はこのような強い指導者に焦りを感じたことの表れでもある。この厳しい競争下においては従来の高速成長よりも国内の安定と安全を重要視するのも自然な成り行きである。

　ここからは、国力を構成する各要素について両国を個別、具体的に比較する。

経済競争

　今までで述べたように、中国の経済規模をPPPで見た場合、既に米国を超えているが、名目GDPで見た場合、2020年の中国14.7兆ドル／米国20.9兆ドル＝約70％から2021年の中国17.7兆ドル／米国23兆ドル＝約77％に達している。ドルベースの名目GDPは実質成長率もさることながらインフレ率と為替レートも大きく影響する。2021年の例で言えば中国の実質成長率は8.1％であったのに対してドルベースの名目GDPは20.4％も成長した。20.4％ -8.1%=12.3%は何かというと、インフレ率は（115.77-112.14）/112.14=3.2%、残りはドルに対する人民元のレートが上昇した分である。ドルベースの中国のPPPと名目GDPの乖離は大きく前者は後者の約1.6倍もあるので長期的には人民元の対ドルレートが上昇しPPPに収斂することが自然である。中国は潜在成長率に近い実質成長率を実現さえすれば、名目GDPの逆転は時間の問題である。時間の早晩はどちらかといえば通貨・金融の競争がどのように推移するかに左右される面が大きい。

　対外貿易額で比較した場合、2021年の中国の輸出、輸入、輸出入合計はそれぞれ3兆3638億ドル、2兆6886億ドル、6兆524億ドルで、同年の米国の輸出、輸入、輸出入合計はそれぞれ1兆7543億ドル、2兆9353億ドル、4兆6896億ドルであった。いずれもIMFの公表による。米国の輸入額は中国より1割多いものの、中国の輸出

はほぼ米国の2倍となっている。輸出入合計では中国は米国より約3割多い。中国は世界の3分の2の国の最大貿易相手国となっているので、経済で言えば大多数の国にとっては中国との関係が米国との関係より太い。一方、世界の最大の買い手である米国の消費市場は米国の影響力の源泉でもある。中国が輸入額でも米国を超えれば世界に対する中国の影響力は更に増す。

　2018年、トランプ大統領は中国に対して「貿易戦争」をしかけた。80年代の日本のように屈服させることを目指して中国製品に対して第1弾から第4弾にかけて段階的に15%から30%の追加関税をかけたが、中国は米国製品に同様の報復関税をかけて対抗した。高い関税にも関わらず中国からの米国輸入は一旦2018年の5395億ドルから2019年の4522億ドル、2020年の4322億ドルに減ったが、2021年には5063億ドルに再び増加し、2022年に5815億ドルと史上最高記録を更新した。米国による「貿易戦争」は失敗に終わったが、バイデン政権になっても追加関税が撤廃されず維持されている。この追加関税はそもそも米国側が支払っており、米国のインフレの一因にもなっている。関税を撤廃すればインフレの緩和に貢献するが、中国への弱腰とも米国内で受け取られる恐れがある中で実施できないでいる。

　両国の経済競争を見る上で、規模そのものも重要ながら、むしろその中身を細かく見ることに意義がある。

　中国は世界最大の工業国で米国は世界最大の金融国である。かつては米国が最大の工業国であった。1894年英国を凌いで製造業世界一になって以来、2010年にその座を中国に渡すまで116年間世界一の座を維持した。2020年の中国の製造業GDPは3.85兆ドルで、米国は2.27兆ドルであった。中国は靴、衣服から、コンピュータ、スマホ、飛行機まであらゆるモノを作っているが、米国は高付加価値のモノしか作っていない。

　米国はソフトウェアと金融に強い。Johnson S(2009). The Quiet Coup. The Atlantic, Mayによると、米国の利益の47%は金融業か

ら出ている。ソフトウェアも金融も形がなく数式とシンボルの抽象世界である。リアルなモノは保管、輸送、加工、保守のコストが高くかかるが、ソフトウェアと金融はそういうコストがほぼゼロである。形のある経済をリアル経済と呼ぶのに対して形のない経済をバーチャル経済と呼ぶこととする。流動性という点でリアル経済とバーチャル経済とで大きな差がある。当然流動性の高いバーチャル経済の方がコスト安で儲けは大きい。しかし、バーチャル経済には必要な労働者が少なく、また、金融業に従事する人は全体ではごく少数しか必要でない。一方、彼らは国全体の利益の半分を稼ぐ。この人たちは非常に高い給料をもらう。それだけでなく、グローバル分業においては、米国がバーチャル経済に特化し、リアル経済を中国などが担う方向に進み、米国では儲からないモノづくりが海外に流れ衰退していった。その結果、高給のバーチャル経済従事者か、輸入できないサービス業の安い賃金の従事者かの二極化が進み、それがやがて米国社会の分裂につながった。

　他方、中国は改革開放後にまず衣服、靴、玩具のような労働集約の加工貿易からスタートした。優秀でかつ低賃金の労働力の比較優位（デビッド・リカードによる）を活かし、先進国の工場をまず誘致した。それで成功した後、電子部品、電子機器の工場を誘致し、次は自動車工場を誘致した。これらの工場で大量に生産し、スケールメリットを活かして一定の品質のモノを安く作って先進国に輸出し、世界の工場となった。

　このように、両国の経済は補完関係にあった。米国は米国の基準からして儲からないものづくりを中国に移管し、安い中国製の製品を購入し豊かな生活を実現するとともに、高付加価値の金融業に集中しそこで儲ける。中国は金融業で儲けている米国に大量に物を供給し、儲けた米ドルを米国債に還元し、米国は米国債に還元された米ドルを使って更に金融業で儲ける。まさに一蓮托生である。中国からのモノの供給がなければ今の米国の豊かな物質文明は成り立たないし、中国も米国という得意先を失えば経済成長が実現しない。

　一方、上記の補完関係と相互依存関係は中国から見れば満足できるものではない。儲けの多い位置に米国が立っており、中国は儲けの少ない位置に立っている。中国語でいう産業チェーンの上流に米国が位置し、産業チェーンの下流に中国が位置している。14億人という巨大な人口と国内地域格差を抱える中国は産業チェーンの下流をも一定程度キープしながら産業チェーンの上流にも進出する。具体的には、技術革新を行いハイテク製品も自ら開発製造し、米国による技術輸出の規制を突破すること、そして、もう一つはドル貿易決済から人民元貿易決済に変更し、中国自身の金融業を育てること、の二つである。この二つは中国の立場からすれば当然な動きであるが、米国からすれば自分のパイを奪われるように見えて危機感を強めている。

技術競争

　技術を巡る米中の競争が激しくなっている。第三章で詳しく述べたように、新技術の市場化においては中国が米国を凌ぐ分野が多数ある。本節の後半に重要分野における国際比較データを載せた。中国では一旦開発に成功すれば、市場規模が大きいために、あっという間に大量生産に移行し、価格を引き下げて、市場シェアを奪うことができる。

　それを見て米国は焦りだした。米国政府は華為に対する米国製半導体禁輸を決めたのみならず、米国の技術を使った他国の半導体にまで対華為禁輸措置を求めた。華為はいかなる法律にも違反していないのにも関わらずである。米国は自らの覇権のために思うままに他国の民間企業を制裁したのである。

　華為は米国の理不尽な制裁により、5Gのスマホを生産できなくなり、スマホの市場シェアを大きく落とした。これに対応するため、中国は国内の半導体産業のサプライチェーン構築に巨額に投資し、一定の進展を得つつある。28nm級の半導体は既に米国技術に頼ら

ずに生産できるようになり、14nmの半導体の量産も可能になった。今は米国技術を一切使わない7ナノメートル級の半導体製造にチャレンジしている。また、半導体の微細化による性能向上以外に、複数の半導体チップを統合することによる高性能化も模索している。微細化がムーアの法則の限界に近づく中で、複数の半導体チップの統合が今後の焦点になっている。中国はこの技術ではむしろリードしている。半導体は非常に広範囲の技術を必要とするために中国がキャッチアップするには一定の時間を要するが、これまでの様々な分野における実績を考えると、半導体だけが実現不可能とは思えない。

忘れてはならないのは、共産党が率いる中国に対して、西側は安全保障にかかわる技術の禁輸を第二次世界大戦以降一貫して続けてきたことである。最初は「ココム」制度で、ソ連崩壊後は「ワッセナー協約」が実施された。それでも、学習能力の高い中国人は原爆、ロケット、人工衛星、ミサイル、衛星ナビゲーションシステム（GPS）に続き、民用技術を吸収し、自主開発も手掛けながらほぼ全ての分野で自主製造できるようになった。今では米国を超える技術や米国にない新技術も開発されている。西洋人にできて東洋人にできないという理由は何処にもない。

中国は西洋の宇宙ステーションへの参加を拒否されたが結局、中国独自の宇宙ステーションを作りあげた。中国の宇宙ステーションは各国から科学実験を募集し、世界にオープンにされているが、各種ボタンや掲示は中国語のみで表示されている。

半導体に加え、ガソリン車は先進国のメーカのレベルになかなかキャッチアップできなかった分野だ。そうした事情もあり、中国は電気自動車（EV）に積極的に投資し、今では世界の最先端レベルに立っている。調査会社マークラインズによると、2022年のEV世界販売台数は726万台で、中国は453万台、西欧は153万台、米国は80万台、日本は5万台であった。2022年の中国におけるEV生産台数は546万台で世界の過半を占める。EVは自動車産業における

中国のゲームチェンジャーとなる。

　中国はスマホのOS、パソコンのOS、パソコンのCPU、GPUの開発生産に成功しており、190人乗りの民間航空機C919も2022年中に初納入され、2023年に商用開始した。米国のボーイングと欧州のエアバスに続くアジア発のジェット機となる。米国と欧州の認証をいつ受けられるかによって国際航路への就航時期が変わるが、巨大な中国市場でまず一定のシェアを獲得する。米国と欧州を競わせて、認証に前向きな方の航空機を中国が購入することで西洋による航空機市場の独占状態を打破する。初期の部品の国産化率を抑え、安全な立ち上げを優先すると同時にパートナーを増やし、世界から受け入れられやすくする。

　今後5〜10年後には、中国のハイテク製品の生産と市場シェアは米国を大きくリードすると予想されている。米国の禁輸は中国の成長を幾分遅らせることができたが、完全に阻止することはできず、むしろ中国の国産化を促進する効果すらある。

　新技術はなお米国発の方が多く、今後は中国発の新技術が増えても新技術における米国の優位性は当面維持されるであろう。一方、社会実装と普及で勝る中国は大量生産とスケールメリットを活かした低コスト化が強みで、先進国だけでなく途上国を含む全世界への普及力が優れている。米国はプロトタイプを先に作り、中国は短時間で新技術にキャッチアップした上で大量生産や普及を実現させるという役割分担は今後も続くと想定される。

　一方で、中国は独創的な研究にも力を入れており、前述の通り、総論文数、引用数トップ10%の論文、引用数トップ1%の論文数のいずれにおいても既に米国を超えている。世界知的所有権機構（WIPO）が発表した2021年の特許出願の国別集計では、総出願件数340万件の中、中国は158.5万件が1位、2位は米国の59.1万件。（3位は日本の28.9万件、韓国の23.7万件が4位であった。中国が約半分を占めるだけでなく、東アジアの占める割合は西洋を圧倒している事実にも注目すべきだろう）

　これを支える中国人人材も豊富である。40年前は先進国に残留する中国人留学生が多かった（筆者もその一人）が、今は卒業後、中国に帰国して就職する人の方が多い。米国ハーバード大学の中国人留学生のうち、卒業生に8割が帰国するとの報道がある。それだけでなく、米国の大学、研究所、民間企業に勤務する中国人高度人材の間でも帰国の機運が高まっている。筆者の専門分野で言えば、マイクロソフト最高幹部の一人で上級副社長にまで昇進した友人、瀋向陽（Harry Shum）は現在は深圳でインキュベーションに特化したデジタル経済研究院（IDEA）を立ち上げている。また、筆者と共に英語の専門書を書いたマイクロソフトの上級研究員の張正友（Zhang, Zhengyou）は現在Tencentのロボット開発を率いている。第二次世界大戦時に日系人が迫害されたのと同様な状況になりつつある米国で、中国人高度人材に「スパイ容疑」がかけられるケースが増えており、帰国を選ぶ中国人高度人材が増えている。我が日本ではそうしたことが起きないよう、祈るばかりである。

　蒸気機関を代表とする第一次産業革命、内燃機関と電気化を代表とする第二次産業革命、コンピュータと制御を代表とする第三次産業革命に続いて、第四次産業革命はIoT、ビッグデータと人工知能を特徴とする。IoTは5Gによる高速通信を基礎とし、中国の華為（ファーウェイ）や中興は技術だけでなく設置仕様においても米国を大きくリードしている。中国はユーザ規模が大きく、政府に対する信用度が高いため、ビッグデータの形成では中国にはずば抜けた優位性がある。また、人工知能の研究開発でも中国は米国と肩を並べていることを考えると、第四次産業革命はまず中国で普及する可能性が高い。

　中国と米国の技術競争に関しては、米国ハーバード大学ケネディスクールのベルファーセンターが発表した総合報告書（"The Great Tech Rivalry: China vs the U.S."）をネットからダウンロードできる。トゥキュディデスの罠を最初に提唱した同大学のGraham Allison教授がその第一著者である。

　最後に、高速鉄道、インターネットユーザ数、携帯電話ユーザ数、

超高圧電力配送、電気自動車生産台数、自動運転車台数、5Gのカバー率、太陽光発電量などの国別の数字をあげておく。

　中国のウェブサイト「小紅書」のデータによると、2021年の高速鉄道の国別運行距離（km）は下記の通りで、米国は0kmで大きく遅れている。

1位	中国	40941
2位	スペイン	5525
3位	ドイツ	4639
4位	フランス	3802
5位	日本	3422

　また、internetworldstats.comのデータによると、2022年の国別インターネットユーザ数（千人）は下記の通りである。

1位	中国	1,010,740
2位	インド	833,710
3位	米国	297,322
4位	インドネシア	212,354
5位	ブラジル	178,100

　さらに、ITU（国際電気通信連合）の統計によると、2021年の国別携帯電話ユーザ数（千台）では下記の通りである。

1位	中国	1,733,006
2位	インド	1,154,047
3位	インドネシア	365,873
4位	米国	361,664
5位	ロシア	246,569

　2021年末時点で、世界で稼働中の5Gステーションの7割が中国にあり、総数は130万を超える。5Gユーザ数も世界の約7割が中国である。

　その他、IEA「スナップショット2022」のデータによると、2021年の国別太陽光発電累積容量（ギガワット）は下記の通りで、中国が世界の3分の1を占めている。

1位	中国	308.5
2位	米国	123.0
3位	日本	78.2
4位	ドイツ	59.2
5位	インド	60.4

　中国ではキャッシュレス決済が普及しており、現金払いの方が珍しくなっている。デジタル人民元も2020年4月から試験が始まっており、本格導入が近いと見込まれている。この分野でも西洋を大きくリードしている。

財政と通貨の競争

　前述の通り、米国の利益の半分近くは金融業から得ている。米国の金融業は基軸通貨が米ドルであることが大きな支えである。米国はタダ同然の原価でドルを印刷すればドル紙幣が示す金額で外国から本物の商品とサービスを買うことができる。一方、米国以外の国は対外貿易に必要な決済通貨である米ドルを入手するために懸命に商品やサービスを作り売らなければならない。

　このような非対称性は、短期的には米国に富と豊かさをもたらし、他国から羨まれる面もあるが、長期的には米国の貿易赤字につながり、モノづくりの衰退をもたらし、貧富の格差を拡大させてきた。

　米政府は国債を発行し、各国が貯めた米ドルを金庫に眠らせるのではなく米国の国債を購入し、その運用益を得る方が得である。このようにしてドルが米国に還流している。米国は金利を上下させることで世界に大きな影響を与えている。金利を下げて量的緩和をするとドルが溢れ、世界各国に供給され、経済が膨らみ繁栄するが、逆に金利を上げると世界各国に投資されたドルが米国に引き上げられ、各国の通貨急落や株価急落をもたらす。米国の金融機関が急落した金融資産を買い戻し、大儲けすることも多い。それを狙って空売りするジョージ・ソロスのような人たちも多い。「ドルは我々の

通貨だが、それはあなたたちの問題だ」。米国のニクソン政権のコナリー財務長官はそう言い放った。

　歴史上の帝国の崩壊は戦争が引き金になることもあるが、財政破綻が直接の原因となることがむしろ多い。そもそも財政上の問題を戦争で解決しようとすることもしばしばである。ソ連の崩壊は戦争が直接の原因ではなく、財政破綻が直接の原因であった。米中の競争も最終的にはどちらの財政が先に持続できなくなるかで勝負は決まる。

　グローバルノートで公開されているデータによると、2020年の中国の民間債務は34.4兆ドルで米国の民間債務は34.42兆ドルであった。GDP比で言えば中国の民間債務の方が大きい。一方、政府債務で言えば、米国はGDPの1.33倍であったのに対して中国は0.66倍であった。中国の政府債務の中、地方政府の債務が大きく、中央政府の債務が比較的に小さい。中央政府がより多く負担し地方政府の負担を減らす議論がなされている。

図4-2　中国と米国の政府債務残高の推移

単位：億ドル

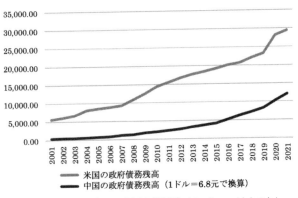

（出所）グローバルノートの公表データをもとに筆者作成　https://www.globalnote.jp/

図4-3　中国と米国の政府債務残高対GDP比の推移

単位：％

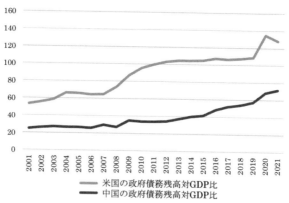

（出所）グローバルノートの公表データをもとに筆者作成　https://www.globalnote.jp/

　主権国家の債務自体の大きさもさることながら、その金利負担がより大きな意味を持つ。米国の2021会計年度（2020年10月～2021年9月）の財政赤字が2兆7,720億ドル、GDP比で12.4％になった。支払った国債金利は約3000億ドルで、支出総額の5％に相当しGDP比で約1.5％しかないが、これは国債金利が低いためであり、インフレ進行のため2022年は利上げにより基準金利が上昇し支払う国債金利も上昇していく。

　中国の2021年の財政赤字は3.57兆元で対GDP比は3.2％である。支払った国債金利は1兆元を突破しGDP比で約0.9％となった。比較すると、米国の財政赤字額も国債金利負担も中国よりはかなり大きい。中国の政策金利は2022年11月現在3.65％にあり、米国と比べて経済を刺激する金融政策に余裕がある。

　どの国も国債を発行しているが、無限に発行できるものではない。国債の買い手が国内であれば通貨の暴落につながることは稀であるが、国債の買い手が海外であれば通貨の暴落につながる可能性がある。例外は米国である。ドルは基軸通貨のため、世界中の余剰資金

が米国債に集まる。結果的に米国政府は他の国よりも多くの国債を発行する余地がある。その国債を使って圧倒的軍事力を作り上げ、そして、その圧倒的軍事力を背景として圧倒的信用を築き、その圧倒的信用の元に米ドルの基軸通貨の位置を維持する、という３角形の循環を回してきている。軍事力、信用、ドルの中の一つでも崩れれば他の二つも崩れる構図にある。

　基軸通貨としての米ドルは世界の公共財であるが、同時に米国が「敵対国」に対してドルを使わせない制裁手段としている。国際決済にはSWIFT（国際銀行間通信協会）というシステムがあるが、米国の意に沿わない国をSWIFTから排除すればその国は国際貿易が非常に難しくなる。イランに対してこの制裁措置を発動し、ロシアによるウクライナ侵攻を理由にロシアに対してもこの制裁措置を発動した。ドル覇権と言われる所以である。

　そうした中で、ドル使用を回避したい意向が広く存在する。中国も将来のリスクを想定してドルを使わない貿易決済を増やしている。SWIFTのかわりになるCIPSを開発し、ドルを使わずに人民元で貿易決済ができる準備を進めてきた。特に、デジタル人民元を開発し、遠くない将来に本格的使用を開始する。デジタル人民元はスマホにアプリをインストールすれば世界中どこでも使えるようになり、銀行口座や実名登録がなくても少額なら決済可能となり、途上国での普及が進みやがて先進国にも広がるであろう。通貨でも農村から都市を包囲する戦略である。

　ドルを避け自国通貨を使った貿易決済を行う動きも出ている。具体的仕組みはこうである。Ａ国からＢ国への輸出もＢ国からＡ国への輸出も例えば半分Ａ国の通貨と残りはＢ国の通貨で決済することで合意する。一々為替をしない。Ａ国の清算銀行とＢ国の清算銀行の間で帳簿上のみで行う。もし両国の間で不均衡があれば、その不均衡の金額だけどのように調整するかを話し合えば良く、結果的に第三の通貨（米ドルも含む）でその差額を埋めることになるかもしれないが、為替の金額と手数料を大きく減らすことが可能であり、

外貨が不足している国にとってはその制約を大きく減らすことも可能である。今後、このような貿易が増えていくことは間違いない。

　金に固定されなくなったドルの覇権を維持するために、米国は中東の石油をドル決済する約束をサウジアラビアから得るかわりに、サウジアラビアに軍事的保護を約束した。イラクのフセイン元大統領が自国の石油をドルではなくユーロで決済することをほのめかしたことが米国によるイラク侵攻の真の原因であるとも言われる。しかし、米国自身が石油輸出国になった今、中東諸国とは競争関係にある。また、アフガニスタンからの米軍撤退が示すように米国が中東諸国を保護する姿勢が大きく後退している。バイデン大統領の要請を無視する形でサウジアラビアが主導するOPEC＋が石油の減産を決定したのはその象徴となっている。近々中国との石油貿易は人民元を使うとの報道が多くなっており、ペトロダラーが崩れる日はもう近い。

　SWIFTが公表した2022年7月の各通貨の決済シェアでは、米ドル41.19％、ユーロ35.49％、ポンド6.49％、円2.82％に次いで元2.22％の5位となっているが、SWIFTを通さない人民元決済もあるため、この数字は必ずしも全貌を反映していないと考えられる。中国が最大貿易相手国となっている国は世界の3分の2を占めており、中国の貿易額及び世界貿易に占める比率（約2割）を考えると、人民元による貿易決済の比率が更に上昇していくことは間違いない。2023年4月時点で中国と自国通貨で貿易を決済する国が急速に増え、イラン、ロシア、ASEAN、サウジアラビア、UAE、イラク、ブラジル、アルゼンチン、パキスタン、フランス等が公表されている。また、インドもルピーによる貿易決済を進めており、貿易決済における脱ドルが更に広がっていくだろう。

　米国債が2022年10月3日の発表で31兆ドルを超えたことを考えると、外貨準備としてのドルに対する信認が弱まり、ドルの比率は今後下がっていくことが予想される。ユーロの比率はユーロ圏の経済規模に見合うものであり、人民元の比率が上昇し、その分米ドル

の比率が下がることは自然である。世界通貨が実現される前は、ド
ル、ユーロ、人民元の競争が相当長い間続く。ドル覇権が崩れれば
果たして米軍事覇権はあとどの程度維持できるか。

軍事力の競争

　米国の2022年国防費は7730億ドル（予想GDP23兆ドルの約3.2
％）、中国の2021年国防費は1兆4500億元（予想GDP123兆元の約
1.2％）である。現在の為替レートにするとおよそ3:1である。一方、
購買力平価でみた場合、2：1と見るべきであろう。中国の兵器の開
発と製造はほぼ国内で完結しており、同一兵器の調達では米軍より
大幅な低コストで済む。中国の国防費は米国に及ばないものの、第
3位の日本の5～6倍に相当する。しかし、それでいて、中国の国防
費のGDP比はNATO諸国平均レベルの2％と比べて低く抑えられ
ており、今後さらに伸ばす余地もある。米国の国防費のGDP比は3
％を超えており、大きな財政負担であり、持続可能性が問われる。
　米軍の現役軍人数は133万人で、陸軍、海軍、空軍、海兵隊、宇
宙軍、沿岸警備隊の6部隊から構成されている。また、北米を担当
する北方軍、中東を担当する中央軍、アフリカを担当するアフリカ
軍、欧州を担当する欧州軍、アジア太平洋を担当するインド太平洋
軍の6つの地域別統合軍と、宇宙空間を担当する宇宙軍、特殊作戦
を担当する特殊作戦軍、核兵器を担当する戦略軍、戦略輸送を担当
する輸送軍、サイバーを担当するサイバー軍の5つの機能別統合軍
という編成になっている。
　一方、中国人民解放軍は数度の定員削減を経て、2019年7月24
日の中国政府の発表によると、現役軍人数は200万人である。陸軍、
海軍、空軍、核兵器ミサイルを担当するロケット軍、宇宙サイバー
電磁波を担当する戦略支援部隊、ロジスティクス部隊の6部隊から
成り、管轄地域別では、上海、江蘇、浙江、福建、安徽、江西を担
当する東部戦区、湖南、広東、広西、雲南、貴州、海南を担当する

南部戦区、甘粛、寧夏、青海、新疆、チベット、四川、重慶を担当する西部戦区、黒竜江、吉林、遼寧、内モンゴル、山東を担当する北部戦区、北京、天津、河北、河南、山西、陝西、湖北を担当する中部戦区の5戦区を設置している。各戦区は2016年に従来の瀋陽、北京、蘭州、済南、南京、広州、成都の7軍区を再編したもので、各軍種を統合した作戦ができるよう指揮系統とリアルタイム情報共有システムを組織している。

　上記の両軍の構成を比較すると、部隊編成がほぼ対応しており、違いがあるとすれば、米軍は自国を超えて地球全体をカバーする地域担当になっているのに対して、解放軍は中国本土全体をカバーする地域担当になっている点である。実際、米国は世界中に軍隊を駐留させており、在外米軍基地は約70か国に約800か所あるとされている。

図4-4　在外米軍基地の配置状況

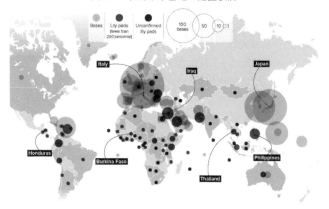

（注）円の大きさは駐留軍人数を示す。
（出所）https://geographicalimaginations.com/2015/06/26/base-lines-and-military-projections/

　次に兵器を比較してみるが、全世界をカバーする米軍の兵器総数と中国周辺のみをカバーする解放軍の兵器総数を比較するのはあまり意味がないように思える。在外米軍基地の一部を中国周辺に移す

ことがあり得るが、その全てを移すことは現実的ではなく、解放軍を世界中に配備して米軍と競うこともないであろう。従って、米軍全体、西太平洋の米軍と解放軍全体の数字を比較するのが妥当だろう。

　日本政府の2021年防衛白書と2022年防衛白書などの数字を総合すると以下の通りとなる。米軍は全世界で3500機の空軍機を有し、艦艇は約970隻（うち空母11隻、潜水艦約70隻）約730万トン。配備戦略弾頭1,389発、配備運搬手段は665基。一方、アジア太平洋に限れば、米軍は約260機の空軍機を有し、艦艇は約200隻（うち、空母1隻）約40万トン。一方、解放軍は約2900機の空軍機、中第4、第5世代戦闘機も1270機を有する。艦艇は約2000隻（うち空母3隻、近代的駆逐艦フリゲート77隻、潜水艦57隻）約250万トン。核戦略弾頭数は非公表だが約350発と推定されており、ミサイル発射機は約600基強である。戦略核を発射できる潜水艦、戦略爆撃機H20も開発運用している。核弾頭は2027年までに最大700発を保有し、また、2030 年までに少なくとも1000発の核弾頭を保有することを目指していると指摘されている。加えて、無人機の開発にも力を入れており、ステルス長距離無人機も2022年11月の航空展に出展された。

　上記の数字から言えることは、世界レベルで見た場合、米軍は解放軍より優位にあるが、解放軍は急速に近代化しており、中国周辺に限れば質では肩を並べ、量では圧倒している。中国の生産能力の大きさを考えると、兵器の近代化が今後も急速に進むと見て間違いない。核兵器を含めて単純に軍事的視点から見た場合、両国が全面戦争に突入することは自殺行為に近く、その可能性は極めて低いだろう。

　米軍には米国の同盟国の兵力も加えるべきだという主張もあり得るが、米国が戦うべきかどうかを決定する上では、最終的に勝てる相手かを判断するため、米軍単独での勝算が最優先で考慮されるはずだ。理論上、米軍が戦わないと決めても他の同盟国が戦う可能性はゼロではないが非常に小さい。

128

第三章で述べたように、中国は伝統的に戦争でもって物事を進めることは基本的に好まない。これは西洋と大きく異なる点である。16世紀以降の500年の戦争史を見てみると、第一次世界大戦、第二次世界大戦を始め、西洋人同士の争った戦争と西洋人が中心に戦った戦争が殆どである。

図4-5　世界の戦争勃発地点

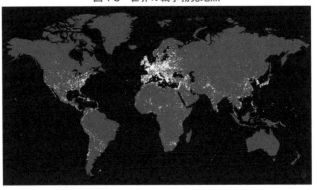

(出所) https://vividmaps.com/4500-years-of-battles-in-5-minutes/amp/

「米国は1776年の建国以来242年間、戦争をしていなかったのはたった16年間で、世界史上最も戦争好きな国である」と米国のジム・カーター元大統領自身が2019年9月に述べたほどである。

1950年以降、米軍の参戦状況は右ページの通りである。

これらの戦争のうち、ソマリア、イラク、シリアでの戦争は現在進行中であり、現在も米軍の空爆によって死者が出ている。ウクライナ紛争が大きく報道されるが、こちらはあまり報道されない。また、1950年以降のこれらの戦争を見ると、強大な米軍ではあるが、東アジアを相手に一度も勝ったことがない。戦った戦争の数は多いが、核兵器を持つ国と戦争したことはない。

中国が1949年以降に戦った戦争は右ページの通りである。

1979年以降に解放軍は43年間、実際の戦争を経験していない。

1950年以降の米軍の参戦状況

戦争・紛争名	年	相手	結果
朝鮮戦争	1950〜1953	朝鮮民主主義人民共和国・中国・ソ連	38度線を境に停戦中
ベトナム戦争	1965〜1975	ベトナム・中国・ソ連	ベトナム側の勝利
レバノン危機	1958	レバノン反政府派	米国側の勝利
ドミニカ内戦	1965〜1966	ドミニカ立憲派	米国側の勝利
レバノン内戦	1982〜1984	イスラム聖戦機構	米国側の勝利
グレナダ侵攻	1983	グレナダ人民革命政府	米国側の勝利
パナマ侵攻	1989〜1990	パナマ政府	米国側の勝利
湾岸戦争	1990〜1991	イラク	米国側の勝利
ソマリア内戦	1992〜1995	ソマリ国民連盟	内戦継続・米軍撤退
ボスニア・ヘルツェゴビナ紛争	1994〜1995	ユーゴスラビア	平和合意
ハイチ介入	1994〜1995	ハイチ	ハイチ政府転覆
コソボ紛争	1998〜1999	ユーゴスラビア	米国側の勝利
アフガニスタン紛争	2001〜2021	ターリバーン	米国側の敗退
イラク戦争	2003〜2011	イラク	米国側の勝利
ソマリア内戦	2007〜現在	ソマリアの反政府派	進行中
オーシャン・シールド作戦	2009〜2016	ソマリア沖の海賊	米国側の勝利
リビアへの介入	2011	リビア	米国側の勝利 カダフィ政権崩壊とカダフィ元首の殺害
オブザーバント・コンパス作戦	2011〜2017	ウガンダ「神の抵抗軍」	米国側の勝利
リビア介入	2015〜2019	リビアのISIL	米国側の勝利
イラク介入	2014〜現在	イラク・レバントのISIL	進行中
シリア介入	2014〜現在	ISIL	進行中

1949年以降の中国の参戦状況

戦争・紛争名	年	相手	結果
朝鮮戦争	1950〜1953	米国等	米軍を38度線以南に押し返し、停戦後に撤退
中印国境紛争	1962	インド	中国が勝利
中ソ国境紛争	1969	ソ連	停戦、1991年に国境画定
中越戦争	1979	ベトナム	ベトナムを侵攻後に撤退

　日本のマスコミは米軍の豊富な戦争経験を高く評価しているが、それらが真の正義の戦いであったかについては論評しない傾向がある。ロシアのウクライナ侵攻を厳しく批判しても、米国の戦争を批判しないのは、同盟国か否かの違いに過ぎないからであろうか。

内政面での競争

　米国は広大な土地と資源を有し、肥満に悩む人が多いほど食べ物も豊富であり、家も大きい。筆者はハーバード大学で半年間研究したことがあり、大学に近いボストン郊外のベルモント市に住んでいた。周囲と比べて大きな家ではなかったが、日本の基準と比べると大きい。ガソリンが非常に安いことが印象に残っている。高速道路も非常に安い。リムジンがたくさん走っているのも印象的であった。米国は間違いなく物質的には豊かな国である。

　一方、国民皆保険制度がなく、貧困層の医療費が大きな社会問題となっている。銃の所持が認められ、2021年の銃販売数は1990万丁、2万728人が銃による殺人（自殺を除く）や銃による不慮の事故で亡くなっている。ホームレスも都市部に多い。

　中国は面積こそ米国を僅かに超えるが、農耕地は米国より小さい。また、人口が米国の4倍以上もあるため、一人当たりの資源は米国に遠く及ばない。米は自給しているが、海外から多くの飼料を輸入し国民の食肉ニーズを満たしている。中国ももともと食べる量が多く、今は肥満に悩む人が増えている。中国都市部の一人当たり平均住宅面積は約40平米であり、米国ほど広くはないが日本より少しだけ大きい。

　中国は国民皆医療保険制度を実現した。日本の年金に相当する養老保険も国民皆保険を実現した。

　貧富の差は中国も米国も大きい。所得格差を示すジニ係数は中国が0.467（2017年の中国政府統計）、米国は0.482（米国政府統計）である。違いがあるとすれば、中国は経済成長しているため低所得

層も成長を実感しているのに対して、米国の低所得層は長い間成長を実感できていないことである。

　中国は、政府が定義する絶対貧困層に対して援助、移住、職業あっせん等を行い、全ての人の所得を基準以上に引き上げた。かつては物乞いやホームレスを都市部でかなり多く見かけたが、今は殆ど見かけない。一方、月収2万円程度の中国人はまだ6億人もいるので、現状に満足できない人も決して少なくはない。

　中国も米国も多くの国内問題を抱えており、大国間の競争も大事だが、どちらの国民がより幸せな生活を送っているかという点こそ、大国間競争の本来の最大の争点であり、国民が幸せを実感できなければ大国間競争に勝つことはできないし、勝っても無意味である。

　筆者は中国には多くの課題があるものの、「大一統」の伝統を有し、統一国家として2000年以上の歴史を誇る中国は、過去数十年の実績が示すように国民生活にエネルギーを集中して成果をあげており、今後も心を一つにして国内問題に長期的に取り組んでいけると考えている。

　これに対して、250年足らずの歴史しかない「若い」米国は国内分裂が進んでおり、貧富の対立、人種の対立、党派の対立がますます先鋭化している。中国には民族問題があるものの、漢民族が総人口の9割を占めており、牽引役割を果たせる。しかし、米国では白人人口が近い将来半数を割ると見られ、米州大陸原住民の血を引くヒスパニックが急増している。

　米国商務省センサス局は2021年8月12日、10年おきに実施される国勢調査の2020年の結果を発表した。それによると、総人口約3億3,145万人のうち、自身の人種を「白人」と回答した人口は、約2億430万人で全体の57.8％と、依然として人種、民族別で最も多いが、2010年より8.6％縮小した。一方、多人種（2種以上の人種）の人口は、2010年には900万人だったのに対し、2020年には2.8倍の3,380万人に増加した。

　米国のシンクタンク、ピュー・リサーチ・センターは、2020年9

月23日に米国における有権者の人種別構成の変化についての調査結果を発表した。これは、2000～2018年の有権者の人種別構成比の動向について調査したもので、全米50州において、白人層の比率が低下し、ヒスパニック系の比率が増加したことが分かった。全米では、白人層の構成比は2000年に76％だったが、2018年には67％に低下した。一方、比率の増加が目立つのがヒスパニック系で、2000年の7％から2018年には13％に拡大した。2000年から2018年までに増加した全米の有権者数は4,030万人で、うち白人層が24％（977万人）、非白人が76％を占めた。非白人の中でも、特にヒスパニック系の有権者数の増加が著しく、1,554万人で39％を占めた。黒人層は688万人（17％）、アジア系は566万人（14％）だった。

　2040年前後にはスペイン語を母語とするヒスパニック系大統領が誕生しないとも限らない。仮にそうなった場合、トランプ支持者の保守的な白人層が銃を持って革命を起こさないとは限らない。その場合、第二、第三のトランプが現れ、白人主流の南部と中部の州が再度独立を宣言し、「アメリカ連合国（Confederate States of America）」を復活させないとは言い切れない。そうなれば、二度目の南北戦争が勃発する可能性も否定できない。

イデオロギーの競争

　日本での販売部数が130部を突破し、東大生協で販売数第1位に輝いた名著がある。それはジャレド・ダイヤモンドの『銃・病原菌・鉄』である。その一節を引用する。（下）の第3章「スペイン人とインカ帝国の激突」の一部抜粋である。

　「ヨーロッパ人とアメリカ先住民との関係におけるもっとも劇的な瞬間は、一五三二年十一月十六日にスペインの征服者ピサロとインカ皇帝アタワルパがペルー北方の高地カハマルカで出会ったときである。アタワルパは、アメリカ大陸で最大かつ最も進歩

的国家の絶対君主であった。対するピサロは、ヨーロッパ最強の君主国であった神聖ローマ帝国カール五世の世界を代表していた（カール五世はスペイン王カルロス一世としても知られている）。そのときピサロは、一六八人のならず者部隊を率いていたが、土地には不案内であり、地域住民のこともまったくわかっていなかった。いちばん近いスペイン人居留地（パナマ）から南方一〇〇〇マイル（約一六〇〇キロ）のところにいて、タイミングよく援軍を求めることもできない状況にあった。一方、アタワルパは何百万の臣民をかかえる帝国の中心にいて、他のインディアン相手につい最近勝利したばかりの八万の兵士によって護られていた。それにもかかわらず、ピサロは、アタワルパと目を合わせたほんの数分後に彼を捕えていた。そして、その後の八か月間、アタワルパを人質に身代金交渉をおこない、彼の解放を餌に世界最高額の身代金をせしめている。しかもピサロは、縦二二フィート、横一七フィート、高さ八フィートの部屋を満たすほどの黄金をインディアンたちに運ばせたあと、約束を反故にしてアタワルパを処刑してしまった。」

　…

　「アタワルパが捕まった瞬間は、有史時代における最大の衝突の結果を決定的にした瞬間である。その意味において、我々はアタワルパの捕獲に対して重大な関心を寄せている。しかし、移住者と原住民のあいだで同じような衝突が起こった場合、その成り行きを決定的にする要因はピサロがアタワルパを捕えることができた要因と本質的に同じである。われわれは、アタワルパが捕まった出来事を通して人類史をより広い視野で見ることができる。その意味において、ピサロによるアタワルパの捕獲には、より普遍的な重要性がある。」

　「ピサロの随行者の何人もが、その日そこで起こったことについて書き残している。…ピサロの仲間六人の証言をもとに、その日の出来事を再現してみよう。」

「慎み深さ、不屈の精神、規律、勤勉、危険な航海、そして戦闘は、われわれの真の王であり、主である。絶対無敵の神聖ローマ帝国皇帝の家臣であるスペイン人のものであり、信仰のある者には喜びを、異教徒には恐怖を与えるものである。主の栄光と、皇帝陛下に仕える栄光のため、この物語を書きとめ、陛下に送り、ここで起こっていることをお伝えしたい。主の聖なるお導きによって、多くの異教徒を征服しカトリックへの忠誠を誓わせたことは神の栄光であり、皇帝陛下の偉大な力と強運によって、陛下の御世にこれがなせたことはひとえに陛下の名誉である。このような戦いに勝利をおさめ、新たなる土地を属州となし、王とその誠実な従者たちにかように莫大な富をもたらすことができ、異教徒たちの間に王への畏敬の念を広めることができたことは、王の忠実な従者たちにとってひとえに喜びである。」

「今昔を問わず、かくも多く大海原を渡り、かくも多くの山河を越え、かくも遠く離れて、かくも大勢の見知らぬ者たちに対して少数で戦い、勝利し、征服するという偉業をなしとげたものがわれわれスペイン人をおいてほかにあろうか。われわれのなしとげた偉業に比べられるものがほかにあろうか。われわれは、総勢二〇〇〜三〇〇人、ときには一〇〇人足らずの小人数で、かつて知られたる土地よりはるかに広大で、キリスト教徒の王族及び異教徒の王族があわせ持つ領地よりも多くの土地を征服した。」

…

「将軍ピサロは、情報を得ようとカハマルカ盆地から来たインディアンたちに拷問を加えた。すると彼らは、アタワルパはカハマルカで将軍を待っていると聞いたと白状したので、将軍はわれわれに前進を命じた。盆地の入り口に着くと、約一レグア（約四キロ）離れたふもとのあたりにアタワルパの陣営が見えた。そこはとても美しい町のように見えたが、あまりにテントの数が多すぎて、恐怖心がわれわれを襲った。かつてそのような光景を目にしたことがないからである。」…「将軍の弟であるエルナンド・

ピサロはインディアンの数を約四万と見積もったが、それはわれわれを勇気づけるための嘘であり、実際は八万以上であった。」

「翌朝、将軍はアタワルパからの使者に次のように伝えた。『いつでもご都合のよいときにお出でになるよう君主にお伝えいただきたい。どのようにお出でになろうとも、友人として兄弟としてお迎えする。とてもお会いしたいので、できれば早くお出でになることを願う。どんな侮辱も危害も加えるつもりはない』」

　…

「正午になると、アタワルパが家来を集め、近づいてきた。」…「将軍ピサロは、ビセンテ・デ・バルベルデ神父を遣わし、アタワルパに、神とスペイン王の名において主イエス・キリストの教えに従い、スペイン王陛下に仕えることを求めた。バルベルデ神父は、片手に十字架、片手に聖書をふりかざしながら、インディアンのなかをアタワルパのところまで進むと、次のように話しかけた。『神に祈りを捧げる者であり、キリストを信じる人びとに神の御業を宣べ伝える者である私は、あなたに神の教えを授けるためにやってきた。私の教えは、神が聖書の中でわれわれに伝えていらっしゃることである。よって私は、神とキリストを信じる者の一人として、友とならんことをあなたに乞う。それが神の意思であり、そうすることがあなたのためでもある』。するとアタワルパが、聖書を見せるように命じたので、バルベルデは閉じたままそれを渡した。アタワルパはどうやってそれを開くかがすぐに分からなかった。そこで神父が開いてやろうとして手を伸ばした。それをみてアタワルパは激怒し、神父の手を振り払い、聖書を開かせようとしなかった。やがて彼は自分で聖書を開いた。しかし、聖書の神や文字に驚くどころか、少し離れたところに投げ捨ててしまった。そのとき彼の顔面は真っ赤に紅潮していた。」

「バルベルデ神父はピサロのところに引き返し、次のように叫んだ。『クリスチャンたちよ！出てくるのだ！出てきて、神の御業をしりぞけた犬どもと戦うのだ！あの暴君は私の、聖なる教え

の本を地面に投げ捨てた。あなたたちは何が起きたか見たであろ
う。平原がインディアンでいっぱいのときに、この思いあがった
犬に礼儀正しくふるまう必要もなければ、卑屈になる必要もない。
出てきて戦うことを私が許す。』」

　「すぐさま将軍が合図を送り、それを見て部下たちは銃を撃ち始
めた。と同時にトラペットが吹き鳴らされ、歩兵と騎兵が飛び出
してきて、「サンティアゴー（キリスト十二弟子の一人、聖ヤコブ
のスペイン名。スペイン国民の守護人）と大声で叫びながら、広場
の武装していないインディアンたちをめがけて突進していった。」

　引用はここまでとする。そのあとの結果はご推察のとおりである。
　筆者がこの部分を引用したのは、イエス・キリストというイデオ
ロギーがこのような形で利用されていたことを思い出させるためで
ある。そもそも神父がバルベルデに伝えたことが「友人として兄弟
としてお迎えする」ことのもともとの意味なのか。さもなければ、
なぜピサロが「友人として兄弟としてお迎えする」との約束を破っ
て神父を遣わしたのか。戦いの理由と意義を作り、部下と相手に示
す必要があったからではないか。そう、人間は命を賭けて戦うには
理由と意義を動機付けなければならない。それがイデオロギーの役
割と効用である。一神教の神様は一人のみ、かつ、絶対的。植民地
支配も奴隷酷使もどう考えてもイエス・キリストの教えに反する。
しかし、なぜ聖書を掲げながら侵略することができたのか。それは
聖書が侵略の口実になるからである。「この神を信じなさい」。「信
じないのが悪いから罰するべき」。だから、異教徒が同じ神を信じ
るまで侵略を続けることができるのだ。
　では、500年経った今、これはもはや繰り返されることはないと
思っている人もいるだろうが、それは間違いであると言いたい。さ
すがに、イエス・キリストという旗の下で宗教戦争をすることはな
いが、米国は自分の定義する「民主主義」に従わない国に対して制
裁し、軍隊を送り続けている。

　バイデン米国大統領は、2021年3月25日に就任後初の記者会見で中国との関係を「民主主義と専制主義との闘いだ」と位置づけた。そして、同年12月9日に「民主主義サミット」を開き、「民主主義は挑戦を受けている」とし、招待されていない諸国などの「専制主義」との競争に勝つために民主主義諸国の団結を呼びかけた。

　ホモサピエンスは大きな集団を作る上で宗教というイデオロギーを発明し活用してきた。イエス・キリストは立派であり、筆者はキリスト教の信者ではないがイエス・キリストを深く尊敬している。筆者は民主主義（必ずしも選挙という形に限られない）も深く信じている。一方、イエス・キリストを掲げて世界征服することとイエス・キリストへの敬意とは本来無関係であり、また同様に、民主主義を掲げて他国を制裁し軍隊を送り込むことと民主主義そのものとは本来無関係である。民主主義は本来崇高なものであるが、このように政治利用されると、一神教の現代版と化してしまう。

　一方、それはそれとして、イデオロギーの利用に偽善的な一面があるとしても、戦略としてイデオロギーが不可欠であり、米国が民主主義という分かりやすく魅力的なイデオロギーを有しているのに対して、中国はどのようなイデオロギーを打ち出して競争するのだろうか。

　まずはっきりしているのは、共産主義は選択肢にはならないということ。冷戦は自由主義と民主主義を掲げる陣営と共産主義を掲げる陣営の間の競争であったが、現在の中国は全く共産主義を主張していない。共産党成立100周年記念式典における習近平総書記の長いスピーチの中に「共産主義」という単語は一度も出てこない。社会主義と称しているが、「中国特色のある社会主義」であり、実際には資本主義の要素をかなり取り入れている。

　次に、儒教（英語ではConfucianismといい、直訳すると孔子主義となろう）は選択肢になるのか。儒教を主張するならまだ現実に即しているが、それも主張していない。絶対的「神」を持たないでここまで文明を発展させてきた中国はイデオロギーに縛られない実

用主義であり、「白猫であれ黒猫であれ、ネズミを捕るのが良い猫である」のであって、民主主義でも専制主義でもない。民主主義対専制主義という捉え方自体が西洋的思考論理の結果として作り出された偽命題である。

では、中国国内は良いとして、世界に向かってどんなイデオロギーを発信するのか。米国も中国と同じ政治制度にすべきだという主張を中国は主張しない。それぞれの国の歴史、文化、発展段階があり、考え方が異なって良い。中国は西洋のようになりたいわけでも、なりたくても簡単になれるわけでもなく、ならないからといって非難されるものでもない。西洋は中国のようになりたいわけでも、なりたくても簡単になれるわけでもなく、ならないからといって非難されるものでもない。

中国の主張する理念は、筆者の理解では2つある。一つは、平和、発展、公正、正義、民主、自由という6つの価値観のセットであり、もう一つは人類運命共同体である。

平和、発展、公正、正義、民主、自由は人類共通の素朴で自然な願望であるが明確なイデオロギーとは言えない。6つもあると、二項対立（dichotomy）としての「民主主義」対「専制主義」のようにすぐに覚えられてシンプルに語ることは難しい。イデオロギーはシンプルで分かりやすくなければ普及しにくい。

人類運命共同体は東洋だけでなく西洋も含む。途上国だけでなく先進国も含む。全ての国、全ての人間が人類運命共同体の一員である。ここには同盟国も敵国もない。地球上の全員が共同体に属する。生物である以上、人間同士の競争はなくならないが、しかし、我と敵に分けるのではなく、地球上の全員が多くの共通の利益を共有しており、更にその共通の利益を拡大していくことで、より平和な地球、より豊かになるようともに発展し、国内も国と国の間もより公正なシステムを構築し、強者だけでなく弱者も守られるより正義な社会を実現し、金持ちだけでなく普通の人も政策決定に実質参加できるより民主的な政治と、一部の人だけでなく全員にとってより自

由が拡大する社会を意味する。

　いずれにしても、「平和、発展、公正、正義、民主、自由」も「人類運命共同体」も包摂的であり、二項対立を内包せず、どちらかといえば、二項対立に対する二項対立である。人類にとっては二項対立より包摂が良いが、二項対立に慣れている人類にとって分かりやすい二項対立を捨てて直感で分かりにくい包摂を選ぶにはまだ少し時間がかかるかもしれない。しかし、運命共同体である以上、包摂を選ぶしかなく、多少時間がかかるが、エントロピーの減少をもたらすこの方向に必ず進む。

国際世論における競争

　日本の報道を見ると、中国は世界中から嫌われているような印象を受ける。それは非常に偏った報道姿勢である。正確に言うと、中国は西側先進国では評判が悪いが、広範な途上国では高く評価されている。

　2022年10月20日にイギリス・ケンブリッジ大学Bennett Institute for Public Policy が発表した調査報告 "A World Divided: Russia, China and the West"（ネットからダウンロード可）では、「世界人口の97％をカバーする137か国の30の調査プロジェクトの結果を統合した」データを公開した。これらの調査の中にはロシアによるウクライナ侵攻のあとの、世界人口の83％をカバーする75か国の新しい調査も含む。これらのデータから言えるのは、西側民主主義諸国は以前よりも米国を中心に団結し、一方でユーラシア大陸からアフリカにかけた途上国においては、中国とロシアに対する評価が僅かに米国を凌いでおり、世界は2つのブロックに分かれている」ということである。

　筆者は、鄧小平が「文革」で中断していた大学入試を復活させた直後の1978年に中国の大学に入ったが、当時のクラスは24人の中国人と2人のアフリカ人で構成されていた。一人は中央アフリカ共

和国、もう一人は赤道ギニア出身だった。当時の中国は貧しく、中国人学生は8人部屋の宿舎に住んでいたが、留学生は専用の「高級」宿舎で一人部屋であった。筆者も先進国に憧れていた一人ではあるが、同時に亜非拉（アジア、アフリカ、ラテンアメリカ）は「兄弟」であると思っていた。しかし、筆者は日本留学後に「兄弟」ではないことを知り、少しがっかりした記憶がある。日本でも電車から「人類皆兄弟」という看板を見かけることがあるが。

　中国は自国のインフラ建設もままならない70年代にアフリカでタンザニアザンビア鉄道を建設した。イスラエルとパレスチナとの対立ではパレスチナを一貫して支持し、アルゼンチンとイギリスが主権を争ったマルビナス島（イギリスではフォークランドと呼ぶ）の紛争では一貫してアルゼンチンを支持した。あくまで途上国側に立つ中国の外交姿勢は、途上国から中国への支持を集める結果にもなった。中華民国のかわりに中華人民共和国が国連に復帰できたのも途上国からの支持があったからこそであった。それを決定した1971年の国連総会第2758号決議は、加盟国中の76か国が賛成、35か国が反対、17か国が棄権した。反対は米国とその同盟国がほとんどであったが、賛成はもちろん殆どが「兄弟」である途上国だった。今の「一帯一路」は決して唐突な新規プロジェクトではなく、長年の友情の蓄積の上での自然な延長であった。

　中国の「人権」問題について中国を批判する西洋諸国と中国を擁護する途上国の投票対決がほぼ毎年国連で繰り返されている。

　2020年6月にスイスで開かれた国連人権理事会で、香港国家安全維持法導入の賛否が問われ、中国への反対は西洋などの27カ国だったのに対し、中国への賛成は途上国の53カ国であった。

　2020年10月、人権問題について話し合う国連総会第3委員会で、欧米諸国や日本など39カ国が、中国の香港や新疆ウイグル自治区の状況に「重大な懸念」を示した。これに対し、途上国中心の55カ国および地域は「香港は中国の一部で、外国勢力による干渉は許されない」と反論。新疆についても、45カ国および地域が「中国

はテロや過激主義の脅威に対応し、全民族が平和で安定した環境の中で人生を楽しんでいる」とした。

　2021年10月、国連の人権問題を扱う委員会で、米国や日本など43か国は、中国の新疆ウイグル自治区の人権状況に懸念を示す共同声明を発表したのに対して、キューバなど途上国を中心とした62か国が、中国を擁護する共同声明を発表し、内政干渉には反対だと主張した。

　いずれも、中国の「貧しい兄弟たち」が数で圧倒した。

　国連は基本的に全ての国が加盟する組織であるが、国連以外に多くの有志組織がある。西洋中心の先進国の組織としてはG7があるが、先進国と新興国の双方が入る組織としてはG20があり、中国中心の組織としてはBRICS、SCO（上海協力機構）とG77がある。

　G7は米国、日本、ドイツ、イギリス、フランス、イタリアとカナダの7か国。全て米国の同盟国であり、フランス以外には米軍が駐留している。自由民主主義を信奉する先進国であり、侵略と植民地支配の歴史も共有する。

　G20はG7諸国に加えて、アルゼンチン、オーストラリア、ブラジル、中国、インド、インドネシア、メキシコ、韓国、ロシア、サウジアラビア、南アフリカ、トルコの12か国とEUが参加してる。世界金融危機の深刻化を受けて、2008年からG20首脳会議が毎年開催されてきている。

　BRICSは、ブラジル、ロシア、インド、中国、南アフリカの5か国のイニシャル文字で構成されている。2009年からBRICの4か国首脳会議が開催され、2011年からは南アフリカも加わり、5か国の首脳会議が開催されてきている。2022年、イランとアルゼンチンが参加を申請した。BRICSの名称のまま更なる拡大が確実視されている。

　SCO（上海協力機構）は現在、中国、ロシア、カザフスタン、キルギス、タジキスタン、ウズベキスタン、インド、パキスタンの8か国が参加しているが、1996年の発足当時は、中国、ロシア、カ

142

ザフスタン、キルギス、タジキスタンの5か国であった。2001年に
ウズベキスタンが参加。2004年にモンゴルがオブザーバー参加。
2005年にイラン、パキスタン、インドがオブザーバー参加。2009
年にベラルーシとスリランカが対話パートナー参加。2012年にア
フガニスタンがオブザーバー参加、トルコが対話パートナー参加。
2015年にインド、パキスタンが正式加盟、ベラルーシがオブザー
バー参加、アルメニア、アゼルバイジャン、ネパール、カンボジア
が対話パートナー参加。2021年にイランの正式加盟、サウジアラ
ビア、エジプト、カタールの対話パートナー参加について手続きを
行う事を発表。2022年に、アラブ首長国連邦、ミャンマー、クウ
ェート、バーレーン、モルディヴの対話パートナー参加について手
続きを行う事を発表。イランは2023年の首脳会議に正式参加国と
して参加した。SCOには、対立するインドとパキスタン、対立す
るイランとサウジアラビアが参加していることが興味深い。これは
西洋の論理体系では理解に苦しむことかもしれない。全ての宗教、
全ての文明を包容するのは一神教の西洋ではなく、無宗教の東洋に
しかできないのではないか。2022年3月、中国等の仲介した結果、
長らく対立してきたイスラム教シーア派のイランとスンニ派のサウ
ジアラビアが和解し関係を正常化することをイラン、サウジアラビ
ア、中国が共同声明で発表した。今後もこのような事例が増えてい
くだろう。
　最後に、G77 and China（G77プラス中国）を紹介したい。1964
年に77か国で設立された途上国のグループであり、今は参加国が
130か国に増えている。国連等において、経済的に立場が似通った
開発途上国の発言力強化のために形成されたグループである。中国
は参加メンバーではないが、G77の立場を一貫して支持してきたた
め、Group 77 and China（G77プラス中国）が公式声明や国連の決
議文書などでは使われてきた。Global Southという言葉が増えてき
ているが、G77がそれを最も代表する組織なのではないか。2023年
G7はグローバルサウスとの連携を打ち出したのが一歩前進だが、

今までの傲慢を改めない限り、真の連携は進まないだろう。

　上記の内容を踏まえれば、「中国は西側先進国では評判が悪いが、広範な途上国では高く評価されている」という結論に肯いて頂けるのではないか。米中の争いは世界世論を巡っても行われており、支持数で中国に軍配が上がっている。しかし、このままで満足できるものではなく、中国は先進国からも支持されなければ勝利したとは言えない。

「弱い中国」から「強い中国」を経て
「愛される中国」へ

　2021年3月19日、中国の外交トップの楊潔篪共産党政治局委員と王毅外務大臣は米国アラスカ州アンカレジにて、バイデン新政権のブリンケン国務長官、サリバン国家安全保障担当大統領補佐官と対面した。「強い立場」で（from a position of strength）中国と対話すると公言する米側に対して、中国側は「強い立場で中国と対話する資格は貴方にない」と述べた。これは世界にテレビ中継されていた中での出来事であり、実力を重んじる西洋に対して中国は一歩も引かないとの宣言でもあった。このやり方は第二章で述べたアクセルロッドの研究成果にも合致する。

　このような強気の外交を「戦狼外交」と呼んで非難する声も多い。西洋に対してこのように強気な態度で臨む国は珍しい。中国に対して更なる強気で応対すべきだという声は米国に多い。中国内においても、この強気は貿易経済にデメリットをもたらすとの懸念や批判もある。一方、西洋の世界支配に抑圧されてきた多くの国々から支持する声も多い。

　中国の姿勢は指導者の個人的資質に起因するとする論評も多い。習近平後の政権では中国の姿勢が柔らぐのではないかと期待する声も多い。一般論として指導者の個人的資質が政治においては大きな意味を持つ。しかし、どんな政治体制であっても、その国の発展段

階、その国が置かれた外部環境、その国が背負う歴史、その国の国民の意向から完全に独立して指導者が好き勝手に振舞うことはあり得ない。いかなる人物が指導者になるかは時代や客観的な国内外の環境によるものである。

　19世紀から20世紀前半の中国は、色々な人物が国家指導者になろうと争ったが、結局は強烈な個性の持ち主である毛沢東が競争に勝った。それは毛沢東でなければ、中国の独立を勝ち得なかったからであり、歴史の要請である。毛沢東は多くの欠点もあるが、中国から外国勢力を追い出せるのは彼だけであった。そして、朝鮮戦争への参戦を決断し、ソ連と決裂し、米国と和解したのも戦略家の毛沢東だからこそできたのである。

　その後の中国は鄧小平が権力を握り続けた。それは、彼が経済に精通し国の方向性を変えることができ、かつ、西側を魅了する人格の持ち主であり、時代の要請にぴったりだったからである。忘れてはならないのは、天安門事件を鎮圧したのも鄧小平であるということ。鄧小平は軍人であり革命家でもある。孫子の兵法を熟知し、「韜光養晦」を提唱したのも彼である。そして、鄧小平の敷いた「改革開放」路線を忠実に実行する江沢民、胡錦涛が指導者になったのも、彼らが「改革開放」路線を継承する実務家だったからである。

　このように、一億人近い党員を擁する一党独裁の中国共産党には有能な人材が多数おり、歴史の要請に応じて指導者を輩出できる人材の蓄積に恵まれている。歴史の要請に応える指導者が実際に誕生し続けてきた。

　鄧小平路線を江沢民と胡錦涛が忠実に継承した結果、中国の名目GDPは世界二位に浮上し、その勢いにいずれ米国に追いつくのではないかと脅威を感じた米国のオバマ大統領はアジア回帰（pivot to Asia）戦略を打ち出した。米国が自分に挑戦するドイツ、ロシア、日本に対してどんなに凄まじい反撃をしてきたかを知る中国は、「韜光養晦」を続けるか、それとも受けて立つかを迫られた。中国を抑えなければならないと気付いた米国に対して「韜光養晦」を続

けることは今はもはや現実的ではなくなった。となれば、戦うしか選択肢はない。毛沢東のような強い指導者が再び必要とされる時代になり、習近平が登場した。

　中国の名目GDPが米国を超え、トゥキュディデスの罠から抜け出すまでは、習近平後も中国共産党から個性の強い指導者が続くであろう。その後は魅力的な指導者が共産党から誕生するであろう。1億人近い党員を擁し一党独裁の中国共産党にはそれだけ人材がいる。

　トゥキュディデスの罠の段階に入った両国は、何もなかったように振舞うことはもはやできない。中国は「強い立場」で迫る西洋の指図に屈しない意思を「口撃」で返しつつ、他の多くの実質的関係においては引き続き「衝突、対抗せず、相互尊重、ウィンウィンの協力」をとることを模索している。「口撃」や台湾周辺の軍事演習は、平和的再興を貫くための、それ以上の衝突を回避するための行動でもある。一見逆説的で矛盾して見える行動は、陰陽論や弁証法がよく分かる人でないと理解できない。

　中国の「戦狼外交」は強者の立場で振舞うことに慣れた西洋のみを対象としており、途上国に対しては行っていない。従って「戦狼外交」に対する批判は先進国からあるが、途上国からは出ていない。

　アヘン戦争以来、西洋列強に抑圧され、「弱い中国」の辛酸をなめ尽くした中国国民は「強い中国」を渇望しており、アラスカでの楊潔篪の「中国人不吃这一套」（中国人はその手は食わない）という宣言が多くの中国人の心を掴み、このフレーズをプリントしたTシャツが大いに流行った。

図4-6　「中国人 その手は食わない」と印字されたTシャツ

（出所）https://www.asahi.com/articles/ASP3P6DCG
P3PUHBI00N.html

　一方、「強い中国」への渇望はかつての「弱い中国」の裏返しでもある。この心理的トラウマを乗り越えるには「強い中国」を実感できる一歩が必要であった。だが、その副作用もあった。

　「強い中国」を実感したい気持ちは強い言葉に留まらなかった。中国批判の急先鋒に立ったモリソン首相率いるオーストラリアに対して、中国は厳しい貿易制裁を課した。ワイン、牛肉、大麦の輸入を急減させた。作用と副作用の連鎖により、双方が傷ついた。そして、「強い米国」による制裁に屈した国がないように、「強い中国」の制裁に屈した国も今のところ現れていない。「強さ」を示すだけでは十分でないことに中国も気づいた。

　2021年5月31日、習近平が「信頼され、愛され、尊敬される中国」という指示を自ら出した。これは、「強い立場」をとる西洋に対して、「強い中国」で応じつつも、同時に「信頼され、愛され、尊敬される中国」も目指すという新しい段階に中国が到達したことを意味する。「弱い中国」を克服し、「強い中国」を卒業し、真の強さから生まれる「親しみやすい中国」「愛される中国」の実現まではまだ長い道のりがあるが、それを目指す段階に入ったことは心強い。

台湾を巡り米中戦争は起こるのか

　米中は1972年2月28日（米国時間1972年2月27日）、「上海コミュニケ」を発表した。コミュニケには、「12．米国側は以下を宣言する：台湾海峡両岸の全ての中国人が、中国はただ一つであり、台湾は中国の一部分であると主張していることを合衆国政府は認識しその立場にチャレンジしない」という重要な表明があった。

　（12.The US side declared: The United States acknowledges that all Chinese on either side of the Taiwan Strait maintain there is but one China and that Taiwan is a part of China. The United States Government does not challenge that position.）

　次に、1978年12月15日に公表され、1979年1月1日に成立した、米中外交関係樹立に関する共同コミュニケにおいて、「合衆国政府は、中国はただ一つであり台湾は中国の一部分であるとの中国の立場を認める」と明記している。

（The Government of the United States of America acknowledges the Chinese position that there is but one China and Taiwan is part of China.）

　更に、1982年8月17日に発表された第3の共同コミュニケにおいては、以下の合意がなされている。

　「合衆国は中華人民共和国政府が中国の唯一の合法的政府であることを承認し、中国はただ一つであり台湾は中国の一部分であるとの中国の立場を認める。これらの前提において、両国政府は米国人民が台湾人民と文化的、経済的、その他の非公式関係を維持することで合意した」「5. 合衆国政府は中国との関係を重視しており、中国の主権と領土保全への侵害、中国への内政干渉、"二つの中国"や"一中国一台湾"の政策を追い求めないことを繰り返し表明する」とあった。

（1…the United States of America recognized the Government of the People's Republic of China as the sole legal government of China, and it acknowledged the Chinese position that there is but one China and Taiwan is part of China. Within that context, the two sides agreed that the people of the United States would continue to maintain cultural, commercial, and other unofficial relations with the people of Taiwan.）（5. The United States Government attaches great importance to its relations with China and reiterates that it has no intention of infringing on Chinese sovereignty and territorial integrity, or interfering in China's internal affairs, or pursuing a policy of "two Chinas" or "one China, one Taiwan."）

しかし、そう宣言しておきながら、米国は台湾関係法を制定し、

台湾に大量の武器を供与し、中国の分裂現状を維持しようとしている。従来は、両岸で軍事衝突が起きた際に米国が軍事関与するかを曖昧にすることにより、大陸側の軍事侵攻を抑止すると同時に、台湾の独立宣言も抑止する、といういわゆる戦略的曖昧政策をとってきたが、大陸側の軍事力が拡大したのを見て、バイデン大統領は4回にわたって台湾を防衛すると発言し、その都度、部下たちが否定するというパフォーマンスを演じているので、結局曖昧なままであるが、「底線思惟」（最悪を想定した思考）を持つ中国政府にとっては、あまり関係のないことであり、米国の軍事介入を前提とした統一を考えるしかない。

　中国の反国家分裂法（2005年3月14日発効）は台湾に対する非平和的措置を講じる可能性について以下のように規定している。

　「第8条　台湾独立派がいかなる名目、いかなる方式であれ台湾を中国から切り離す事実をつくり、台湾の中国からの分離をもたらしかねない重大な事変が発生し、または平和的統一の可能性が完全に失われた時、国は非平和的手法及びその他必要な措置を講じて、国家の主権と領土保全を守ることができる。前項の規定によって非平和的手法及びその他必要な措置を講じるときは、国務院、中央軍事委員会がそれを決定し、実施に移すとともに、遅滞なく全国人民代表大会常務委員会に報告する。」
　「第9条　この法律の規定によって非平和的手法及びその他必要な措置を講じ、かつ実施に移す際、国は最大の可能性を尽くして台湾の民間人および台湾にいる外国人の生命、財産その他の正当な権益を保護し、損失を減らすようにする。同時に、国は中国の他の地区における台湾同胞の権益と利益を法によって保護する。」

　中国政府はこれまでも全ての中国人にとって最善である平和的統一を目指してきたが、中国分裂の現状維持を望み、台湾に大きな影

響力を持ち、強大な軍事力を誇る米国が存在する以上、自らの軍事力を高める以外に道はない。それが中国の軍事力増強の最大の背景である。解放軍は台湾に対して軍事力を示威する行動を繰り返しているが、それは戦争につながる万が一の台湾独立宣言を抑止し、戦争を回避するためである。更に言えば、米国とその同盟国に対する軍事力の示威は、中国統一事業への介入を抑止するためであり、戦争を回避するためである。

　客観的に見て、台湾海峡の両岸が統一交渉を行い、台湾の自治を保障する前提で台湾が中華人民共和国の一部となることに合意するという可能性は、現状では大きくない。米国が衰退し台湾問題に介入する余力がなくなれば翌日にでも平和統一のプロセスが始まるが、それはいつ来るかはっきりしない。意外と5年以内に来るかもしれないし、そうでないかもしれない。しかし、永遠にこの分裂状態をそのままにしておくことは14億人の中国人の総意として認めることはできない。平和的統一を目指しつつ、いずれかの時点で非平和的措置を講じてでも統一を推進する決断をする時がやってくるのではないだろうか。当然、朝鮮戦争の時と同様、米国との一戦を辞さない覚悟も必要となる。筆者は、引っ越しできない台湾との平和統一にもっと時間をかけて良いと考えるが、民進党と米国の対応次第では、非平和的統一の可能性も完全に排除することはできないと考える。

　そうなった時、米国は台湾防衛を選ぶのか、中国の平和的統一に手を貸す代わりに東アジアにおける米軍基地の継続を確保するのか、また、米中両国がそのような交渉をできるのかが問われる。米国は中国と戦って東アジアにおける米軍基地を失う可能性もあるため米国にとっても大きな決断となる。

　孫子の兵法（第三章参照）に従えば、以下のシナリオになる。中華民国軍が先に発砲しない限り、台湾人は誰一人も撃たれない形で統一が実現されるという意味で平和的統一となる。

　2030年前後のある日、北京が台北に対して、「一つの中国」の原

則に戻るよう交渉を呼びかける。台北から拒否される。解放軍の艦船が台湾を包囲し、北京が認めた船舶や航空機以外は通過させない「部分的封鎖」を実行する。ただし、人道目的での食料の通過は認め、外国人と台湾人の退避を認める。台湾当局に対してあくまで平和的交渉のための措置であり、「台湾側から発砲しない限り大陸側から発砲しない」ことを宣言。石油やガスを含む物資の輸送が制限され、経済が苦しくなるが、それでも台北はワシントンからの支援を信じ、交渉を拒否する。ワシントンは北京を批判するが、北京は内政干渉であるとして部分的封鎖を続行し、「台北から発砲しない限り大陸は発砲しない」方針をワシントンに伝える。どちらも発砲せず戦闘状態に至らず、台北はいよいよ限界に達して交渉に応じると回答する。部分的封鎖が解除される。

　交渉が始まっても隔たりが大きく、数度の交渉を経ても前進する見通しは立たない。北京は譲歩を引き出すために再度部分的封鎖を実施する。米国は北京を非難し駆逐艦を派遣し解放軍の封鎖ラインを突破しようとする。数で勝る解放軍は艦船を並べその進路を遮断し、どちらも発砲せず対峙状態になる。数日対峙した後、米軍が先に発砲し、解放軍の艦船が沈没する。それを受けて中国は超音速ミサイルを発射し、米駆逐艦が沈没。米中交渉が始まる。北京は先に発砲した米国に謝罪を要求し、中国内政への干渉を止めるように求めるが、米国は拒否。交渉が継続中も、東アジアの米軍基地から米軍機が飛来し封鎖ラインを突破しようとするが、数で勝る解放軍は戦闘機を多数飛ばしてその進路を遮断。当初はどちらも発砲せず旋回を繰り返したが、数日後に米軍が先に発砲し、解放軍機を撃墜したところ、解放軍も反撃し米軍機を撃墜。更に、米軍機が飛び立った基地のみをミサイルで破壊。米軍基地の所在国政府も北京を非難するが、先に発砲した米軍機の出撃基地のみの破壊にとどまり、中国に対する宣戦布告には至らない。再度の米中交渉が始まる。前回と同様に北京は先に発砲した米国に謝罪を要求し、中国への内政干渉を止めるように求める。米国は拒否し、空母を派遣して封鎖ライ

ンを突破しようとするが、中国も空母を派遣しその進路を阻止する。さすがに空母が撃沈される被害の大きさに直面した米軍が対峙するにとどまり、それ以上の攻撃は行わない。米国はG7首脳会議を招集し、中国に対する部分禁輸を発表し、マラッカ海峡の封鎖を実施し、戦略物資を運ぶ中国船の通過を認めないことを決定。中国は長年の準備を活かし、マラッカ海峡を通らない陸路の輸送に切り替えて乗り切る。G7は中国をSWIFTから排除し、貿易のドル決済を認めないことを決定し実行に移す。中国は既に多くの国との間で自国通貨による決済の仕組みを構築した後であって、制裁効果は限定的である。G7は中国への半導体輸出を完全に止めることを決定し実行に移すが、2019年から始まった米国による対中半導体輸出規制をきっかけに中国が半導体の自主開発生産を推進した結果、国産率は既に6割に達しており、制裁効果は限定的である。その間、台湾は大混乱に陥り、米軍の軍事支援を受けられないことに失望し、統一交渉に応じると発表。台湾に対する部分的封鎖が解除される。数カ月にわたる交渉で一国二制度による平和的統一について具体的合意に達す。中華民国は中華人民共和国台湾特別行政区に変わり、中華民国総統は台湾特別行政区長官となり、今後も従来通りに台湾内の複数政党による直接選挙で選ぶ。中華民国軍は解散し、国防と外交は中央政府が担う。国防と外交以外は台湾特別行政区長官、特別行政区議会と特別行政区法院に権限と責任が存す。北京と台北のこの合意を受け、中国に対するG7の封鎖も解除される。第三次世界大戦が回避される。中国も米国も軍艦数隻と軍機数機の損失にとどまり、解放軍と米軍に数百人の犠牲者が出たが、台湾は一人も犠牲者を出さなかった。米軍基地でも米軍の犠牲者が数十人出たが、現地人の犠牲者は数人にとどまった。台湾の半導体工場も無傷で世界経済への影響は限定的であった。台湾の平和的統一によって「中国の夢」が実現したと中国国内は安堵し、中国の国民と世界中の華僑が喜ぶ。これにより、米中の最大の対立点が無くなった。東アジアの米軍基地も温存された。米国の勝利でもある。米中の大国間競争は続

くが、全面戦争に至る可能性は限りなく無くなり、世界も安堵する。

　上記は孫子の兵法を適用すればごく自然に導かれるシナリオ（シナリオ1という）であるが、米軍が孫子の兵法をどこまで熟知しているか分からない。いずれかの時点で米軍の最高司令官が全面戦争に突入するという狂気に駆られた場合、上記のシナリオが狂う可能性は完全には否定できない。その場合どうなるのか。想定されるシナリオは2つある。シナリオ2は「第二列島戦以内の米軍基地と艦船が中国のミサイルによって完全に殲滅され、それに対して米国が世界中から米軍を結集して中国に対する全面戦争に突入する。双方に数万人ないし数十万人の犠牲者が出る」。シナリオ3は「通常兵器の長期戦でも勝負がつかない場合、米軍が核兵器を先制使用し、中国も米本土への核兵器使用で反撃し、双方に数千万人ないし数億人の犠牲が出る」。注意を要するのは、中華民国軍が先に発砲しない限り台湾の犠牲者は一人も出ないということだ。

　退役した自衛隊元高官や大学教授の中には、世界各地に駐留する米軍が集結するまでの間、自衛隊が先に参戦すべきだとする声もあるが、それでは第二次世界大戦など過去の歴史の教訓を汲み取れていない。台湾のために数十万の米軍の命や数百万の米国民の命を犠牲にできる米国大統領などどこにいようか。米国がそうした犠牲を払えないとしたら、なぜ日本がそうした犠牲を引き受けられるか。仮に日本がどこかの国から軍事進攻されるようなことがあれば、筆者は死を覚悟して日本の国民と共に戦うが、中華人民共和国と中華民国の統一を目指すだけなのに、なぜ日本がそのような犠牲を払ってまで阻止しなければならないのだろうか。筆者はそのような論者と直接議論したいと思っている。なお、日本のかかわり方については第六章で論じる。

米中は平和共存できる

　上記で述べてきたように、米国を頂点とし、自分の文明に対して

絶対的自信を持つ西洋と、西洋による世界支配を変えようとする非西洋、中でも、自国の文明に自信を持つ中国との競争は当面は激しさを増すだろうが、すぐに鎮静化する可能性は薄い。一方、どんなに競争が激化しても、人類史が示すエントロピーの局所的減少をもたらす構造化、分業化、グローバル化という自然の法則から逃れることはできず、進化の方向性は変わらない。生き残るのは自然法則であって、人間の都合で考え出すイデオロギーではない。

　非人道的な核兵器によって相互破滅するという決着を選ぶことが逆説的に現実的でなくなった中、人類は相手を殺して自分を活かすという植民地時代までの捕食者 – 被食者の関係を卒業し、今では、相手の中に自分があり、自分の中に相手があるという、生物学でいう相利共生（symbiosis）の関係が成り立つようになってきた。大きな進歩である。人類の活動がグローバル化した結果でもある。競争がグローバル化しただけではなく、競争の性質が変わった。共生は相利だが、利と利の差がまだ大きいため、人類の英知で是正していくことになる。それが人類の民主化である。

　戦争で勝つことが現実的に難しくなった今、経済的に相手を追い詰めたくなるが、それも期待するほどの効果がないことを歴史が証明している。米国から長年制裁を受けているイラン、朝鮮民主主義人民共和国、ベネズエラもしぶとく生き延びている。当然の反作用としてある意味で逆に強くなっているとも言え、核兵器を既に保有しているか保有しようとしている。G7から制裁を受けたロシアは貿易相手国が変わっても対外貿易自体を継続している。G7がロシアの石油を買わなくなっても石油の買い手と売り手の組み合わせが変化しただけで取引の総量は変わっていない。

　非平和的手段による台湾の平和的統一を目指した場合の中国に対してG7が制裁を科すことは想定されるが、それはG7諸国の経済に大きな影響をもたらす可能性が高く、長続きはしないであろう。経済が悪化した政権は選挙で敗れるからである。また、現在は非平和的手段を講じていない段階であり、いずれそうなる可能性が高いと

の予測に基づいて中国に対する全面的デカップリングを主張する人もいるが、実際の政策としては成立しない。ハイテク等の戦略物資のデカップリングは既に始まっているが、西洋がまだ優位に立つものは半導体くらいしかなくなっている。多少時間がかかっても中国は他の規制された技術と同様に半導体の独自開発に成功するだろう。また、ロシア産資源のように、西洋諸国が高い価格を我慢して西洋経済圏内での調達に徹することは可能であるが、西洋への市場アクセスを制限されている中国経済にとっては当初は打撃を受けても、10年もすると、高度経済成長が進む西洋以外の市場ではコストパフォーマンスに優れる中国製が普及し、途上国を含む世界市場が大きく成長する。中国とは別のサプライチェーンを構築する西洋経済が逆に大きく制限されることになる。

　中国の国民はもともと貧しい生活に慣れており、「大一統」という政治的伝統があるので、共産党の下で更に一致団結するだろう。忍耐力では中国人が勝る。そもそも、中国が目指しているのは自国の統一であって、儒教を世界中に普及させることではなく、他国の侵略でもない。そして、中国の人口は米国の4倍もあるため、多くの面で世界最大になるのはやむを得ないとして、米国に取ってかわって「世界の警察」になることには興味を抱いていない。

　中国は現在の国際秩序をより公平なものに改革しようと思っているが、転覆しようとしているわけではない。現在の国際秩序は西洋が定義したものであり、西洋以外の国々にとって公平とは言い難い部分が多々ある。それを改革し、西洋以外の国々にももっと発展と参画の機会を増やすことは途上国の正当な権利であるだけでなく、先進国にとっても経済的に有益である。中国は人類における本来あるべき位置を占めるべく主張しているのであって、人類の発展に貢献し、そしてその貢献に相応しいリスペクトを受けたいと考えているに過ぎない。本来、中国は西洋の敵ではない。中国を認め、敬意を払って対応するのであれば、中国は「敵」となって革命など起こす気はないのに、中国を受け入れる度胸もなく足蹴にしようとすれ

ば、中国は西洋の「敵」となる。

　しかし、2018年の貿易戦争を発端として、米国は技術戦、金融戦、世論戦を展開してきたが、あと10年ほどすれば、5千年の歴史を有し、世界の人口の5分の1を占める中国の平和的再興を抑えるのはできないことを理解するだろう。そして、戦えば戦うほど自らも傷付くことを理解し、最終的に西洋一極の覇権維持は困難であると達観するだろう。西洋が植民地支配を諦め植民地の独立を認めた時のように、中国などの非西洋の台頭を認めて無理に抑えつけない方が自らのためにもなると気づく日が必ず来る、と筆者は信じている。大航海時代以後の500年、工業革命以後の250年は、人間の寿命から見れば非常に長いが、20万年に及ぶホモサピエンスの歴史や1万年に及ぶ人類の農耕文明の歴史に比べればとても短い。西洋も文明としては次の段階に成長するだろう。

　今後、米国は単独覇権国として背負ってきた重い荷物を中国などと分担することができるようになれば、負担が軽減したと気づくだろう。多極化してもなお米国は重要なポジションを占めることになるので一種の満足感を感じるだろう。中国とも平和共存できると分かれば、核戦争で共倒れしなくて済んだと安堵するに違いない。

第五章

中国は「王道」「覇道」の
いずれを歩むのか

　中国が「米国超え」を果たした時、世界はどう変わるのだろうか。このテーマを考えたくない人も多いと思うが、その可能性がゼロではない以上、考えないわけにはいかない。

　最も危惧されるのは、覇権が米国から中国に変わっただけで、結局、世界にとって何も変わらないということではないか。言い換えれば、中国は西洋と同じ覇道を歩むのか、それとも、東洋思想に基づく王道を歩むのかということだ。これが根本的命題である。更に、中国はいかなる世界をどう作っていきたいのだろうか。これも大きなテーマである。

　西洋は戦争、奴隷、植民地を通じて世界を支配し、勝者、強者として経済的利益を追求してきた。中国も同じではないのか。

　「人類運命共同体」は民主主義以上に美しい言葉だが、実態は如何か。中国は米国に並ぶ軍事大国になろうとしているが、その軍事力を他国への攻撃に使用しないだろうか。ドル覇権が崩れた場合、人民元が取って代わるだけなのか。

　ローマ帝国以来の覇権国は多くの場合、軍事同盟を作り、小国の防衛を約束するかわりに、その他の分野で自分の言い分を飲ませる方法で支配してきたが、中国はそのような同盟を作らずにここまで来た。果たして今後も同盟を作らずに仲間を増やしていけるのか。

　米国は敵対国に対して、軍事力でねじ伏せたり、金融制裁、経済制裁などの実力行使で屈服させる方法をとっているが、中国は敵対国に対してどのように対処するのか。

　米国は、大統領への罵倒も含めてどんな発言も許されるが、中国

は国内で公の異論を封じる。だから、中国は他国に対しても抑圧的に出るのではないかなど、疑問は尽きない。これらについて、中国の思想と文化及び中国の主張に照らして分析予測してみたい。

王道、覇道、覇権

　孫文は約百年前の1924年（大正13年）11月28日、神戸で「大アジア主義」という題で講演した。その中で王道と覇道について詳しく述べている。講演の全文（中国語）と日本語試訳を付録につけているのでご参照いただきたい。なお、原文の著作権の原則的保護期間（著作者の死後70年まで）は過ぎている。

　この講演とその中での王道と覇道の対比は日本でも有名であり、日本経済新聞2022年8月26日「大機小機」欄に掲載された「覇道の米中、王道で橋渡しを」という題の論文の中で、孫文による講演内容を引用しながら、日本のある与党政治家は、「中国の覇権主義的な行動に対し、経験者である日本こそが『覇権主義ではうまくいかない』と正面から誠意をもって言わねばならない」こと、「日本が中立的な立場で東アジアの平和と安定を模索しながら生きていくべきだという「アジア共生国家」構想を開陳した」ことを紹介している。

　王道と覇道について孫文以上の定義は知らない。その部分の日本語訳は以下の通りである。

　　ここ数百年の文化について言えば、欧州の物質的文明は極めて発達し、我々東洋は物質的文明で遅れている。表面的に見れば欧州はアジアより優れている。しかし、より根本的に分析すると、欧州のここ数百年の文化はいかなるものだろうか。科学文化である。功利を重視する文化である。この種の文化を人類社会に適用すると、物質だけの文明であり、戦闘機・爆弾・鉄砲の文化であり、武力の文化である。欧州人はこの種の武力の文化で我々アジ

アを抑圧しているため、アジアはなかなか進歩できないでいる。武力でもって他人を抑圧する文化は中国の古い言い方で言えば「覇道を行く」のである。従って欧州の文化は覇道の文化である。一方、我々東洋は昔から覇道の文化を軽蔑している。覇道の文化より良い文化がある。その文化の本質は仁義・道徳である。仁義・道徳は人を感化するものであり、人を抑圧しない。仁徳を感じさせ、畏敬を感じさせるものではない。この人徳を感じさせる文化は中国の古い言い方で言えば「王道を行く」のである。従ってアジアの文化は王道の文化である。欧州の物質的文明が発達して覇道が闊歩して以降、世界各国の道徳が日に日に衰退した。我々アジアにおいても、いくつかの国で道徳が衰退した。近年欧米の学者は東洋の文化に注目し、東洋の物質文明は西洋に及ばないものの、道徳面で東洋は西洋に勝ることを少しずつ理解するようになってきた。

よく目にするもう一つの言葉は「覇権」である。

圧倒的な力はよく覇権と呼ばれる。力の均衡という理論があるが、これは合従連衡により、相手に圧倒的な力を持たせないことを指す。互いにそうすることによって誰も圧倒的な力を持てないようにし、平和を維持する。確かに、相手が圧倒的な力を持てないならば、自分は安全である。しかし、国の大きさが大きく異なるので、どうしても国家間で圧倒的な力の差が生じてしまうことがある。これは避け難い世の常である。昔の中国は周辺地域に対して圧倒的な力を誇り、冷戦直後の米国も世界各国に対して圧倒的な力を保持していた。

中国は覇権を求めないと主張している。憲法の前文においては、「帝国主義、覇権主義及び植民地主義に反対する」と記載されている。しかし、競争する以上、競争優位を求めた結果、どちらかが一時的に圧倒的な力を得ることが十分にあり得る。中国は覇道を掲げる西洋につぶされないために、十分な力を備えるしかない。米国と生存競争せざるをえない中で、結果的に一部において圧倒的な力を

持ってしまう可能性は否定できない。この圧倒的な力は他人からは覇権に見える。そして、その力を背景に強い言葉を発すれば、また、その力を行使すれば覇権主義に出たと見られる。覇権は圧倒的な力そのものを指すか、圧倒的な力の行使の仕方を指すのか、区別する必要があるが、なかなかその区別は難しい。世論はそもそも学問のように厳密ではない。

　圧倒的な力を互いに持てないようにする「力の均衡」の重要性は否定しないが、圧倒的な力の発生がどうしても避けられないなら、次の問題はその圧倒的な力を如何に使うかである。強者がその圧倒的な力を使って弱者を追い詰めるのならばそれは正に覇道である。逆に強者がその圧倒的な力を使って弱者を助けるのならば、それは正に王道である。

　中国は覇権と受け止められやすい自らの規模の大きさを自覚し、覇道を避け、より一層弱者の立場に立った王道を強く意識するしかない。今の段階では強者の西洋に対して、弱者の非西洋を強く代弁し、徹底的に競争していく。しかし、弱者に対してこれまでの西洋と同じことをすれば、間違いなく覇道になる。今のところ、ほとんどの途上国からは覇道の西洋と比較して好意的に見られているが、それが変わってしまうかどうか、また、中国と比べて先進国の一部でも弱者になりつつある国がある中で、それらの弱者になった先進国に対しても王道を歩むのか、中国の出方が厳しく見つめられている。

朝貢制度と植民地制度の違い

　孫文は100年前の講演の中で王道として中国の朝貢体制を説明した。筆者は朝貢体制に完全には賛同しないが、西洋の植民地体制と大きく異なること自体は間違いない。その文化的伝統が今日と今後の中国の対外関係にどのように反映されるかについてはここで述べたい。

　中華秩序の中で、天子の外に内臣があり、内臣の外に外臣があり、

外臣の外に朝貢国の国王がある。朝貢国の外には、南蛮、東夷、北荻、西戎がある。天子、すなわち、皇帝は最高権力者で、内臣、外臣は皇帝からの距離を表している。朝貢国の国王は天子の徳に服し、儒家の礼を受容する地域の王を意味し、朝貢国に対して冊封することで主従関係と権利義務を明確にした。朝貢国の外は中華文明がまだ及ばない地域であり、いずれ天子の徳に服し儒家の礼を受け入れる地域と考えられた。南蛮、東夷、北荻、西戎という言葉は、現代的には差別的呼称とされ、これらの地域はまとめて外夷と呼ばれた。

　30年戦争後の1648年、ウェストファリア条約によって各国が国の大小に関わらずそれぞれが主権国家であるとの国際法が欧州で確立された。これを適用するとなれば、外臣までは国内、朝貢国からは外国となる。

　今後の中国と外国の関係は、中国と朝貢国の関係、中国と外夷の関係を100％再現することはありえないが、全く影響を受けないこともない。従って、中国の朝貢体制を深く理解し、西洋の植民地体制との違いを理解しておくことは非常に意味がある。

　中華の朝貢体制と西洋の植民地体制を経済的、文化的、軍事的という3つの側面から考察する。

　農業文明が高度に発達した中国は周辺に比べて圧倒的に豊かであった。既に国家統一を果たしており、国土が広く、人口も多く、経済に必要な領土、資源、労働力、市場、技術は全て揃っていた。また、儒家の思想を統治の拠り所としたため、経済的利益よりも徳と礼を重んじる文化ができていた。その中で、朝貢国が朝貢するのは、天子、すなわち、皇帝の徳に服し、儒家の礼を受け入れるという文化的行為とみなされた。その印として、朝貢国は金銀ではなく、地元の土産を持参して、皇帝に献上した。豊かな中国の皇帝として当然タダで帰すわけにはいかないので、その倍以上の物品を「下賜」した。中国でもてなしを受けた経験のある人なら分かるが、食べきれないご馳走が食卓に並ぶことは、これに通じる。当時の中国にとって、朝貢国との関係は経済的利益をもたらさないどころか、逆に

負担であり、朝貢の回数を制限せざるを得なかったほどである（明朝のときに朝貢に来た国の数が148に上ったとの記録がある）。一方、「献上」した以上のものが必ず「下賜」されたので、朝貢する側にとっては経済的利益があった。これはある種の特別な形の貿易であったとも理解できる。

　朝貢国は中国の文字、文化、政治制度を導入することが多かった。これは強制されるのではなく、自らの意志によるものであった。中国は朝貢国に対して、軍隊を駐留させない、中国人を移住させない、幹部を送らない、の三原則を実行した。朝貢国は中国の権威と地位を認めたが、内政干渉されることはなかった。日本は漢字を使い続ける数少ない国の一つであるが、漢字の使用を強制されたことはない。

　朝貢体制のもう一つの役割は安全保障であった。朝貢国が別の国から虐められたときに、中国に支援を求めることができた。朝貢国同士の争いであれば、どちらも権威を認めた中国の警告だけでも争いを止められたこともあるが、中国が軍隊を送って鎮圧せざるをえないときもあった。豊臣秀吉の攻撃を受けた朝鮮を明朝が助けて7年間戦って戦争が終わったときには、軍隊を撤収し、北京に逃げていた朝鮮国王に国を返しただけであった。占領し続けたり自国に編入したりはしなかった。

　以上のように、朝貢国の統治者が中国の徳と権威、地位を認めることと引き換えに、中国から承認、保護、物品を得ることができた。中国は経済的損得だけを見ると割が合わないが、最も重んじる徳と権威を得ることができた。徳と権威は別の言い方では面子（メンツ）でもある。弱者である子が強者である父に敬意を示し、強者である父は弱者である子のために尽力するのが儒教の価値観のコアである。儒教の思想は家族内の秩序と権利義務を国家レベルに拡大したものであり、朝貢国との関係も家族内の秩序と権利義務を更に国家間に拡大したものである。西洋が中国の価値観を理解せず、人権や民主主義という西洋の価値観を中国に押し付け、中国の反発を受

けるのは、中国の価値観から見ればある意味で当然である。

　では、人権と民主主義を標榜する西洋は何をしてきたか。15世紀末の大航海時代以降、最初は貿易を通じて富を得ようとしたが、すぐに軍事力を使って貿易を強制することに変わった。次は軍事力を使った植民地の獲得に進んだ。アメリカ大陸ではインディアンを大量に虐殺しその土地を奪った。次に労働力が足りなくなると、アフリカから大量の奴隷を連れてきた。これらは全て経済的利益のためであり、軍事力を行使した略奪であった。20世紀中ごろになると、植民地は独立したが、軍事力をベースにした世界支配体制とそれによって守られるドル覇権は残った。米国に反抗する国（イラン、イラク、リビアなど）に対しては単独または同盟の軍事力を行使した侵攻と、CIAを使った政権転覆（多くの国におけるカラー革命）を実行した。"pompeo：we lie we cheat we steal"でネット検索すれば、米国前国務長官で元CIA長官のマイク・ポンペオ氏が「CIAの嘘つき、騙し、盗み」を自慢する講演録画が再生される。CIAの行為もひどいが、元長官の自慢ぶりは更に信じ難いものだ。

　20世紀中ごろまでの植民地支配はあからさまな略奪であるが、それ以降は巧妙な形をとり、分かりにくいドル覇権を通じて目に見えない略奪に変わった。20世紀中ごろまでは「未開人」と「野蛮人」の文明開化とキリスト教の布教という大義名分があげられていたが、20世紀頃以降は自由と民主主義という新たな大義名分があげられている。しかし、本質は圧倒的な力に基づく富の搾取である点が変わらない。

　西洋はひどいこともしたが、結果的に人類の文明を発展させたという主張もあろう。その通りではあるが、西洋文明の特徴は富の収奪であることは否定できない。

　中華文明はつまらぬ面子にこだわっているだけという主張もあろう。しかし、それは収奪が横行する中で、収奪しないのは単なるバカだとする見方に等しいのではなかろうか。

「人類運命共同体」は朝貢の再現なのか

中国は2018年の憲法改正において、「人類運命共同体の推進」を憲法に記載した。地球は一つしかなく、各国は自国の利益を追求すると同時に、他国の利益にも配慮し、ゼロサムではなくウィンウィンの精神に基づき、ともに発展する、という理念と価値観を提唱し、2017年以降、5年連続、国連総会の決議文章にも盛り込まれている。

戦争には勝者と敗者があり、勝者が全てを取り、敗者は一切を失う。まさにゼロサムである。ビジネスでは互いの利益の大きさが多少異なっても双方の利益があってこそ取引が成立するのでウィンウィンである。

中国は軍事力を行使して他国を侵略したり支配したりせず、世界各国と貿易することで経済発展を目指すと宣言し、他国もそうあるよう促す意味がこの「人類運命共同体」に込められていると筆者は理解している。途上国のほとんどが当然これに賛同している。強い軍事力を持ち、時々武力行使している西洋の国はこの理念に対して内心穏やかではない。そして、強い軍事力を持つ米国と軍事同盟を結んで保護を受けている国も全面的に支持することはできないかもしれない。

中華文明の対外関係の特徴は、富の収奪はしないこと、むしろ、他国が中国に敬意を示せば、経済的実利と安全保障の実利を分け与えることである。しかし、中国に敬意を示すことが前提となっている。中国の価値観では、この敬意は実利より上に置かれる。この特徴は今も続いていると筆者は考える。確かに国の大小はあれみな平等であり、今の中国は昔の「華」と「夷」の区分を当然しないし、かつて中国の皇帝に拝謁する際に求められた屈辱的ともいえる敬礼は今は求められないが、中国に敬意を表す国にはより多くの経済的利益を与える一方、そうでない国には貿易量をより少なくすることがある。弱者からすれば、これは強者の圧倒的地位（＝覇権）を利用した敬意の強制と映る可能性がある。

　実利よりも国の尊厳を上とする国もあり、「西洋の富の収奪も覇道だが、中国による敬意の強要も覇道だ」として、今後、「覇権争い」よりもこの種の「覇権」の定義に関する争いがむしろ増えるかもしれない。第六章で紹介するように日本は昔から中国に対等の立場を強く求めてきた歴史があり、中国の「覇権」に対する日本側の批判の多くは、日本に対する中国による富の収奪よりも「地位の差」に起因しているように見える。この「地位の差」は地理的条件によって決まる国の人口規模から来るものであり、人為的にできる限度があるため、厄介な問題として長期にわたって両国間に横たわる。

　他方、中国に敬意を表し、中国と経済関係を深める国も多くあるだろう。敬意を表される以上、中国は経済的に極力報いようとするだろう。そういう意味で、全ての国が平等であるという近代的概念を守ると同時に、大国は小国を助けるというかつての朝貢体制に似た面もあることは否定できない。

中国は安全保障の傘を他国に提供するか

　中国は軍事力を急速に増強している。中国政府は21世紀の中頃に米国に並ぶ軍事強国の建設目標を明確にしている。中国の軍事費はなお米国の3分の1にとどまるものの、軍事費3位の国とは既に約5倍の開きがある。人民元の購買力平価を考えると、その差は実際にはもっと大きい。中国は既に3隻の空母を保有しているが、更に増やすと見込まれる。空母は中国沿海ではそれほど意味がなく、遠洋航海に必要で、世界中にある中国の貿易ルートを守るのが目的である。

　西洋文明の米国がその圧倒的軍事力をもって世界を支配しており、中国の再興を軍事力で阻止する可能性を否定できない中で、また、台湾独立を阻止しなければならない中で、中国の立場からすればこれはやむを得ない。一方、安全保障のジレンマが語るように、一部の近隣諸国からみると、中国の軍事力が脅威に映ることも理解しなければいけない。

　中国は交渉中ではあるが、インド、ブータンとの国境線画定にまだ至っておらず、また、南シナ海、東シナ海における紛争を抱えている。これらの紛争地域に関して、中国は平和的解決を一貫して主張しており、武力による解決を避けようとするものだと筆者は考えている。

　ここでは、世界の安全保障に、中国の軍事力がどう関わるかについて考えたい。西洋の発想では、覇権国が安全保障の秩序と平和を中小国に提供するのが一つの公共財という考えもある。パックスアメリカーナやパックスロマーナのような名称までついている。今でも、西欧も日本も米国の軍事力に頼ろうとしているのはまさにその表れである。一方、もし世界が多極化し、どこの国も圧倒的力による秩序の強制ができなくなれば、世界の安全保障はどうあるべきか。

　中華文明の朝貢体制下では、朝貢国が侵略を受けたときに軍隊を出して助けに行くことが何度もあった。白村江の戦い、豊臣の朝鮮侵攻、（ベトナムにおける）清仏戦争はその例である。また、中華人民共和国になってからも、朝貢体制が既になくなっていたが、朝鮮戦争に義勇軍を派遣し米国と引き分け、ベトナム戦争にもベトナム軍服を着た中国軍を派遣し米軍に勝利した。いずれも戦争が終わった直後に軍を引き上げた。一方、このような派兵は必ずしも一般的ではない。伝統的には中国は儒家の文化と強大な経済力で中国中心の秩序を構築しようとしたのであって、軍事力の行使は優先順位が低い。そのような文化的背景があって、仮に米国が世界から手を引いた後も中国がかわりに世界の警察官になる可能性はまったくない。

　世界の安全保障は、①国連による集団安全保障、②多国間集団安全保障、③二国間軍事同盟、④自国軍事力による安全保障、の4つの枠組みがある。

　国連による安全保障が最も理想的である。5つの安保理常任理事国の利益対立がない紛争については、この仕組みは十分に機能し、多数の平和維持を行ってきた一方、5つの安保理常任理事国の利益対立がある場合は、彼らが否決権を行使するのでこの仕組みは機能

しない。

　次は多国間集団安全保障の仕組みがある。NATO等がある。加盟国が攻撃を受けた場合に全加盟国が共同で対処するというものである。これは確かに加盟国の安全保障が増すが、排他的となれば安全保障のジレンマの問題は残る。相手も更なる軍事力で対抗してくる。NATOに入りたくても拒絶されたロシアが別の形で対抗してきたのがウクライナ侵攻であり、結果的に西欧諸国も別の形で不安全が増した。

　次は二国間軍事同盟の仕組みがある。同等な軍事力を持つ国同士の二国間軍事同盟は少なく、軍事強国とその保護を受ける国との二国間軍事同盟が多い。対等な関係ではなく、保護を受ける国は往々にして主権の一部を譲らざるを得ない。軍事強国にも何かの利益があるから他国に保護を提供する。何かの利益を軍事強国に提供できるからこそ軍事強国に保護してもらえる。独立後の多くの途上国は対立する多国間軍事同盟に参加しない非同盟の道を選んだ。1961年に設立された非同盟運動には120か国が加盟しており、今も数年間隔で首脳会議を開催している。中国は非同盟運動のオブザーバー国である。

　最後は自国軍事力による安全保障である。軍事同盟に付きまとう「守ってもらえない」リスクと「巻き込まれる」リスクがないため、十分な軍事力があれば、これは軍事同盟より良いが、しかし、多くの中小国にとっては十分な軍事力を独自に持つことにならない。

　中国自身は自国軍事力による安全保障の仕組みをとっている。戦後はソ連と同盟を組んだ時期があったが、当然解消された。伝統的に独立自主の気風が強く、誰かの下に所属したがらない。インドも同じである。また、中国の規模からして自国だけでも十分な軍事力を持ちうる。自然な選択である。

　自国の防衛に十分で、米国にも肩を並べる軍事力を持つようになると、その軍事力をどのように使うか、当然注目される。脅威を感じる国もある一方、その軍事力を傘として提供してほしいと考える

中小国もある。

　中国は朝鮮戦争に参戦したが、北朝鮮以外のどの国に対しても明確な法的防衛義務を負ってはいない。中国は、軍事力で世界を支配する米国を覇権主義と批判しており、中国自らは今後も他国に軍事基地を置いたり、排他的軍事同盟を結ぶなどしてその国を支配していると思われる関係を結ばないと考えている。中国はジブチに唯一の海外軍事基地を置いているが、これは海賊対策であり、日本も含めて多くの国が同様の目的でそこに軍事基地を置いており、従来の同盟関係による軍事基地ではない。

　一方、中国は国連による安全保障を重視しており、最大のPKO部隊を派遣している。また、地域協力組織の中で安全保障の機能の追加には少しずつ積極的になっていくものと考える。上海協力機構（SCO）は共通のテロ対策を起点として立ち上がった組織であるが、その機能は経済協力、治安まで広がっており、広い意味の安全保障もカバーするようになってきた。SCOは全員一致を意思決定の原則としており、参加国の平等な権利を保障している。SCOは排他的ではなく、緩やかな協力体であり、軍事同盟のような固い義務を負っていないが、必要に応じてその機能を拡大する余地と柔軟性を持っている。SCO以外に太平洋諸国とも安全保障に関する協力の枠組みを作る可能性が出てきたが、米国の反対もあって現在は停滞中である。中国は今後、「支配に見える」一対一の形ではなく、集団全員の意志と主権が尊重される形で、あるいは、対立や敵を作らない形で、国連を始めとする各種の地域協力組織に、安全保障の力を提供するように少しずつ拡大していくものと考える。中国の伝統的価値観と新しい世界情勢からしてこの形しかない。たとえ将来、米国が軍事覇権から降りたとしても中国は米国と同じような形での軍事同盟を結ばないであろう。筆者は第7章において、東アジア運命共同体は集団安全保障機能を有し、中国はその中で責任の一端を担うべきだと述べている。

　2022年4月21日の博鰲（ボアオ）アジアフォーラムにおいて、

習近平国家主席が「グローバル安全保障イニシアチブ」を提唱した。抽象的な概念も多いため、いろいろな解釈がなされているが、筆者は中国が従来の受け身の姿勢を転換して、世界に安全保障の傘を公共財として提供する方向で静かな一歩を踏み出す決意を示したとして受け止めている。ただし、その傘は米国への排他的同盟ではなく、より包括的な組織の合意に沿う形となる。また、米国に対峙するのではなく広範な途上国の安全保障ニーズを地域協力の形で少しずつ推進していくものになろう。

　世界は多極化に向かっている。米国が超大国の地位を降りても引き続き第二、第三の経済規模を維持するであろう。中国、米国、EU、インドの先頭集団の次に、日本、インドネシア、イラン、トルコ、メキシコ、ブラジル、南アフリカ、ナイジェリア、ロシアなどの経済ミドルパワーがそれぞれの地域で大きな力を持つであろう。

　地域や世界の安全保障は排他的軍事同盟に依存するのではなく、国連中心、地域ごとの協力体制で進めるしかない。国連とそれぞれの地域ごとの協力体制のルールに従って、協議を経て決める。国連安保理の決議に従って、また、それぞれの地域ごとの協力体制のメンバー国の決議に従って、共同で平和維持する活動が増えるであろう。その中で最大の経済規模及び米国に比肩する軍事力を持つ中国が積極的に平和維持の役割を果たすことになるであろう。

　なによりも重要なのは、途上国の経済発展を先進国が支援し、地球上から絶対的貧困を無くし、先進国と途上国の格差を縮め、戦争を引き起こす原因を減らすことである。筆者はこれを「人類の民主化」と呼んでいる。植民地支配や侵略を経ずに先進国になったとしても中国は、世界の警察官にはならず、自らの経済発展のノウハウの伝授を通じて人類の民主化に大きく貢献できる。

「一帯一路」対「PGII」の途上国支援競争

　米国は第二次大戦後に、国連を作り、世界銀行とIMFを作り、

ドルという公共財を世界に提供し、グローバリゼーションを推進し、世界経済を成長させた。この功績は大きい。

　逆に言えば、米国はそれ以上世界を幸せにすることができなかった。多くの途上国は今も貧困にあえいでいる。国家間の貧富の差はなお大きい。

　1990年に世界銀行が設定した「世界貧困ライン」は「購買力平価（PPP）」で1日1ドルであった。2005年には1日1.25ドルに、2015年からは1日1.90ドル（年700ドル）に修正された。2015年の統計では、極度な貧困にあえぐ層は世界で7億3,600万人いると発表された。

　このようにまだまだ多くのホモサピエンスが貧困状態にあり、途上国の経済成長はまだまだ余地が大きい。途上国の経済が成長すれば購買力も向上し、先進国、新興国の市場にもなる。途上国に対して人道支援や開発支援を行うのも大事であるが、もっと大事なのは途上国自らが持続的に経済成長するための基礎作りである。この中でもトップに上げられるのはインフラ建設と基礎教育ではないだろうか。先進国もそうであったように、中国の経済成長もまさにこの2つに負うところが大きい。

　インフラ不足であると、散逸構造ができず、エントロピーが減らない。インフラが整うと、人や物の流れが活発になり、貿易や分業が盛んになり、GDPが自ずと増える。途上国が経済発展すると先進国の製品の顧客が増え、先進国の経済も成長する。非常に良いことである。

　となると、インフラを誰がどのように作るか。今までの先進国は政府間開発援助（Official Development Aid）で途上国を支援してきたが、なかなか十分なインフラ建設までには至っていないのが現実である。これには様々な原因がある。インフラ建設に必要な資金は途轍もなく大きく、世界銀行の発表によると、2035年までに途上国が合計40兆ドルのインフラ建設の資金需要がある。既存の開発銀行はそこまでのキャパシティはない。政府間援助ではとても間

に合わない（外務省のウェブサイトによると、先進国の2020年のODA総額は約1600億ドル）。世界銀行、アジア開発銀行、米州開発銀行、アフリカ開発銀行等の融資でも足りない（国連のウェブサイトによると、世界銀行の2016年の開発融資総額は約300億ドルにとどまる）。また、ビジネスにならないと長続きせず拡大もせず自己増殖しない。更に、仮にそのような資金が調達できても、途上国でこれだけのインフラ整備が可能な生産キャパシティを有する先進国はない。もう一つ大きな課題はビジネスとしてみた場合に投資回収が非常に長期にわたるので投資回収のリスクが高いことである。

　こうした背景があり、中国は「一帯一路」を打ち出してこの大きな仕事に着手した。まず、中国内でものすごいスピードで世界最先端のインフラ（道路、鉄道、港湾、空港）を隅々まで整備したので、既に国内のインフラ建設ニーズが飽和状態に近く、その余剰キャパシティを維持活用する必要がある。次に、中国は貯蓄率が高いため、剰余資金が膨大にあり、途上国が必要とするインフラ投資の原資がある。従って、中国は資金と建設キャパシティの双方を持っており、途上国に提供可能であるし、提供したいと考えている。途上国の経済発展によって中国製品の市場を拡大し、また中国のサプライチェーンに組み込むことも可能となる。皆にメリットがある。一方、とてつもない金額なので全てを無償援助とするには無理がある。そこで考え出されたのは、中国の融資で建設し、インフラの受益の中から途上国が融資を返済するという仕組みである。これは援助ではなくウィンウィンのビジネスである。純粋なビジネスとしては民間企業にとってはリスクが高すぎる。政府による保証が必要である。

　2013年に習近平国家主席が一帯一路を提唱してから10年近くが経った。中国からアジアを経て欧州、アフリカまで陸と海のインフラを建設し、つなげるという壮大な構想である。今はこの構想は太平洋諸島と中南米にも広げられている。この構想のメリットは、①インフラ整備による地域全体の貿易促進、分業促進、経済成長、②中国と関係国の貿易及び経済連携の拡大、③中国のインフラ建設の

余剰キャパシティの活用、④中国の貢献による影響力の拡大、の4つにまとめられる。

　日本語メディアに詳細な紹介があるので参考されたい（https://www.digima-japan.com/knowhow/china/16660.php）。LSEG（ロンドン証券取引所グループ）のグループ企業であるRefinitiv（リフィニティブ）の2019年調査報告（https://www.refinitiv.com/content/dam/marketing/en_us/documents/reports/refinitiv-zawya-belt-and-road-initiative-report-2019.pdf）によると、一帯一路構想には約2600社が合計3.7兆ドルの2631のプロジェクトに参加している。55％の企業は中国以外の企業である。これらのプロジェクトは126か国と29の国際機関をカバーしている。

　既に1兆ドル前後の投資を実行してきており、幾つかの港が完成し、2021年には中国とラオスをつなぐ1000キロ超の高速鉄道が開通した。この鉄道はカンボジア、タイ、マレーシアまで伸びる予定である。インドネシアの首都ジャカルタと西ジャワ州バンドン間150kmを結ぶ高速鉄道も建設が進み、2023年の運航開始に向け2022年9月に中国からインドネシアに車両が到着した。チベットとネパールをつなぐ鉄道も建設予定である。アフリカではケニア高速鉄道が2017年に開通した。中東ではサウジアラビアの高速鉄道プロジェクトに中国が参加し、2018年に開通した。

　一帯一路の成果は既に貿易に表れている。2021年、中国とアフリカの貿易は2000億ドルを超えた（中国政府発表）。アフリカの貿易総額（UNCTAD発表によると2020年のアフリカ各国の輸入合計4934億ドル、輸出合計3655億ドル、合計8589億ドル。域内貿易を含む）の1/5～1/4を占めている。米国とアフリカの2021年の貿易額は約640億ドルであった（米国政府発表）。アフリカにおけるインフラ建設によって中国とアフリカの関係が深まり、その結果貿易も更に増えていくことは確実である。

　一方、2021年6月のG7は途上国にインフラ建設を提供するB3W＝Build Back Better World構想を打ち出し、2022年のG7でグロー

バルインフラ投資パートナーシップ（PGII）として具体的金額を発表した。2027年までの5年間で6000億ドルの拠出を目指すとしている。EUが2021年12月1日に発表したローバルゲートウェイ構想の3000億ユーロを含む。2022年2月18日にEUはグローバルゲートウェイの一環として、アフリカに1500億ユーロ（約20兆円）を投資するとも発表している。米国は2000億ドルを投資するとしている。日本政府も8兆8千億円を拠出すると発表している。

　一帯一路に対抗するという動機は途上国からは歓迎されるものではないが、途上国に対する先進国のインフラ建設事業参画は大変良いことである。途上国にとっては競争があった方が良い。G7が自ら打ち出した約束を履行し、途上国のインフラ建設に力を入れるようになれば世界経済にとって人類の民主化にとって非常に大きな意味があるので、ぜひ最後まで中国と競い合ってほしい。

　この競争において中国が優位に立つ点は、中国が建設資金だけでなく先進国よりもかなり安いコストでインフラ建設を請け負えること、企業、資金、人材、技術をワンストップで提供できる体制とキャパシティが既にあることである。中国がケニアで建設したナイロビ新幹線について、東洋経済の記事（https://toyokeizai.net/articles/-/440772）が詳細に紹介している。それによると、約3500億円のプロジェクトで、工期3.5年、8割〜9割が中国からの融資でまかなっている。日本も簡易に試算したことがあり、総工費で約1兆円、工事期間6年以上、日本からのファイナンスは最大5割程度であった、と報道されている。3500億円の中の多くは中国の車両、レール、システム、中国ゼネコンの工事代金などとして支払われる。ローカル企業やローカルワーカーにもお金は落ちるものの、過半は中国企業が受注している。中国はグローバルインフラ投資パートナーシップのプロジェクトに対しても部分的にインフラ建設のキャパシティを競争力のあるコストで提供できる。

　一帯一路を「債務の罠」と批判する西側メディアが多い。途上国の債務返済は非常に難しい問題であり、債務免除や踏み倒しなどの

前例がたくさんあり、全て返済されると考えるほど中国は甘くない。この問題をB3Wやグローバルゲートウェイがどのように解決するかに大変興味がある。これだけ大規模の投資は必ず一部回収不能になる。ビジネスの常である。しかし、トータルで見て非常に大きなリターンが得られる。回収不能となった途上国の債務再編はやむを得ない。中国も既に一部の債務再編に応じている。一方、モラルハザードに陥らないように歯止めをかけることもこのビジネスモデルの持続性に有益である。

　一帯一路は債務と返済を前提とするビジネスモデルである。返済できないときにはインフラの運営権を一定期間中国企業に譲渡する契約もあり、多くの案件の中で一件、スリランカの案件で返済が滞り、港湾の運営権を99年間中国企業に譲渡した例がある。スリランカの債務中、中国が債権を持つのは1割程度しかない。この一件で「債務の罠」という言葉が西側のマスコミで氾濫するようになった。「罠」というのは悪意の存在を前提にしており、そのような「罠」にはまると途上国を先進国が低く見ている表れでもある。日本経済新聞は珍しく、「中国に「債務の罠」のワナ　欠かせぬ一帯一路の透明性」という記事を掲載し、「債務の罠」自身は罠であり、かつて日本にも着せられていたことを指摘した上で、中国に透明性を求めた。

　中国はパリクラブ（債権国会合）に入らず透明性に欠けるとの批判があるが、中国からすれば西洋の身勝手に見える。入ってほしくないときは中国を排除する。入ってほしいときは入らないことを批判する。西洋の傲慢さがここでも表れている。先進国の合計よりも中国一国による年間融資額が多い中で、パリクラブのルールを見直すか新しいルールを作ることが必要となろう。

　アフリカ諸国は長期にわたり西欧の植民地であったが、このような大規模なインフラ建設はなされなかった。援助対象としてよりも対等のビジネスパートナーとして付き合ってほしいと望むアフリカ諸国は、一帯一路を高く評価している。このことはG7のB3Wや

PGIIの発足によって間接的に証明されている。

　最後に、途上国の基礎教育普及をどう実現するかという課題が残っている。これはインフラ建設と同様に、あるいはインフラ建設以上に重要である。中国もG7諸国も、途上国と協議しながら、ウィンウィンのモデルを考案してほしいと望んでいる。

「ドル覇権」から「世界通貨」へ

　第二章の「通貨、基軸通貨、トリフィンのジレンマ、現代通貨理論、世界通貨」節では、現在の基軸通貨体制の諸課題を述べた。ここでは、1944年のブレトンウッズ会議にてケインズが提案した世界通貨バンコールについて紹介し、特定の国の（基軸）通貨から世界通貨への移行を提案する。基軸通貨を発行する特定の国家が全世界に対して徴税するという不条理を回避するだけでなく、その特定の国家が担う経済持続性と社会持続性の負担も無くす。当然のことながら、ドルのかわりに人民元を基軸通貨とすることは解決策にはならない。

　ブレトンウッズの前は国際貿易が金で決済されていた。いわゆる金本位制（図5-1）である。全てが共通の金で交換されるため、為替も為替相場も存在しない。十分な金がないことは世界貿易の足かせにもなっていた。

　第一次、第二次世界大戦において、双方に武器を売り、世界の金の7割を貯めた米国は、ブレトンウッズ会議で金ドル本位制（図5-2）、あるいは、ブレトンウッズ体制を提案し、イギリスのケインズが提案したバンコールに譲らず、戦後の金融秩序を確立した。

　1971年8月15日、米国はドルと金の交換を停止し、ドルと金の価値を相場で決めるとした。これを変動相場制（図5-3）という。金も各国の通貨も価値が変動することになった。為替相場が必要となり、投機的為替売買高が実需による売買よりずっと多く、GDPの千倍近くにもなっている。

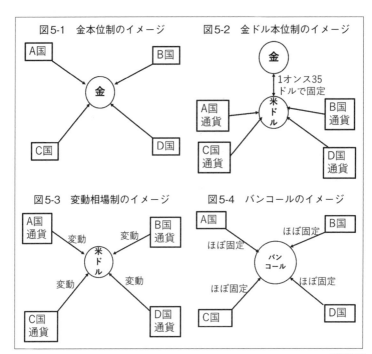

図5-1　金本位制のイメージ

図5-2　金ドル本位制のイメージ

図5-3　変動相場制のイメージ

図5-4　バンコールのイメージ

(筆者作成)

　ケインズの提案は以下の通りである（**図5-4**）。

1.各メンバー国と国際清算同盟との間で各国通貨とバンコールとの
　レートを合意する。基本的に固定であり、微調整は自らできるが、
　大きな調整は国際清算同盟の同意が必要。

2.各メンバー国は貿易量によって信用枠を割り当てられる。

3.大幅な貿易黒字と貿易赤字にはペナルティを課す。そのメンバー
　国は25％を超えた分に対して1％、50％を超えた分に対して2％
　を国際清算同盟に支払う。ただし、赤字の国が黒字の国からバン
　コールを借りることで抵触を回避することもできる。

4.25％以上の貿易赤字を継続して抱える国はバンコールに対する自
　国通貨の切り下げを実施する（年5％上限）。

5. 信用枠の50％以上の貿易黒字を出す国は、a,国内で信用と需要を増やし、b,バンコールに対する自国通貨の切上げを実施するか賃上げし、c,関税を引き下げ、d,途上国に融資を提供する。

6. 金でバンコールを買うことができるが、逆はできない。国際清算同盟は信用枠を持つ加盟国に金を分配する。

7. 非メンバーの国も国債清算同盟で口座を持つが、当座貸し越しはできず、投票もできない。

8. メンバー国は一年前の通知で持って清算を終えて退出できる。

　バンコールにより、特定の二国間の貿易均衡を気にせず、国際清算同盟との均衡のみを維持すれば良くなった。間接的に各国間のレートがほぼ固定されるので、為替も為替相場も不要。結果、通貨の投機を排除でき、為替手数料も不要となる。為替レートの暴騰暴落はないし、それに起因する金融危機は起きない。IMFによる救済もIMFによる支配も不要となる。

　更に、基軸通貨を発行する特定の国家の利益判断に左右されることはない。基軸通貨を発行する特定の国家が全世界に対して貿易赤字を背負う必要もなくなる。

　ケインズのバンコール構想は結局ブレトンウッズ会議で採用されることはなかったが、トリフィンのジレンマが示す通り、次第に金ドル本位制の問題が顕著になったことを受けて、IMFは1969年に、バンコールに近い概念としてSDR（特別引出権）を創設した。米ドルだけではなく米ドル、ユーロ、人民元（2015年より）、円、ポンドを一定の比率（5年一度見直される）で混ぜたSDRを加盟国の準備資産を補完する手段として用意した。ドル以外も含まれているので「通貨バスケット」ともいう。これは一国のみの通貨よりは安定するという考え方であり、バンコールに近い概念ではあるが、あくまでもIMFと各国の中央銀行との間でのやりとりに留まっており、国際貿易の取引では使われていない。2022年5月に見直した最新の比率は、米ドル43.38％、ユーロ29.31％、人民元12.28％、日本円7.59％、英ポンド7.44％、となっている。

第六章

日本は「西」なのか「東」なのか

2000年にわたる日中交流史

　日本と中国は2000年の交流の歴史がある。国家が形成される前を含めるともっと長い。日本列島が氷河期（更新世末期）の時代は大陸と陸続きだったので、大陸の北から当時の日本に渡った人が日本人の一つの源流であったことは間違いない。顔を見れば人種的に近いことは一目瞭然である。どちらもモンゴロイドであり、生まれたときはお尻に蒙古斑がある。一方、日本語はアルタイ語族の一つであり、モンゴル語、韓国朝鮮語、トルコ語、ハンガリー語と文法がほぼ同じであり、中国語はシナ・チベット語族に属する。日本語は主語、目的語、動詞という語順だが、中国語は主語、動詞、目的語という語順である。

　始皇帝が紀元前221年に中国を統一したあと、不老不死の霊薬を求めて、徐福と3000人の童男童女を東方へ派遣したが、徐福は戻らなかったとの伝説が『史記』巻百十八にある。この伝説の真否は証明されていないが、日本でも徐福像が数多くあり、各地に徐福会が設立され、研究活動が行われている。羽田孜元総理が徐福の末裔であると主張し、日本徐福会の名誉会長も務めた。

　『後漢書』には、「建武中元二年、倭奴国、貢を奉じて朝賀す、使人自ら大夫と称す、倭国の極南の界なり、光武、印綬を以て賜う」との記述があり、ここに出てくる印綬と思われる漢委奴国王印が日本で出土されている。建武中元二年は紀元57年である。漢王朝に日本が朝貢し冊封を受けたと考えられる。

　『三国志』における「魏志倭人伝」には、邪馬台国に関する記述
がある。西暦238年に邪馬台国の女王卑弥呼が魏に対して使者を送
り親魏倭王の称号を受けたとの記述がある。

　以降、交流が続き、遣隋使（西暦600年〜618年の3回）と遣唐
使（西暦630年〜894年の20回）も多数派遣されていたし、中国か
ら日本に渡った人もいた。私が馴染み深いのは小野妹子、阿倍仲麻
呂、最澄、空海、鑑真である。小野妹子と最澄は私の住む滋賀県の
生まれで、鑑真は私の生まれた地に近い揚州から渡日した。

　西暦607年、小野妹子は2回目の遣隋使として「日出る処の天子、
書を、日没する処の天子に致す。恙無きや、云々」（日出処天子至
書日没処天子無恙）との聖徳太子の手紙を隋の皇帝煬帝に渡した。
煬帝は気分を害し、「蛮人の中に失礼な者がいる、二度と対応する
な」（蛮夷有無礼者，勿復以聞）と担当外交官に命じた、と史書に
記録がある。このときから日本は、それまでの冊封を受ける関係か
ら、冊封なき朝貢をする関係に変え、より対等な両国関係を求めた。

　西暦717年、阿倍仲麻呂は遣唐使として唐に渡った後、科挙に合
格し唐の高官を務めた。何度も帰国を試みたが、許可されなかった
り、天候のせいで失敗したりして結局叶わず唐で客死した。彼の中
国名は朝衡、晁衡で、李白、杜甫ら詩人と親交があった。彼が帰国
の途で難破して亡くなったと伝えられた時に李白が詠んだ「哭晁卿
衡」は有名である。

　当時は船の技術が今ほど発達しておらず、海を渡るのは命がけで
あった。鑑真は6回の渡日を試みた。この6回目は4船の同時出航
であった。鑑真は第2船であった。第1船には安倍仲麻呂が乗って
いたがベトナムに漂着し、後に唐に戻った。鑑真の乗った第2船は
西暦753年12月7日に屋久島に到着した。その後、聖武上皇以下の
歓待を受け、戒壇の設立と授戒について全面的に一任され、東大寺
に居住することとなった。759年、新田部親王の旧邸宅跡が与えら
れ唐招提寺を創建し、戒壇を設置した。鑑真は戒律の他、彫刻や薬
草の造詣も深く、日本にこれらの知識も伝えた。また、悲田院を作

り貧民救済にも積極的に取り組んだ。西暦763年に唐招提寺で、76歳で逝去した。

最澄も空海も西暦804年に出発した遣唐使であったが、最澄は「法華経」にもとづく天台宗の教えを持ち帰り、比叡山にて天台宗を開き、一方、空海は「密教」を持ち帰り、高野山を道場として真言宗を開いた。天台宗総本山比叡山延暦寺と真言宗総本山高野山金剛峯寺は1200年経った今でも非常に多くの参拝者が訪ねている。

遣唐使は西暦894年が最後となり、907年に唐が滅びて遣唐使も廃止された。

遣唐使が行き来する中で、両国初の戦い「白村江の戦い」が起きた。西暦663年10月に朝鮮半島の白村江で行われた、百済復興を目指す日本の百済遺民連合軍と、唐の新羅連合軍との戦争である。日本は当時の「世界秩序」に挑んだが、失敗した。それが後の遣唐使を促進した。

日本と宋朝の間では民間貿易が行われたが、正式外交は行われた記録がない。時代が次の元に進むと、日本への2度にわたる「蒙古襲来」が起こった。大陸から日本列島への史上唯一の軍事侵攻であった。1回目は1274年（文永の役）、2回目は1281年（弘安の役）で、台風の影響もあり、2回とも襲来は失敗した。モンゴルは人類史上最大の世界帝国を築いており、元はその東の部分であった。元は中国史の一部であり、中国が日本を攻めたと言えなくもないが、厳密には、中国の主体民族である漢民族が日本を攻めたことは一度もない。

元朝は1271年から1368年まで続き、明朝に時代は移った。1401年、征夷大将軍足利義満が使節を明に派遣し、明の建文帝から「日本国王」の称号を得た。両国の国交が正式に樹立され、朝貢の形式をとった貿易は紀元1404年から始まった。1404年に明の永楽帝が改めて足利義満のことを「日本国王」として冊封して金印を下賜した。

この間、「倭寇」の問題も起きていた。海賊の「倭寇」は海上、

半島と大陸沿岸を襲って略奪し密貿易もした。

　紀元1592年になって、豊臣秀吉は大明帝国の征服を目指して、朝鮮半島を侵攻した。明は半島を支援し出兵した。翌1593年に一旦休戦して和議を開始したが、交渉が決裂して1597年に戦いは再開され、1598年に豊臣秀吉の死をもって戦争が終了した。日本では文禄・慶長の役と呼ばれ、「白村江の戦い」に続き、日本は当時の「世界秩序」に再び挑んだ。「大唐都（北京）へ叡慮（天皇の事）うつし申すべく候」（天皇を北京に移し大帝国の皇帝とする）という文章（二十五箇条の覚書）が残っている。これが後の1873年の「征韓論」、1894年の日清戦争の下地となった。

　明は1368年から1644年まで続き、次は満州人が支配する清となった。大清帝国は当初は強大で、中国史上最大の版図を有したが、次第に衰退した。

　日本は1868年に明治維新を開始し、西洋化、近代化、工業化、軍国化の道を力強く歩んだ。300年前に未完となっていた豊臣秀吉の野心が一歩現実に近づいていた。一方、時が進むにつれ西洋列強によるアジア進出によって、日本による中国中心の秩序への挑戦から世界大戦の一環となり西洋中心の秩序への挑戦に変化し、先に工業化した西洋の手前で豊臣秀吉の野心がついに実現されなかった。

　明治維新以降の両国の交流は第三章で述べている。そちらを参照されたい。

　上記のような交流の歴史を総括すると、日本は中国に朝貢し冊封を受け、中国から学ぶ関係から、少しずつ冊封を受けない朝貢の関係に変わり、最後は中国中心の秩序に挑戦し、中国とその朝貢国に軍事進攻する関係に変わっていった。

　中国は大陸国家として農業文明を栄えさせた世界最大の経済体であったが、日本は途中から海洋国家として、大航海をした西洋諸国と同じく海賊的侵略的性格を帯びるようになった。同じ漢字を使い同じモンゴロイドでありながらこれは大きな違いである。

　日本から大陸に4度戦争をしかけたが、漢民族は一度も日本を侵

攻しなかった。なぜだろうか。

　中国は農業文明を極め、地理的に統合する経済合理性のある地域まで統合が完了し、豊かな一大経済体となったが、戦闘力が高い北方騎馬民族による侵攻を受けることが多くなり、万里の長城を築いて防衛した。明初期の鄭和による7回の大航海が示すように、航海の技術や力は高かったが、海に目を向ける必要性を認識していなかった。豊かな農業文明は人の性格を穏やかにし、更なる富に対するハングリー精神を衰えさせ、より厳しい環境を生きる騎馬民族や、ほぼ例外なく海賊から始まった海洋国家と比べて戦闘的ではなかった。

　第二次世界大戦終了後に、日本軍捕虜をどう扱うかが大きな問題になっていた。強制労働の対象とした国もあるが、中国は日本に帰すことにした。また、戦乱の中で数多くの日本人の子どもが中国にとり残されたが、中国人養父母に大事に育てられ、国交回復後に彼らの肉親捜しが始まり、その中の数千人の「残留孤児」が日本に帰国した。また、中国は日本に対する戦争賠償請求を自ら放棄した。この三つのことに中国の儒教の力を見出すことができる。

　人間が大きな組織を構築していく上で発明した仕組みは、宗教、通貨、階層構造であった。宗教と通貨は今まで述べた通りであるが、社会の中の貴族と平民の関係、平民の中でも更に農民、商人、賤民を分けた。インドのカーストはこの改造構造の極めと言えよう。階層構造はある種の組織内分業とも言える。分業は効率化の源でありエントロピーの最小化に必要不可欠であることは今までも述べてきた通りである。国家内だけでなく、人類が国家を超えて活動し始めた瞬間から国家間もある種の階層構造＝国際秩序が形成されてきた。憲法で全ての人が平等であると規定しても社会は完全に階層構造から解放されないのと同様に、ウェストファリア体制のもとで国家間の平等を理念としても国家間の階層構造は現実的に避けられない。中華秩序の朝貢制度はまさに中国を頂点とする東アジアの階層構造であった。階層構造の下部位置を甘んじる人間はなく、力があれば、秩序における自分の位置を下部から上部へ移動することはもちろん、

究極的には階層構造のトップをひっくり返して取って代わろうとするものである。中華秩序に対する日本のかつての挑戦、再び形成されようとする新たな中華秩序に対する現在の日本の拒否反応、そして、米国を中心とした世界秩序に対する中国の挑戦は、良し悪しではなく、人間の本質である。世界の紛争は経済と富をめぐるものも多いが、それと同じくらいの紛争はこの階層構造における位置とプライドをめぐるものである。階層構造における位置は富とも直結するのでなおさらである。力関係が変われば、秩序も変わる。

日中の共通点と相違点

　お箸を使うのが日本と中国の目に見える一番の共通点である。お箸の形や置き方には多少の違いがあるが、お箸はお箸である。

　どちらも赤ん坊のお尻に蒙古斑がある。アジア人にとって、スラブ人とゲルマン人の区別が難しいのと同じように、欧米人には日本人と中国人の区別は難しい。かつて日米自動車摩擦が起きていた時代、米国の自動車産業の聖地であるデトロイトで中華系住民が日本人に間違えて殺された事件があった。逆に、現在の米国では、中国人に間違えられて日本人がヘイトの被害者になる可能性もある。

　日本人も中国人もどちらも漢字を使う。人類初の文字はメソポタミア文明のシュメール人が紀元前3500年に発明した絵文字であった。紀元前3000年頃にエジプトでヒエログリフが誕生した。その影響を受けて紀元前1500年頃にシナイ半島でアルファベットが考案され、ユーラシア大陸で普及した。ギリシャ文字もローマ字もキリル文字もその流れを汲んでいる。一方、ユーラシアの東端にある中国では、象形文字の漢字が紀元前2000年頃に誕生した。基本的に、他の言語はこれらの文字を改造した文字を使っている。日本語の仮名文字もハングルも漢字を改造して作られた。漢字は朝鮮半島ではほとんど使われなくなったが、日本語では漢字を使い続けている。漢字を使うのは中国語と日本語だけとなった。漢字文化圏のベトナ

ムも現在は漢字ではなくローマ字を使用している。モンゴルはキリ
ル文字を採用した。

　旧正月は明治維新の4年後の1872年に日本で廃止されたが、中国、
朝鮮半島、ベトナムでは今も旧正月を祝う。

　IQは西洋諸国の平均値を100として標準偏差が15となるように
設計されているが、北東アジアの各国の平均は軒並み106以上ある。
ネット検索すれば詳細な地域分布まで分かる。IQは遺伝によるも
のか、後天的訓練によるものかは科学的に証明されていない。また、
IQはあくまでも人間の能力の一部であり全てではない。しかし、
人間の能力の一部分であることは間違いなく、世界的に見れば工業
化を実現した地域はプロテスタント圏以外では、北東アジアに集中
していることと無関係とは言えないだろう。

　米国に占めるアジア系人口は5パーセント程度であるが、アイビ
ーリーグの諸大学におけるアジア系学生の割合は28％にのぼる。
数学オリンピックでの米国代表の優勝は決して多くはないが、2016
年と2019年の優勝チームの顔ぶれは次の写真を見て欲しい。2016
年のメンバー6人は左から、Ankan Bhattacharya, Michael Kural,
Allen Liu, Junyao Peng, Ashwin Sah, Yuan Yaoである。

図6-1　2016年数学オリンピック優勝米国チーム

（出所）米紙「ニューヨークタイムス」のウェブサイト　https://archive.nytimes.
　　　com/wordplay.blogs.nytimes.com/2016/07/18/imo-2016

2019年の優勝メンバーは右から、Vincent Huang、Luke Robitaille,
Colin Tang, Edward Wan, Brandon Wang , Daniel Zhuである。

図6-2　2019年数学オリンピック優勝米国チーム

（出所）カーネギーメロン大学のウェブページ　https://www.cmu.edu/news/
stories/archives/2019/july/us-first-in-math-competiton.html

　日中のどちらも同化力が高い。同化は相手を受け入れる優しさと、
違いを認めない厳しさの2つを同時に必要とし、片方だけでは相手
を同化することはできない。日本人はもともと渡来人が多かったが、
現在はアイヌと琉球を除けば、大和であり、共通意識を形成した。
前述の通り、中国も膨大な数の部族を統合して漢民族という共通の
アイデンティティを持つようになった。支配者であった満州人は今
はほぼ漢民族に同化された。支配者であったモンゴル人もかなりの
部分が漢民族に同化された。もし100年前に日本が中国を占領して
いれば、後に日本が中国の一部になった可能性も十分に考えられる。
国家は誕生しては消えていくが、文明は国家より長く存続する。
　西洋と比べると日中双方とも強い政府がある。第2章で述べたよ
うに、人類が生産力を高めていく中で、血族集団、部族集団、首長
集団、国家へと組織の規模を拡大し形態を変えてきたが、今のとこ
ろ組織の規模は民族国家のレベルに達している。個人も大事だが強
い政府がなければ強い国家はなかろう。

　もう一つ大きな共通点は、中国も日本も心に明確には信仰（神）を持っていないことである。絶対的存在としての「神」を持たないことにより、人間はこういうあるべきだという倫理や道徳を相対的社会規範や「恥」として強く持っている。相対的だから容中律がある。中庸の精神がある。これは善悪二元論、一神教の西洋とは大きく異なる。西洋で起きた、宗教の束縛からの解放を求めた三十年戦争もルネッサンスも東洋では起きなかった。資本主義と工業化は神から少し離れたプロテスタント諸国とそもそも明確な神を信仰として持たない北東アジアでしか大成していない（少なくとも現在までは）。このことは世俗化とは無縁ではないだろう。

　日中間には共通点が多くある一方、全く異なる点も多くある。

　中国には革命の伝統がある。統治者が天命を見誤れば民衆に倒される。日本では同じ天皇家が続いたが、中国では2、3百年周期で革命によって皇帝が倒され交代した。中国では直接選挙がなかったが、政府は国民のために懸命に働かなければ革命で倒されることを理解している。共産党も例外ではない。これは社会組織の深層心理で大きく異なるところである。その革命精神が根底にある中国は、米ソのいずれの下にも属さず、朝鮮戦争とベトナム戦争で米国と戦い、ソ連とも決裂した。西洋が支配する世界秩序を時間がかかっても変えようとしている。

　中国人は議論好きであるが、日本人は他者と異なる主張を公に述べることを避けたがる傾向にある。国際会議に参加するとその違いが目立つ。哲学を語る日本人は少ないが、哲学を語る中国人は比較的多い。

　中国は自主防衛できるため、自主独立の外交が可能だが、日本は米国の保護を受け、米軍が駐留しているため、外交でも大きな制約を受けざるをえない。それゆえ、米国に太いパイプを持つ首相は任期を伸ばせるが、そうでない首相は短命に終わることが多い。国会議員と大臣を務めた石井一氏の著書『冤罪　田中角栄とロッキード事件の真相』（産経新聞出版社、2016年）はその一端を示している。

日本の本当の国益を如何に見極め、守り通すかが大きな課題である。

　中国の政治は家父長的（paternalistic）で集権的であるが、個々の中国人は日本人よりずっと個人主義的である。対して、日本は中国のように家父長的ではなく、中国人よりずっと集団主義的である。膨大な数の中国人が本来多様であり個人主義的だからこそ、国家は集権的でなければまとまらないが、日本はそもそも集団主義的だからこそ、家父長的集権は逆に不要となっているのだろう。

　このような違いはそれぞれの地理的条件に決定づけられ、数千年をかけて沈殿蓄積した歴史に根差したものであり、優劣云々ではないことを強調したい。ヘーゲルの言う通り「現実的なものはすべて合理的であり、合理的なものはすべて現実的である」（Real is rational and rational is real.）となる。

　日本では儒教の教えの中でも「忠」に重きが置かれる。だから、日本では中国より転職が少ない。一方、中国では「孝」に最も重きが置かれる。家父長に従い、親孝行する。国家に対する忠誠は父親に対する畏敬と同質である。

　そもそも、日本は儒教圏なのかという議論はあろう。サミュエル・ハンチントンは「文明の衝突」の中で、日本文明を儒教文明から分離独立させている。儒教は「超自然、超人間」ではないので宗教とは言えず一つの思想体系である。

　福沢諭吉はもともと漢学者であった。各大学の創立歴史をまとめた「大学事始」の慶応大学の創立者を紹介したウェブページによると、「諭吉という名は、儒学者でもあった父が『上諭条例』（清の乾隆帝治世下の法令を記録した書）を手に入れた夜に彼が生まれたことに由来する。」彼は「初めは読書嫌いであったが、14、5歳になってから近所で自分だけ勉強をしないというのも世間体が悪いということで勉学を始める。しかし始めてみるとすぐに実力をつけ、以後さまざまな漢書を読み漁り、漢籍を修める。18歳になると、兄の三之助も師事した野本真城と白石照山の塾、晩香堂へ通い始める。『論語』『孟子』『詩経』『書経』はもちろん、『史記』『左伝』『老子』

『荘子』に及び、特に『左伝』は得意で15巻を11度も読み返して面白いところは暗記したという。このころには先輩を凌いで「漢学者の前座ぐらい（自伝）」は勤まるようになっていた。」とあった。漢学者であった彼だからこそ「脱亜入欧」という彼の主張には説得力があった。脱亜というが、本質は脱漢、脱儒であった。

　日本の資本主義の父と言われた渋沢栄一は非常に有名な言葉――「論語と算盤」――を残した。当時は「論語」は非常に重要な位置を占めていた。（1620年にメイフラワー号（Mayflower）に乗って英国から米国に渡った人たちのプリマス・プランテーション（ボストンの近く）を見学したことがある。彼らの部屋に置かれたのは聖書と銃であった。論語に相当するのは間違いなく聖書であるが、算盤に相当するのは銃だとは思いたくない）

　上記の2つの事実は、明治維新より前の日本では、儒教はそれなりに強い影響を持っていたことを示す。今だ夫婦別姓を認めたがらないところを見ると、日本は中国韓国以上に儒教的な面があるとも感じなくはない。

　日本はいち早く「脱亜入欧」した結果、近代化と工業化に成功した。日本は儒教圏の一角から抜け出したのだが、日本文化の中にはなお儒教の影響が色濃く残っている。一方、それほど簡単に脱出できたとすれば、別の解釈もあり得る。儒教と近代化は実はそもそもそれほど相性が悪くはなかったという仮説と、日本は実は儒教からそれほど脱出できていないという仮説。これらの仮説は引き続き学術的に研究されるであろう。

　中国は日本より半世紀ないし一世紀遅れて工業化に成功した。中国共産党は確かに西洋からマルクス主義とレーニン主義を輸入したが、しかし、決して脱儒入欧はしていない。中国の政治文化は相変わらず儒教的である。マルクス主義の2つの柱は唯物史観と唯物弁証法であるが、特定の神を信仰しない中国文化はそもそも唯物論に近いし、弁証法は中国の陰陽思想と通じている。また、ユートピアとしての共産主義の理想は中国のみならず多くの人々が祈願するも

のである。レーニン主義は正に革命思想である。これも前述の通り、中国固有の革命思想と通じている。レーニン主義は本来プロリタリアートによる革命であったが、当時の中国にはプロリタリアートはほとんどなく、ほぼ農民しかない中で、中国共産党は農民による革命を実行した。昔から中国には農民による革命が多数起きていた。従って、儒教を基底とする中国の政治文化とマルクス主義、レーニン主義は相通じるものがあり、異質的ではなかった。中国の政治文化という土壌の上に、相性の良い近代的西洋の政治思想であるマルクス主義とレーニン主義が入り、近代的な言葉と近代的な修辞で表現され、共産党によって社会実装され、列強からの独立と中国の統一を実現する強力な道具となった。人々を統合し組織する文化的基礎としての儒教及び他の中国的政治思想は結果的に新しい形で生き残り、新中国になってからの工業化と近代化にも引き続き支えとなった。共産党政権は本家の欧州からは既に消えていて、儒教圏の中国、北朝鮮、ベトナム、ラオスとカトリック教のキューバのみとなっている。そのように見ると、儒教と近代化、工業化との相性は思った程悪くはなかったと思える。日本も「脱亜入欧」しなくても近代化、工業化できた可能性がなかったとは言いきれない。ベトナムも含めて、儒教圏の工業化の程度は西洋に次いで高く、あるいは一部では西洋以上ともいえる。中国共産党は将来のあるタイミングで中国の古典を起源とする名称に変更する可能性もないとは言いきれない。現在のCCP（Chinese Communist Party）からCCP（Chinese Civilization Party, 中華文明党）に改称する提案が既にある。

　マルクス主義は西欧のものであった。レーニン主義はロシアという文化的土壌の上で生まれたが、レーニン自身は西欧に長く滞在していた。西洋の米国では、政府が誤った行為をすれば国民はいつでも自ら銃を持って立ち上がり、自らの自由と権利を守るという革命思想を教えている。だから米国では国民から銃を取り上げられないのである。妥協で有名な英国にも国王のチャールズ1世を処刑した歴史があり、革命と無縁とは言えない。革命思想という点では、中

国は日本より西洋に近い。ただし、中国では革命は簡単には起こらない。「天命が尽きた」ときのみである。

　中国は弱体化して侵略されたため、強い国家を作ろうとする気持ちが強い。日本は過去の歴史的教訓から優しい国家を作ろうとする気持ちが強い。どちらもそれぞれの歴史に対する反省から自分の生き方を選んでいる。中国は強くなったが、もっと優しさを持たないといけないことに気づく次の成長段階に近づいた。強くなった中国は昔からの中華思想を完全には捨てきれていないが、儒教の教えに忠実で、他国に対して横暴な振る舞いをすることはないと筆者は信じている。日本は戦前より優しくなったが、もっと強さも持たなければならないことに現在気づいた。日本も自衛のための戦力を増強し、中国に対してだけではなく、むしろ米国に対して強い態度で臨み、主権を守ることができるようになるだろうと筆者は期待している。

日中両国政府が交わした重要文書

　1952年4月28日に台北で署名され、1952年8月5日に日本の条約第10号として発効した、日本と中華民国との間の平和条約は以下の通りとなっている。

　　日本国及び中華民国は、その歴史的及び文化的のきずなと地理的の近さにかんがみ、善隣関係を相互に希望することを考慮し、その共通の福祉の増進並びに国際の平和及び安全の維持のための緊密な関係が重要であることを思い、両者の間の戦争状態の存在の結果として生じた諸問題の解決の必要を認め、平和条約を締結することに決定し、よつて、その全権委員として次のとおり任命した。

　　　　　　　　　　　　　　日本国政府　　　　河田　烈
　　　　　　　　　　　　　　中華民国大統領　　葉　公超

　これらの全権委員は、互にその全権委任状を示し、それが良好妥当であると認められた後、次の諸条を協定した。

第一条
　日本国と中華民国との間の戦争状態は、この条約が効力を生ずる日に終了する。

第二条
　日本国は、千九百五十一年九月八日にアメリカ合衆国のサン・フランシスコ市で署名された日本国との平和条約（以下「サン・フランシスコ条約」という。）第二条に基き、台湾及び澎湖諸島並びに新南諸島及び西沙諸島に対するすべての権利、権原及び請求権を放棄したことが承認される。

第三条
　日本国及びその国民の財産で台湾及び澎湖諸島にあるもの並びに日本国及びその国民の請求権（債権を含む。）で台湾及び澎湖諸島における中華民国の当局及びそこの住民に対するものの処理並びに日本国におけるこれらの当局及び住民の財産並びに日本国及びその国民に対するこれらの当局及び住民の請求権（債権を含む。）の処理は、日本国政府と中華民国政府との間の特別取極の主題とする。国民及び住民という語は、この条約で用いるときはいつでも、法人を含む。

第四条
　千九百四十一年十二月九日前に日本国と中国との間で締結されたすべての条約、協約及び協定は、戦争の結果として無効となったことが承認される。

第五条
　日本国は、サン・フランシスコ条約第十の規定に基き、千九百一年九月七日に北京で署名された最終議定書並びにこれを補足するすべての附属書、書簡及び文書の規定から生ずるすべての利得及び特権を含む中国におけるすべての特殊の権利及び利益

を放棄し、且つ、前記の議定書、附属書、書簡及び文書を日本国に関して廃棄することに同意したことが承認される。

第六条

(a)日本国及び中華民国は、相互の関係において、国際連合憲章第二条の原則を指針とするものとする。

(b)日本国及び中華民国は、国際連合憲章の原則に従つて協力するものとし、特に、経済の分野における友好的協力によりその共通の福祉を増進するものとする。

第七条

　日本国及び中華民国は、貿易、海運その他の通商の関係を安定した且つ友好的な基礎の上におくために、条約又は協定をできる限りすみやかに締結することに努めるものとする。

第八条

　日本国及び中華民国は、民間航空運送に関する協定をできる限りすみやかに締結することに努めるものとする。

第九条

　日本国及び中華民国は、公海における漁猟の規制又は制限並びに漁業の保存及び発展を規定する協定をできる限りすみやかに締結することに努めるものとする。

第十条

　この条約の適用上、中華民国の国民には、台湾及び澎湖諸島のすべての住民及び以前にそこの住民であつた者並びにそれらの子孫で、台湾及び澎湖諸島において中華民国が現に施行し、又は今後施行する法令によつて中国の国籍を有するものを含むものとみなす。また、中華民国の法人には、台湾及び澎湖諸島において中華民国が現に施行し、又は今後施行する法令に基いて登録されるすべての法人を含むものとみなす。

第十一条

　この条約及びこれを補足する文書に別段の定がある場合を除く外、日本国と中華民国との間に戦争状態の存在の結果として生じ

た問題は、サン・フランシスコ条約の相当規定に従って解決する
ものとする。

第十二条

　この条約の解釈又は適用から生ずる紛争は、交渉又は他の平和
的手段によって解決するものとする。

第十三条

　この条約は、批准されなければならない。批准書は、できる限
りすみやかに台北で交換されなければならない。この条約は、批
准書の交換の日に効力を生ずる。

第十四条

　この条約は、日本語、中国語及び英語により作成するものとす
る。解釈の相違がある場合には、英語の本文による。

　以上の証拠として、それぞれの全権委員は、この条約に署名調
印した。昭和二十七年四月二十八日（中華民国の四十一年四月
二十八日及び千九百五十二年四月二十八日に相当する。）に台北
で、本書二通を作成した。

日本国のために　　　河田　烈

中華民国のために　　葉　公超

　1972年9月29日の日本国と中華人民共和国の両政府の共同声明
は以下の通りとなっている。

　日本国内閣総理大臣田中角栄は、中華人民共和国国務院総理周
恩来の招きにより、千九百七十二年九月二十五日から九月三十日
まで、中華人民共和国を訪問した。田中総理大臣には大平正芳外
務大臣、二階堂進内閣官房長官その他の政府職員が随行した。

　毛沢東主席は、九月二十七日に田中角栄総理大臣と会見した。
双方は、真剣かつ友好的な話合いを行った。

　田中総理大臣及び大平外務大臣と周恩来総理及び姫鵬飛外交部
長は、日中両国間の国交正常化問題をはじめとする両国間の諸問

題及び双方が関心を有するその他の諸問題について、終始、友好的な雰囲気のなかで真剣かつ率直に意見を交換し、次の両政府の共同声明を発出することに合意した。

　日中両国は、一衣帯水の間にある隣国であり、長い伝統的友好の歴史を有する。両国国民は、両国間にこれまで存在していた不正常な状態に終止符を打つことを切望している。戦争状態の終結と日中国交の正常化という両国国民の願望の実現は、両国関係の歴史に新たな一頁を開くこととなろう。

　日本側は、過去において日本国が戦争を通じて中国国民に重大な損害を与えたことについての責任を痛感し、深く反省する。また、日本側は、中華人民共和国政府が提起した「復交三原則」を十分理解する立場に立って国交正常化の実現をはかるという見解を再確認する。中国側は、これを歓迎するものである。

　日中両国間には社会制度の相違があるにもかかわらず、両国は、平和友好関係を樹立すべきであり、また、樹立することが可能である。両国間の国交を正常化し、相互に善隣友好関係を発展させることは、両国国民の利益に合致するところであり、また、アジアにおける緊張緩和と世界の平和に貢献するものである。

一　日本国と中華人民共和国との間のこれまでの不正常な状態は、
　　この共同声明が発出される日に終了する。

二　日本国政府は、中華人民共和国政府が中国の唯一の合法政府
　　であることを承認する。

三　中華人民共和国政府は、台湾が中華人民共和国の領土の不可
　　分の一部であることを重ねて表明する。日本国政府は、この
　　中華人民共和国政府の立場を十分理解し、尊重し、ポツダム
　　宣言第八項に基づく立場を堅持する。

四　日本国政府及び中華人民共和国政府は、千九百七十二年九月
　　二十九日から外交関係を樹立することを決定した。両政府は、
　　国際法及び国際慣行に従い、それぞれの首都における他方の
　　大使館の設置及びその任務遂行のために必要なすべての措置

をとり、また、できるだけすみやかに大使を交換することを決定した。

五　中華人民共和国政府は、中日両国国民の友好のために、日本国に対する戦争賠償の請求を放棄することを宣言する。

六　日本国政府及び中華人民共和国政府は、主権及び領土保全の相互尊重、相互不可侵、内政に対する相互不干渉、平等及び互恵並びに平和共存の諸原則の基礎の上に両国間の恒久的な平和友好関係を確立することに合意する。両政府は、右の諸原則及び国際連合憲章の原則に基づき、日本国及び中国が、相互の関係において、すべての紛争を平和的手段により解決し、武力又は武力による威嚇に訴えないことを確認する。

七　日中両国間の国交正常化は、第三国に対するものではない。両国のいずれも、アジア・太平洋地域において覇権を求めるべきではなく、このような覇権を確立しようとする他のいかなる国あるいは国の集団による試みにも反対する。

八　日本国政府及び中華人民共和国政府は、両国間の平和友好関係を強固にし、発展させるため、平和友好条約の締結を目的として、交渉を行うことに合意した。

九　日本国政府及び中華人民共和国政府は、両国間の関係を一層発展させ、人的往来を拡大するため、必要に応じ、また、既存の民間取決めをも考慮しつつ、貿易、海運、航空、漁業等の事項に関する協定の締結を目的として、交渉を行うことに合意した。

千九百七十二年九月二十九日に北京で

日本国内閣総理大臣　　　田中角栄（署名）

日本国外務大臣　　　　　大平正芳（署名）

中華人民共和国国務院総理　周恩来（署名）

中華人民共和国　外交部長　姫鵬飛（署名）

なお、9月29日の共同声明調印後、北京プレスセンターにて大平

外務大臣は記者会見の中で、「共同声明の中には触れられておりませんが，日中関係正常化の結果として，日華平和条約（日本国と中華民国との間の平和条約）は，存続の意義を失い，終了したものと認められる，というのが日本政府の見解でございます。」と述べた（大平外務大臣記者会見詳録は外務省のウェブサイトで公開されている）。

1978年8月12日に北京で署名され、1978年10月23日に昭和53年条約第19号として効力発生した日中平和友好条約は以下の通りとなっている。

　　日本国及び中華人民共和国は、千九百七十二年九月二十九日に北京で日本国政府及び中華人民共和国政府が共同声明を発出して以来、両国政府及び両国民の間の友好関係が新しい基礎の上に大きな発展を遂げていることを満足の意をもって回顧し、前記の共同声明が両国間の平和友好関係の基礎となるものであること及び前記の共同声明に示された諸原則が厳格に遵守されるべきことを確認し、国際連合憲章の原則が十分に尊重されるべきことを確認し、アジア及び世界の平和及び安定に寄与することを希望し、両国間の平和友好関係を強固にし、発展させるため、平和友好条約を締結することに決定し、このため、次のとおりそれぞれ全権委員を任命した。

　　　　　　　日本国　　　　　外務大臣　園田　直
　　　　　　　中華人民共和国　外交部長　黄　　華

これらの全権委員は、互いにその全権委任状を示し、それが良好妥当であると認められた後、次のとおり協定した。

第一条
1　両締約国は、主権及び領土保全の相互尊重、相互不可侵、内政に対する相互不干渉、平等及び互恵並びに平和共存の諸原則の基礎の上に、両国間の恒久的な平和友好関係を発展させ

るものとする。

2　両締約国は、前記の諸原則及び国際連合憲章の原則に基づき、相互の関係において、すべての紛争を平和的手段により解決し及び武力又は武力による威嚇に訴えないことを確認する。

第二条

　両締約国は、そのいずれも、アジア・太平洋地域においても又は他のいずれの地域においても覇権を求めるべきではなく、また、このような覇権を確立しようとする他のいかなる国又は国の集団による試みにも反対することを表明する。

第三条

　両締約国は、善隣友好の精神に基づき、かつ、平等及び互恵並びに内政に対する相互不干渉の原則に従い、両国間の経済関係及び文化関係の一層の発展並びに両国民の交流の促進のために努力する。

第四条

　この条約は、第三国との関係に関する各締約国の立場に影響を及ぼすものではない。

第五条

1　この条約は、批准されるものとし、東京で行われる批准書の交換の日に効力を生ずる。この条約は、十年間効力を有するものとし、その後は、2の規定に定めるところによって終了するまで効力を存続する。

2　いずれの一方の締約国も、一年前に他方の締約国に対して文書による予告を与えることにより、最初の十年の期間の満了の際またはその後いつでもこの条約を終了させることができる。

　以上の証拠として、各全権委員は、この条約に署名調印した。

　千九百七十八年八月十二日に北京で、ひとしく正文である日本語及び中国語により本書二通を作成した。

　　　　　　　　日本国のために　　　　園田　直（署名）

　　　　　　中華人民共和国のために　黄　　華（署名）

　終戦70年に際する当時の総理大臣安倍晋三氏の談話は以下の通りである。

　　100年以上前の世界には、西洋諸国を中心とした国々の広大な植民地が、広がっていました。圧倒的な技術優位を背景に、植民地支配の波は、19世紀、アジアにも押し寄せました。その危機感が、日本にとって、近代化の原動力となったことは、間違いありません。アジアで最初に立憲政治を打ち立て、独立を守り抜きました。日露戦争は、植民地支配のもとにあった、多くのアジアやアフリカの人々を勇気づけました。
　　世界を巻き込んだ第一次世界大戦を経て、民族自決の動きが広がり、それまでの植民地化にブレーキがかかりました。この戦争は、1000万人もの戦死者を出す、悲惨な戦争でありました。人々は「平和」を強く願い、国際連盟を創設し、不戦条約を生み出しました。戦争自体を違法化する、新たな国際社会の潮流が生まれました。
　　当初は、日本も足並みを揃えました。しかし、世界恐慌が発生し、欧米諸国が、植民地経済を巻き込んだ、経済のブロック化を進めると、日本経済は大きな打撃を受けました。その中で日本は、孤立感を深め、外交的、経済的な行き詰まりを、力の行使によって解決しようと試みました。国内の政治システムは、その歯止めたりえなかった。こうして、日本は、世界の大勢を見失っていきました。
　　満州事変、そして国際連盟からの脱退。日本は、次第に、国際社会が壮絶な犠牲の上に築こうとした「新しい国際秩序」への「挑戦者」となっていった。進むべき針路を誤り、戦争への道を進んで行きました。
　　そして70年前。日本は、敗戦しました。
　　戦後70年にあたり、国内外に斃れたすべての人々の命の前に、深く頭を垂れ、痛惜の念を表すとともに、永劫の、哀悼の誠を捧

げます。

　先の大戦では、300万余の同胞の命が失われました。祖国の行く末を案じ、家族の幸せを願いながら、戦陣に散った方々。終戦後、酷寒の、あるいは灼熱の、遠い異郷の地にあって、飢えや病に苦しみ、亡くなられた方々。広島や長崎での原爆投下、東京をはじめ各都市での爆撃、沖縄における地上戦などによって、たくさんの市井の人々が、無残にも犠牲となりました。

　戦火を交えた国々でも、将来ある若者たちの命が、数知れず失われました。中国、東南アジア、太平洋の島々など、戦場となった地域では、戦闘のみならず、食糧難などにより、多くの無辜の民が苦しみ、犠牲となりました。戦場の陰には、深く名誉と尊厳を傷つけられた女性たちがいたことも、忘れてはなりません。

　何の罪もない人々に、計り知れない損害と苦痛を、我が国が与えた事実。歴史とは実に取り返しのつかない、苛烈なものです。一人ひとりに、それぞれの人生があり、夢があり、愛する家族があった。この当然の事実をかみしめる時、今なお、言葉を失い、ただただ、断腸の念を禁じ得ません。

　これほどまでの尊い犠牲の上に、現在の平和がある。これが、戦後日本の原点であります。

　二度と戦争の惨禍を繰り返してはならない。

　事変、侵略、戦争。いかなる武力の威嚇や行使も、国際紛争を解決する手段としては、もう二度と用いてはならない。植民地支配から永遠に訣別し、すべての民族の自決の権利が尊重される世界にしなければならない。

　先の大戦への深い悔悟の念と共に、我が国は、そう誓いました。自由で民主的な国を創り上げ、法の支配を重んじ、ひたすら不戦の誓いを堅持してまいりました。70年間に及ぶ平和国家としての歩みに、私たちは、静かな誇りを抱きながら、この不動の方針を、これからも貫いてまいります。

　我が国は、先の大戦における行いについて、繰り返し、痛切な

反省と心からのお詫びの気持ちを表明してきました。その思いを実際の行動で示すため、インドネシア、フィリピンはじめ東南アジアの国々、台湾、韓国、中国など、隣人であるアジアの人々が歩んできた苦難の歴史を胸に刻み、戦後一貫して、その平和と繁栄のために力を尽くしてきました。

こうした歴代内閣の立場は、今後も、揺るぎないものであります。

ただ、私たちがいかなる努力を尽くそうとも、家族を失った方々の悲しみ、戦禍によって塗炭の苦しみを味わった人々の辛い記憶は、これからも、決して癒えることはないでしょう。

ですから、私たちは、心に留めなければなりません。

戦後、６００万人を超える引揚者が、アジア太平洋の各地から無事帰還でき、日本再建の原動力となった事実を。中国に置き去りにされた３０００人近い日本人の子どもたちが、無事成長し、再び祖国の土を踏むことができた事実を。米国や英国、オランダ、豪州などの元捕虜の皆さんが、長年にわたり、日本を訪れ、互いの戦死者のために慰霊を続けてくれている事実を。

戦争の苦痛を嘗め尽くした中国人の皆さんや、日本軍によって耐え難い苦痛を受けた元捕虜の皆さんが、それほど寛容であるためには、どれほどの心の葛藤があり、いかほどの努力が必要であったか。

そのことに、私たちは、思いを致さなければなりません。

寛容の心によって、日本は、戦後、国際社会に復帰することができました。戦後７０年のこの機にあたり、我が国は、和解のために力を尽くしてくださった、すべての国々、すべての方々に、心からの感謝の気持ちを表したいと思います。

日本では、戦後生まれの世代が、今や、人口の８割を超えています。あの戦争には何ら関わりのない、私たちの子や孫、そしてその先の世代の子どもたちに、謝罪を続ける宿命を背負わせてはなりません。

しかし、それでもなお、私たち日本人は、世代を超えて、過去

の歴史に真正面から向き合わなければなりません。謙虚な気持ちで、過去を受け継ぎ、未来へと引き渡す責任があります。

　私たちの親、そのまた親の世代が、戦後の焼け野原、貧しさのどん底の中で、命をつなぐことができた。そして、現在の私たちの世代、さらに次の世代へと、未来をつないでいくことができる。それは、先人たちのたゆまぬ努力と共に、敵として熾烈に戦った、米国、豪州、欧州諸国をはじめ、本当にたくさんの国々から、恩讐を越えて、善意と支援の手が差しのべられたおかげであります。

　そのことを、私たちは、未来へと語り継いでいかなければならない。歴史の教訓を深く胸に刻み、より良い未来を切り拓いていく、アジア、そして世界の平和と繁栄に力を尽くす。その大きな責任があります。

　私たちは、自らの行き詰まりを力によって打開しようとした過去を、この胸に刻み続けます。だからこそ、我が国は、いかなる紛争も、法の支配を尊重し、力の行使ではなく、平和的・外交的に解決すべきである。この原則を、これからも堅く守り、世界の国々にも働きかけてまいります。唯一の戦争被爆国として、核兵器の不拡散と究極の廃絶を目指し、国際社会でその責任を果たしてまいります。

　私たちは、20世紀において、戦時下、多くの女性たちの尊厳や名誉が深く傷つけられた過去を、この胸に刻み続けます。だからこそ、我が国は、そうした女性たちの心に、常に寄り添う国でありたい。21世紀こそ、女性の人権が傷つけられることのない世紀とするため、世界をリードしてまいります。

　私たちは、経済のブロック化が紛争の芽を育てた過去を、この胸に刻み続けます。だからこそ、我が国は、いかなる国の恣意にも左右されない、自由で、公正で、開かれた国際経済システムを発展させ、途上国支援を強化し、世界の更なる繁栄を牽引してまいります。繁栄こそ、平和の礎です。暴力の温床ともなる貧困に立ち向かい、世界のあらゆる人々に、医療と教育、自立の機会を

提供するため、一層、力を尽くしてまいります。

　私たちは、国際秩序への挑戦者となってしまった過去を、この胸に刻み続けます。だからこそ、我が国は、自由、民主主義、人権といった基本的価値を揺るぎないものとして堅持し、その価値を共有する国々と手を携えて、「積極的平和主義」の旗を高く掲げ、世界の平和と繁栄にこれまで以上に貢献してまいります。

　終戦80年、90年、さらには100年に向けて、そのような日本を、国民の皆様と共に創り上げていく。その決意であります。

平成27年8月14日

内閣総理大臣　安倍晋三

　これらの公式文章にある重要な点は台湾問題と歴史問題である。

　台湾問題も歴史問題の一部であるが、現在進行中でもあり、特に取り扱いに注意を要する問題である。台湾は日清戦争の結果、中国から割譲され日本の植民地になり、1895年から1945年まで日本の統治下にあったという経緯があるからである。日本は当事者であり第三者ではない。

　一部の論者は、「日華平和条約の中では、日本は台湾及び澎湖諸島並びに新南諸島及び西沙諸島に対するすべての権利を放棄はしたが、誰に渡したかは書いていない」と主張したり、「日中共同声明では、台湾は中国の一部であるとの中国の主張を尊重すると書いてはいるがそれを認めてはいない」と主張したり、している。法治国家としての責任のある発言ではない。

　前述の日中共同声明調印後の大平外務大臣記者会見詳録にあるように、「台湾問題に対する日本政府の立場は、第3項に明らかにされておる通りであります。カイロ宣言において、台湾は中国に返還されることがうたわれ、これを受けたポツダム宣言、この宣言の第8項には、カイロ宣言の条項は履行されるべしとうたわれておりますが、このポツダム宣言をわが国が承諾した経緯に照らせば、政府がポツダム宣言に基づく立場を堅持するということは当然のことであ

ります。」と大平外務大臣が日本政府の公式見解として述べていた。

上記の一連の法的合意を誠実に履行すれば、台湾問題は中国の内政であることが明白であり、互いに内政干渉をしないのがウェストファリア条約と国際法の基本である。中国に対して内政であっても平和的解決を強く求めることは理に叶うが、だからといって内戦に軍事的に介入する法的根拠は全くない。

もう一つは歴史問題である。日本は謝罪していないと中国で批判されることも多いが、日本は事実として何度も謝罪してきている。安倍元総理の談話でも、残留孤児が中国で育てられ日本に戻された事実に触れられたことが中国にも思いを致した現れである。一方、「満州事変、そして国際連盟からの脱退。日本は、次第に、国際社会が壮絶な犠牲の上に築こうとした「新しい国際秩序」への「挑戦者」となっていった。進むべき針路を誤り、戦争への道を進んで行きました。そして70年前。日本は、敗戦しました。」との一文には、明治維新以降の中国中心の秩序への挑戦は正しく、そのあとの西洋中心の秩序への挑戦は間違いであった、との意識が込められているように見える。負けた相手はあくまで米国であり、中国とアジアではないとの深層心理がA級戦犯を靖国神社に祭る基礎になっている。日本の謝罪は本心からではないと中国などが感じるのはこのためである。

「日本では、戦後生まれの世代が、今や、人口の8割を超えています。あの戦争には何ら関わりのない、私たちの子や孫、そしてその先の世代の子どもたちに、謝罪を続ける宿命を背負わせてはなりません」。中国や他のアジア諸国は日本に謝罪を求め続けたいのではなく、日本と真の和解をしたいのである。しかし、残念ながら、米中対立と日米同盟が同時に存在する限り、アジアのままのアジアと「脱亜入欧」したままの日本との真の和解は難しいと言わざるを得ない。

日中国交正常化後の両国関係

　1972年9月29日の日中国交正常化は、米ソ対立の中の米中接近と1972年2月のニクソン大統領による訪中を機敏にとらえた日本政府の勇断によって、米中国交正常化より6年も早く実現された。半面、日中関係は常に米中関係の影響を受け続けた。共通の敵であったソ連が崩壊し、冷戦が終結したことにより、米国にとっての中国の戦略的重要性は減った。更に中国の経済発展によって中国が米国からライバル視されたことにより、米中関係は緊張状態に陥った。そうした大きな環境の下で日中の政治関係は難しくならざるをえず、この状態は当面続くであろう。

　そうした中でも、両国の経済関係と人的交流は大きく発展した。この2つは両国をしっかり結び付け、両国関係を維持発展させる基礎となっている。

　日本の統計によると、1950年から2021年までの日本の対中輸出、対中輸入、輸出入合計、輸出入バランス（輸出−輸入）の推移は表6-1の通りである。

表6-1　日中貿易額の推移　（単位：千ドル）

暦年	輸　出	輸　入	合　計	バランス
1950	19,633	39,328	58,961	△19,695
1951	5,828	21,606	27,434	△15,778
1952	599	14,903	15,502	△14,304
1953	4,539	29,700	34,239	△25,161
1954	19,097	40,770	59,867	△21,673
1955	28,547	80,778	109,325	△52,131
1956	67,339	83,447	150,786	△16,108
1957	60,485	80,483	140,968	△19,998
1958	50,600	54,427	105,027	△ 3,827
1959	3,648	18,917	22,565	△15,269
1960	2,726	20,729	23,455	△18,033
1961	16,639	30,895	47,534	△14,256
1962	38,460	46,020	84,480	△7,560
1963	62,417	74,599	137,016	△12,182
1964	152,739	157,750	310,489	△ 5,011
1965	245,036	224,705	469,741	20,331
1966	315,150	306,237	621,387	8,913
1967	288,294	269,439	557,733	18,855
1968	325,439	224,185	549,624	101,254
1969	390,803	234,540	625,343	156,263

1970	568,878	253,818	822,696	315,060
1971	578,188	323,172	901,360	255,016
1972	608,921	491,116	1,100,037	117,805
1973	1,039,494	974,010	2,013,504	65,484
1974	1,984,475	1,304,768	3,289,243	679,707
1975	2,258,577	1,531,076	3,789,653	727,501
1976	1,662,568	1,370,915	3,033,483	291,653
1977	1,938,643	1,546,902	3,485,545	391,741
1978	3,048,748	2,030,292	5,079,040	1,018,456
1979	3,698,670	2,954,781	6,653,451	743,889
1980	5,078,335	4,323,374	9,401,709	754,961
1981	5,095,452	5,291,809	10,387,261	△196,357
1982	3,510,825	5,352,417	8,863,242	△1,841,597
1983	4,912,334	5,087,357	9,999,691	△175,023
1984	7,216,712	5,957,607	13,174,319	1,259,105
1985	12,477,446	6,482,686	18,960,132	5,994,760
1986	9,856,178	5,652,351	15,508,529	4,203,827
1987	8,249,794	7,401,429	15,651,223	848,365
1988	9,475,987	9,858,823	19,334,810	△382,836
1989	8,515,888	11,145,762	19,661,650	△2,629,874
1990	6,129,532	12,053,517	18,183,049	△5,923,985
1991	8,593,143	14,215,837	22,808,980	△5,622,694
1992	11,949,074	16,952,845	28,901,919	△5,003,771
1993	17,273,055	20,564,754	37,837,809	△3,291,699
1994	18,681,588	27,566,032	46,247,620	△8,884,444
1995	21,930,842	35,922,309	57,853,151	△13,991,467
1996	21,889,808	40,550,035	62,439,843	△18,660,227
1997	21,784,692	42,066,036	63,850,728	△20,281,344
1998	20,021,591	36,895,859	56,917,450	△16,874,268
1999	23,329,058	42,850,161	66,179,219	△19,521,103
2000	30,427,518	55,303,372	85,730,890	△24,875,854
2001	31,090,723	58,104,744	89,195,467	△27,014,021
2002	39,865,578	61,694,604	101,557,182	△21,826,026
2003	57,219,157	75,192,802	132,411,959	△17,973,645
2004	73,818,019	94,227,211	168,045,230	△20,409,192
2005	80,340,099	109,104,815	189,444,914	△28,764,716
2006	92,851,689	118,516,332	211,368,021	△25,664,643
2007	109,060,309	127,643,646	236,703,955	△18,583,337
2008	124,035,383	142,337,115	266,372,498	△18,301,732
2009	109,630,428	122,545,120	232,175,548	△12,914,692
2010	149,086,369	152,800,714	301,887,083	△3,714,345
2011	161,467,319	183,487,439	344,954,758	△22,020,120
2012	177,649,842	188,450,182	366,100,024	△10,800,340
2013	162,114,236	180,840,622	342,954,858	△18,726,386
2014	162,512,019	181,038,865	343,550,884	△18,526,846
2015	142,689,642	160,624,606	303,314,248	△17,934,964
2016	144,996,448	156,631,816	301,628,264	△11,635,368
2017	164,865,658	164,542,081	329,407,739	323,577
2018	180,234,250	173,598,618	353,832,868	6,635,632
2019	171,514,651	169,302,509	340,817,160	2,212,142
2020	176,088,877	164,105,906	340,194,783	11,982,971
2021	206,153,124	185,287,363	391,440,487	20,865,761

（出所）2007 年までは外務省公式サイト（https://www.mofa.go.jp/mofaj/area/china/boeki.html）、
2008 年以降は JETRO 公式サイト（https://www.jetro.go.jp/）のデータをもとに筆者作成

　2007年に中国は日本にとって最大の貿易相手国となり、以後15年間連続してその座を守った。2021年には、日本の対外貿易総額に占める中国（香港を含む）の割合は25.1％で、二位の米国の14.1％を大きくリードしている。

　JETROが公表している2004年以降の日本の対中直接投資額の推移は**表6-2**の通りである。

表6-2　日本の対中直接投資額（単位：百万ドル）

暦年	金額	暦年	金額
2004年	5,863	2013	9,104
2005年	6,575	2014	10,889
2006	6,169	2015	10,011
2007	6,218	2016	9,534
2008	6,496	2017	12,417
2009	6,899	2018	11,217
2010	7,252	2019	12,021
2011	12,649	2020	11,043
2012	13,479	2021	10,020

（出所）JETROの公表データをもとに筆者作成　https://www.jetro.go.jp/

　中国でビジネスを行う日本企業は12000社以上とされている。

　国交正常化後、日本政府は対中ODAを実施し、有償資金協力（円借款）は約3兆3,165億円、無償資金協力は約1,576億円、技術協力は約1,858億円、累積支援額は計3兆6599億円に達した（金額は2020年度時点のもの）。対中ODAは2018年度をもって新規採択を終了し、2021年度末をもって継続案件を含めた全ての事業が終了した。中国経済の離陸に必要なインフラ建設の最初の一部分は日本のODAで行われた。中国経済に大きく貢献したとして、2007年に訪日した温家宝首相が日本の国会で演説し、「中国の改革開放と近代化建設に対する日本政府と、国民の支持と支援を中国人民はいつまでも忘れない」と述べた。

　2018年10月現在、中国（香港とマカオを含む）に3ヶ月以上在留している日本国籍保有者の数は171,763人で、米国に次いで多い。このうち永住者は2.7％いる。在留日本人が最も多い都市は上海市

の40,747人。台湾に在留する日本国籍保有者の数は24,280人（外務省海外在留邦人人数調査統計による）。

一方、中国から多くの留学生が来日した。独立行政法人日本学生支援機構のウェブサイトにその推移が掲載されている（**表6-3**）。

表6-3　日本で学ぶ外国人留学生と中国人留学生の数

暦年5月1日 在籍数	留学生総数	中国（香港含む） 留学生数	比率
1999年	55,755	25,907	46.5%
2000年	64,011	32,297	50.5%
2001年	78,812	44,014	55.8%
2002年	95,550	58,533	61.3%
2003年	109,508	70,814	64.7%
2004年	117,302	77,713	66.3%
2005年	121,812	80,592	66.2%
2006年	117,927	74,292	63.0%
2007年	118,498	71,277	60.2%
2008年	123,829	72,766	58.8%
2009年	132,720	79,082	59.6%
2010年	141,774	86,173	60.8%
2011年	138,075	87,533	63.4%
2012年	137,756	86,324	62.7%
2013年	135,519	81,884	60.4%
2014年	184,155	94,399	51.3%
2015年	208,379	94,111	45.2%
2016年	239,287	98,483	41.2%
2017年	267,042	106,270	39.8%
2018年	298,980	114,950	38.4%
2019年	312,214	124,436	39.9%
2020年	279,597	121,845	43.6%
2021年	242,444	114,255	47.1%

（出所）独立行政法人日本学生支援機構の公表データをもとに筆者作成
https://www.studyinjapan.go.jp/ja/statistics/zaiseki/index.html

卒業後に日本に残る中国人も多く、大学教授や企業中堅技術者には中国人が年々増加している。筆者もその一人である。出入国在留管理庁の発表によると2021年6月末の在日外国人総数は282万3565人で、そのうち、中国は74万5411人で最多、総数の26.4％を占める。この数字には既に日本国籍を取得した人は含まれない。法務省の公式サイトで公開されている日本国籍取得（帰化）者数の推移は次ページ**表6-4**の通りである。

表6-4　日本への帰化人数と中国人の帰化人数

	帰化許可者総数	帰化許可中国人数		帰化許可者総数	帰化許可中国人数
1966年以前	47265	4320	1994年	11146	2478
1967年	4150	589	1995年	14104	3184
1968年	3501	114	1996年	14495	3976
1969年	2153	124	1997年	15061	4729
1970年	5379	320	1998年	14779	4637
1971年	3386	249	1999年	16120	5335
1972年	6825	1303	2000年	15812	5245
1973年	13629	7338	2001年	15291	4377
1974年	7393	3026	2002年	14339	4442
1975年	8568	1641	2003年	17633	4722
1976年	5605	1323	2004年	16336	4122
1977年	5680	1113	2005年	15251	4427
1978年	7391	1620	2006年	14108	4347
1979年	6458	1402	2007年	14680	4740
1980年	8004	1619	2008年	13218	4322
1981年	8823	1572	2009年	14785	5392
1982年	8494	1542	2010年	13072	4816
1983年	7435	1560	2011年	10359	3259
1984年	6169	1183	2012年	10622	3598
1985年	6824	1434	2013年	8646	2845
1986年	6636	1304	2014年	9277	3060
1987年	6222	1131	2015年	9469	2813
1988年	5767	990	2016年	9554	2626
1989年	6089	1066	2017年	10315	3088
1990年	6794	1349	2018年	9074	3025
1991年	7788	1818	2019年	8453	2374
1992年	9363	1794	2020年	9079	2881
1993年	10452	2244	2021年	8167	2526
			合計	585488	152474
			比率		26.0%

(出所) 法務省公式サイトのデータをもとに
筆者作成　https://www.moj.go.jp/
content/001392228.pdf

　この統計は日中国交正常化以前からあり、中国人には中華人民共和国の国籍と中華民国の国籍の双方を含むものと考えられる。韓国朝鮮人の帰化許可者が最も多い（総数の約60％）が、中国人はこれに次いで多く、総数の26％であった。

　2003年のビジット・ジャパン事業開始以降、中国から多数の観光客が来日した。コロナが広まる2020年以降大きく減少したが、

早期の再開が期待されている。**表6-5**の数字は日本政府観光局の公式サイトによる。

表6-5　訪日外国人観光客数と訪日中国人観光客数

	外国人訪日客総数	中国人訪日客数	中国人比率
2003年	5,211,725	448,782	8.6%
2004年	6,137,905	616,009	10.0%
2005年	6,727,926	652,820	9.7%
2006年	7,334,077	811,675	11.1%
2007年	8,346,969	942,439	11.3%
2008年	8,350,835	1,000,416	12.0%
2009年	6,789,658	1,006,085	14.8%
2010年	8,611,175	1,412,875	16.4%
2011年	6,218,752	1,043,246	16.8%
2012年	8,358,105	1,425,100	17.1%
2013年	10,363,904	1,314,437	12.7%
2014年	13,413,467	2,409,158	18.0%
2015年	19,737,409	4,993,689	25.3%
2016年	24,039,700	6,373,564	26.5%
2017年	28,691,073	7,355,818	25.6%
2018年	31,191,856	8,380,034	26.9%
2019年	31,882,049	9,594,394	30.1%
2020年	4,115,828	1,069,256	26.0%
2021年	245,862	42,239	17.2%

（出所）日本政府観光局の公式サイトのデータをもとに筆者作成　https://www.jnto.go.jp/statistics/data/visitors-statistics/

　2019年の中国人訪日観光客の旅行消費額は1兆7700億円に達し、それだけでなく、日本に対する良い印象を中国に持ち帰った。
　以上のように、経済と人的交流の分野では日中両国間に多くの成果と大きな発展が見られる。これらは多くの先人による努力の賜物である。

日中が再び戦火を交える可能性はあるのか

　日本のマスコミは盛んと、中国が日本に侵攻する可能性についてセンセーショナルに報じているが、その内容を分類すると、①尖閣諸島の奪取に対する防衛、②台湾進攻に伴って南西諸島が戦争に巻

き込まれた場合の南西諸島防衛、③同盟国である米軍が中国の台湾侵攻を阻止する際に日本が巻き込まれる可能性、④台湾防衛への日本参戦、の4つになる。

　まず、①については、尖閣諸島の主権に関して、両国間に異なる見解が存在していることは事実である。そして、日本政府の意図はともかくとして、日本政府による所有権の取得を中国政府としては日本側による現状変更と判断し認めることができないとの立場から始まった中国公船による尖閣諸島周辺海域の航行に対して、日本側から見て中国側が現状を変更した、との思いも理解はできる。しかし、だからといって、中国が武力で尖閣諸島を奪取するという一部の主張には合理性がない。中国は日本と戦争する意思もメリットも全くない。領土問題の存在を認めなくても、異なる見解が存在することは事実であり、両国政府は交渉により緊張状態を緩和すべきで、有事に備えるものではない。

　日本のマスコミでは、台湾と尖閣を同列に論じる場合があるが、これは誤りである。2022年9月29日の日本経済新聞のライブ「安全保障のリアル②　自衛隊の実力、何が足らないのか」において、筆者は「中国にとって台湾の戦略的重要性は明確だが、尖閣の戦略的重要性とは何か」と質問したところ、元内閣官房副長官補の兼原信克氏からは「尖閣はポツンとある島で、、、中国にとってはメンツにかかわる問題」との回答があり、戦略的重要性があるとの意思表示はなかった。中国がメンツのためだけに尖閣に攻め込み、日本と戦争を始めるとするのは全く合理性に欠ける。この動画は日経新聞のウェブサイトで確認できる。

　②については、日本の参戦を中国が望むはずはないため、たとえ台湾問題を非平和的に解決するとしても南西諸島を巻き込むことは、中国は絶対に避けるであろう。日本政府として台湾問題の平和的解決を中国政府に強く求めるとともに、たとえ中国で内戦が起きても日本には戦火が及ばないように中国政府に求めることは当然な権利であり、中国政府が後者を拒否する理由はなく、十分に合意できる。

③については、米軍が台湾問題で中国と戦争することになった場合に、日本にある米軍基地から出撃すれば、中国はその基地をミサイル攻撃することは想定される。日本に中国と戦う意図はなくても、日本の領土にある米軍基地が攻撃を受ければ反撃せざるをえないという論理は理屈の上では成り立つ。となると、日本政府はそれを防ぐために、中国に対して台湾問題の平和的解決を求めつつ、米国に対して台湾問題をめぐる対立激化につながる行動を慎むよう求めなければならないが、そのような姿勢を日本政府は見せていない。

④については、米軍が台湾問題で中国と戦争することを決めた場合には、日本は阻止も傍観もせず、或いは阻止も傍観もできないため、参戦せざるを得なくなる。そのため、日本は参戦の覚悟もしているのではないかとの憶測もある。少なくとも参戦を否定するような公式発言は一切ない。意図的にその可能性を匂わせて中国を抑止するという考え方もあるかもしれない。これは確かに中国にとってはハードルが高くなるだろうが、そもそも日米による参戦を最悪のシナリオとして想定した上での行動計画を中国は常にたてている。ペロシ訪台後に中国が開始した軍事演習で日本が主張するEEZ内（中国はそもそも境界未確定だと主張している）にミサイルを発射したのは、中国の抑止行動であると捉えることができるであろう。

米国を冷戦の勝者に導いた戦略家の一人であるブレジンスキーは、米国の覇権を崩壊させる可能性があるのは、①欧州とロシアの和解、②日本と中国の和解、③中国、ロシア、イランの同盟、の3つのシナリオだと著書『ブレジンスキーの世界はこう動く──21世紀の地政戦略ゲーム』（日本経済新聞出版社、1997年）で述べている。それだけ米国にとっては東洋の2つの大国の和解は警戒すべきものであり、米国の覇権を維持する上で楔を打ち込まないといけないものであるのだ。

筆者は米国の「Foreign Affairs」を毎日読んでいる。米軍を強くし世界中で「強権国家」と戦うのだという論調も相変わらずあるにはあるが、国力の保持のために戦争を避け、他国同士を戦わせよう

とする論調がますます増えている。アフガニスタンから撤退し、ウクライナには派兵しない事実がこの流れを裏付けている。冷戦後の米国一強から第一次、第二次世界大戦時代の米国に戻りつつあると感じる。台湾防衛の法的義務を負わない米国は、台湾における中国人同士の戦争、あるいは、中国人と日本人のアジア人同士の戦争に対して武器だけ提供するに留めたがっている可能性も十分ある。さすがに、日本は米国の代理戦争をするほど愚かではないと筆者は信じている。更にいうと、米国は本土から遠く離れた中国周辺では中国に軍事的勝利するのは難しいという現実を認識した上で、日本は「真珠湾攻撃」や第二次世界大戦のような負け戦につながる選択をしないと筆者は信じたい。

日本の選択：「脱亜入欧」か「脱欧返亜」か

　明治維新は工業化と近代化に向けた大変革であった。日本はアジアで、また、西洋以外の世界で初めて工業化と近代化に成功した。従来の東洋的、儒教的考え方を改め、西洋的考え方、西洋的システムを導入した。脱亜入欧という言葉はこの大変革を非常に分かりやすく表している。工業化と近代化に成功した日本は、アジアの覇権をめぐって西洋中心の秩序に挑戦する中で、非西洋の日本一国では力及ばなかった。しかし、戦争に負けた結果、西洋の一部になる入欧が逆説的に実現された。戦後、米国陣営に組み込まれることで経済が大きく発展し、主権の一部を手放したとは言え、国民の自由度も幸福度も増した。

　一方、この幸福には、少しだけ矛盾が潜んでいる。東洋の一員でありながら東洋ではなく、西洋の一員でありながら西洋ではない、という状態である。また、この状態は東洋の他の国が工業化と近代化していないことが暗黙の前提となっている。もし、東洋の他の国も遅れながらも工業化と近代化すれば、あるいは、できてしまえば、脱亜入欧という150年前の大変革の意味を見直さざる得なくなる。

212

　まさに、それが現在の状態なのである。中国も日本より100年以上遅れて工業化と近代化を成し遂げた。かつ、中国は共産主義というイデオロギー、近代的科学技術、資本主義の組織形態を西洋から導入したが、脱亜も入欧もしていない。また、西洋は、同じくキリスト教を信仰し、同じくコーカソイド人種のロシアすら受け入れる度胸がないのだから、巨大な中国を受け入れることは考え難い。中国が仮に脱亜入欧を望んだとしても受け入れられないだろう。となれば、半分東洋で半分西洋である日本と、東洋のままの中国との違いを整理し直さなければならなくなる。これは政治経済の領域だけでなく、思想の領域から着手しなければならない知的作業である。

　中国が脱亜入欧しない限り、日本は脱亜入欧を続けるか、それとも、脱欧返亜に切り替えるか、という知的難問を突き付けられる。地政学的問題も喫緊の課題であることは否定しないが、日本の知識人はまず上記の難問について熟考し、答えを出そうと努力しなければならないのではないか。ただ、そのような知識人はまだ少ないように思える。

　世界第二、第三の名目GDPを誇る日中両国が東洋文明に根ざす国として人類全体に新たな貢献をすることが、この難問を解く鍵であるといっても過言ではない。

　そして、この難問を解いてこそ、日本と中国の真の和解、日本と朝鮮半島の真の和解が得られるであろう。その時、日本は真の意味で東西の橋渡しをすることができるだろう。

経済再成長のための「プランB」

　戦後の日本は、日米安保と自由貿易を立国の基本としてきた。この二つは密接につながっている。パックスアメリカーナ（第二次世界大戦後、超大国となったアメリカが中心となって成立した国際秩序のこと）が及ぶ範囲内で分業を行い、日本の得意分野に特化して貿易を拡大することで日本も豊かになった。現在、米国の覇権が揺

らぎつつある中で、米国による安全保障も自由貿易も、ともすると持続不能になる可能性があるのではないかとの見方もある。

　1500年以降、覇権国がポルトガルからスペイン、オランダ、イギリス、米国と移り変わった。多くの戦争をしかけた米国もこの中では最も温和に見えるが、米国より利益率の高いサプライチェーンを有する同盟国に対しては躊躇なく圧力を加えた。日本もその一つで、1986年7月の日米半導体協定締結を契機に、日本の半導体産業が衰退したしたことは記憶に新しい。

　上流は米国に蓋をされ、下流では韓国と中国の浸食を受け、日本は「失われた30年」を経験した。名目GDPは30年間ほぼ成長しなかった。全てを外的要因のせいにすべきではないが、外的要因が大きな要素であることは否定できない。

　2021年の日本の地域別対外貿易額と比率は**表6-6**の通りである。

表6-6　2021年の日本の地域別対外貿易額と比率

	貿易額(億ドル)	比率(%)
輸出入総額	15,319	100
東アジア合計	7,875	51.4
中国(香港、マカオを含む)	3,868	25.1
ASEAN	2,276	14.9
台湾	882	5.8
韓国	848	5.5
米国	2,166	14.1
EU	1,560	10.2
中東	958	6.3

（出所）JETROの統計をもとに筆者作成　https://www.jetro.go.jp/

　対東アジア（ASEAN+中国本土＋韓国＋台湾＋香港＋マカオ）との貿易額が全体の51.4％を占め、うち、中国（香港、マカオを含む）との貿易額は25.1％である。米国との貿易額は全体の14.1％、EUとの貿易額も全体の10.2％程度で、米国とEUを足しても中国との貿易額には及ばない。

　安全保障は日米安保によって担保されているが、当然ながら地理

的に近いアジアとの貿易額が過半を占めている。仮に米国のデカップリング政策によって、西洋経済圏と中国経済圏に分断されれば、日本経済は非常に難しい立場に置かれるであろう。経済繁栄は安全保障が担保されてこそ実現するものであり、安全保障は経済繁栄に勝るとの論調もあり、それは間違いではないが、経済繁栄なくして安全保障は成り立たないという見方もできる。長期的にはビル・クリントン元大統領がかつて「要は経済なんだよ、馬鹿者」(It's the economy, stupid) と述べた通りかと思う。

経済成長を遂げるには、規模全体の拡大とシェアの拡大の2つしか方法はない。世界経済全体の規模拡大は十分に余地がある。先進国の人口は世界人口の15%しかない。残り85%の人口の経済規模が倍になり、現在の名目GDP約45兆ドル (現在、約68億人×約6500ドル／人) から100兆ドル (約75億人×約13000ドル／人) まで増えれば、それによって合計約12億人の先進国のGDPも何割か増えるであろう。中国の「一帯一路」政策も、それに対抗する先進国のB3WとGlobal Gatewayも、途上国の経済成長をテコにした世界経済全体の成長に大いに貢献する。先進国による途上国のインフラ建設は低コスト建設のノウハウとキャパシティを有する中国の協力も得ながら進めることになろう。

更に、西洋の経済規模は名目GDPではなお世界の半分弱を占めるが、購買力平価でみた場合には世界の3分の1程度にまで下がっている。今後は、インド出身のジャーナリストであり、国際問題評論家のファリード・ザカリア (Fareed Zakaria) が指摘する「その他の台頭」(the rise of the rest) により、西洋の名目GDPが世界の3分の1ないし4分の1に下がる可能性も十分考えられる。先進国もまだ経済が成長するが、もっと大きな経済成長を成し遂げるのは間違いなく途上国である。

西洋の名目GDPが世界の2分の1から3分の1に低下した場合、米軍の保護を受けることができなくなる可能性も見込まれる。その確率が大きいか小さいかは人によって見方が分かれるところだが、

その確率が0でない限り、企業経営者は万一の事態に備えてプランBを用意しておかねばならない。

　自主防衛可能な軍事力を有することが当然必要である。中国はその方針を断固堅持したからこそ今がある。日本が自主防衛可能な軍事力を持つことに中国は反対しない。そうは言っても、東アジア全体の緊張緩和と安全保障を抜きにしては、その必要不可欠な軍事力はとてつもない規模となり、日本の経済破綻を招きかねない。また、仮に安全保障が整ったとしても、東アジアとの貿易及びサプライチェーンの分担を抜きにしては日本経済が成り立たない。そうした意味において、日本が所属する東アジア全体の安全保障と貿易にどう取り組むのか、東アジア最大の国家である中国とどのような関係を構築するのか、さらに過去30年の経済停滞を脱出し、再び経済成長する方法は何か、プランBを練るべきタイミングが来たと考える。実際に実行するかはともかく、プランBの策定は早ければ早い程良い。これも企業経営の常である。

　日本の高度経済成長は日米同盟という大きな柱に支えられて実現した。また、その後、日本の経済成長が停滞した要因も日米同盟にある。どの国も自由貿易の範囲を拡大する以外に経済成長はあり得ない。日本は日米同盟、東アジア共同体のいずれに軸足を置くのか、言い換えれば、脱亜入欧あるいは脱欧返亜を目指すのか、もしくは両者を組み合わせるのか、人類の進化史の長いスパンで立国の基軸を見直すタイミングが来たのではないだろうか。欧州列強によるアジア侵略の危機を近代化によってはねのけ、第二次世界大戦敗戦のどん底から見事に這い上がった日本だから、西洋の相対的地位低下という危機を脱出し、日本を再び成長させることができると筆者は信じている。

　成功する会社には確固たる理念と目標がある。国家も同じである。日本は自国の理念と目標を再度明確に打ち出すことが必要である。中国をライバルとして位置づけることで一定の経済効果を上げることも可能だろうが、筆者は東アジアの新興国や途上国の振興に尽力

する理念を打ち出すことでより大きな経済効果を生むと考える。

　非西洋地域の経済成長を取り込むことによって日本の経済成長を図る以外に方法はないのではなかろうか。日本は高品質、高価格というマーケティング戦略でここまで経済成長してきたため、ボリュームゾーンに直接参入し、最終製品を提供するパターンは不得手である。そこで、ボリュームゾーンを得意とする中国に部品を提供するビジネスモデルで大きなビジネスチャンスを得ることができるのではないだろうか。実際に、村田製作所、日本電産などがこのビジネスモデルで大きな成功を収めている。中国製スマホを解体すると、多くの日本製部品が使われていることが分かる。長い目で見れば、中国と組んで途上国市場を開拓するという成長戦略しか日本に選択肢はないと筆者は考える。

　プランBの最大のネックは、脱亜入欧から脱欧返亜へのパラダイムシフトに対する心理的抵抗であろう。この心理的抵抗の大きな要因はマスコミにある、と言わざるを得ない。日本の報道姿勢は多分に西洋寄りで、独自の哲学や思想が乏しいと感じる。マスコミもそうだが、知識人や思想界がこれらの難問に取り組み、答えを出す社会的責任を負っていると思う。日本には中国よりも言論の外的自由がある。他方、思想の発展には既成概念からの内的自由と権威への挑戦が最も重要である。次節では僭越ながら、筆者から幾つかの論題を提起させて頂く。

知識人とメディアへの要望

　全ての学問は既成概念に対して批判的思考を行い、その結果前進するものである。社会科学は自然科学のように実験を重ねることができないため、歴史に鑑みて仮説を検証するしかない。その中で新たな知見を得て、理解を深め、人類の発展を促進するものである。

　以下、批判的思考を必要とする幾つかの論題と、筆者が既成概念では不十分と考える理由について記述する。

民主主義について

　バイデン大統領は民主主義対権威主義という分かりやすい対立軸を打ち出したが、そもそも民主主義とは何か定義する必要がある。多くの人は、選挙で指導者を選ぶことが民主主義だと考えるが、最近は、リベラルでなければ、たとえ選挙を行っても民主主義とは言えないという新たな定義が現れた（2022年10月3日の日経ライブ「世界の分断『どうしてこうなった？』池上彰氏と考える」）。確かに西洋の伝統は自由主義であり（男女、人種、貧富を問わない普通選挙の歴史はまだ数十年しかないが）、自由主義をベースにした選挙を自由民主主義（Liberal Democracy）と言うが、西洋が定義する自由主義をまず実現しなければ選挙で指導者を選んでも民主主義を実現したとは言えないことになる。西洋の自由主義は強烈な宗教弾圧という時代背景の下での人間解放によるものであって、それを強烈な宗教弾圧のない異なる歴史や文化を有する国家に適用することは、選挙制度を整えることよりずっと難しい。しかし、現実の国際政治においては、それができなければ権威主義陣営に属することになってしまい、西洋の対立国になってしまう。それは不条理ではないだろうか。

　筆者が考える民主主義の最良の定義は、米国のリンカーン元大統領が唱えた「人民の、人民による、人民のための」（Of the people, by the people, for the people）である。これを具体的に実現する方法は論理的にはたくさんある。そして、この3つは相矛盾することも往々にしてある。たとえば、「人民のための」では、政治のプロに任せた方が効率的か、それとも、人民が直接決定した方が効率的か。「人民による」では、直接参加の程度はどの程度がベストなのか。「人民のため」と「人民による」のどちらをより優先すべきか。政治を任せるプロは長い時間をかけてじっくり選んだ方が良いのか、それとも、一回の選挙で決めた方が良いのか。様々な考え方があり、ソクラテスの時代から議論が続けられてきた。となれば、何を基準に民主主義度を測るのか、実に難しい。全ての国家が歴史や文化の

違いを超えて共通の基準を持たなければならないのか。また、民主主義度を高めるために最も重要な政策要素は何なのか。西洋のように、まず人間解放をするのか、自由主義を先に実現するのか。経済発展すればその過程で人民の自由も民主主義の度合いも高まるため、経済発展を何より優先すべきなのか。多くの国家での実践を中立的立場で観察、分析すれば、一定の方向性が得られると筆者は考える。

　また、現在一般的に使われる民主主義という言葉は、もっぱら一つの国家の政治制度を指すが、国際社会の中の国家間の民主主義、筆者がここで述べる人類の民主化も重要テーマである。こちらについても議論を深める必要があると考えている。

覇権について

　可能な限り覇権は避けたいが、避けられない場合もあることを認めざるを得ない。米国は明らかに覇権国である。朝貢体制時代の中国は覇権であったのかは定義によって見方が分かれるが、覇権だという人もいる。現在の中国は自国の発展を目指しているだけだが、他国から見れば覇権を目指していると映ることもある。圧倒的な力を有していれば、覇権を目指すつもりがなくても、覇権と受け止められることは避けられないかもしれない。

　各国の国力が異なり、圧倒的な力を有する覇権が存在することが避けられないとすれば、覇権の存在を前提として、覇権はどうあるべきかを議論しても良いのではないか。覇権国は他国の言い分に耳を貸さないかもしれないが、そうした議論が無意味であるとは言えない。覇権国に望むことと望まないこと、米国式の覇権と朝貢体制の共通点と相違点は何か、どちらがその国家にとってメリットが大きいか、そうした議論にも意味があるのではなかろうか。

東洋と西洋の共通点と相違点

　国によって地理や文化、歴史が異なるが、人類は共通した進化の過程を歩んできた。東洋と西洋の共通点と相違点は何だろうか。東

洋が西洋から学ぶべきものは何で、逆に西洋が東洋から学ぶべきものは何か。これらの共通点と相違点は、現実の政治にいかなる意味を持つのか、そうした議論も東洋文明の発展に大きな意味があるのではないだろうか。具体的には、日本は西洋に属するのか東洋に属するのか、日本とアジアの共通性、アジアとは一線を画す日本の独自性、日本と西洋との共通性、西洋とは一線を画す日本の独自性など。それらを背景に日本が果たすべき役割、日本が世界やアジアに貢献できることは何か、そうした大きな議論が行われることを期待する。

平和の条件

　民主主義国の方が平和的であるという民主的平和論が存在するが、民主主義の旗手である米国が戦争をしなかった期間は建国以後247年間で僅か18年しかなく、歴史的事実と矛盾する。民主主義国間では戦争が起きないという命題があるが、ヒトラーは民主的選挙で選ばれたこと、日中戦争に突入する前に日本は選挙を実施していたことを踏まえると、選挙制度が実施されているだけで民主主義であるとは言い切れないという論理的帰結が導かれ、辻褄が合わなくなる。

　選挙と戦争の因果関係よりも、戦争よって得られる（と考えられる）利得や戦争にかかる（と考えられる）コストのバランスをもとに説明した方がより科学的である。この利益とコストは経済的であるだけでなく、感情的、文化的なものも含まれる。利得がコストを超えれば主義と関係なく戦争は起きる。政府より国民が常に好戦的とも、政府より国民が常に非好戦的とも限らない、のではないだろうか。

　仮に成熟した民主主義国家には戦争を回避する傾向があるとすれば、経済的豊かさが既にあり、それ以上の利得を得るために戦争を起こすよりも、既に入手した経済的豊かさを失うリスク（コスト）を避ける傾向があることはプロスペクト理論として心理学ではよく知られている。

220

であれば、貧しい人にも富を配分することにより社会の安定性を高めることができるし、途上国の経済発展を助けることにより世界がより平和になる。経済が発展すれば結果として自由も民主主義も前進するが、順番は逆ではない。

マスコミの画一性

　最後に、筆者の目には日本のマスコミは画一的に映り、西洋の言葉や西洋の枠組みで世界や中国を見ていると感じられる。筆者は米国や欧州のマスコミも見ているが、それらと比べても、日本のメディアが最も中国を客観視できていないのではないかと感じる。日本は地理的にも文化的にも中国に近いため、中国を理解しやすいと期待されるが、逆に地理的にも文化的にも近いからこそ隣国を客観視できないかもしれない。それでは真の民主主義が見失われるだけでなく、世界平和にも貢献しない。確かに、マスコミもビジネスの一つであり、売れなければ経済的に存続できないという経済的合理性が求められるが、しかし、それだけで良いのだろうか。戦前のような翼賛報道を避け、歴史に責任を持つことと経済的合理性との両立をどうすれば実現できるか、真剣に議論してほしい。一般民衆は残念ながら専門家のように歴史や政治経済を勉強する時間もそこまでの関心もないし、素朴な感情によって動かされやすい。マスコミに登場するジャーナリストや専門家の意見がそれだけ大きな影響力を持つ。世論とは言うが、実際は主要メディアの編集者の「論」である。その質はその国の進路に大きな影響を与える。責任が極めて重い。真理は往々にして多数側にはない。主要メディアから、東アジア共同体やアジア主義を主張し、西側一辺倒のマスコミから、「西」と「東」のバランスの取れたマスコミが誕生することを期待する。

第七章
東亜（運命）共同体

　東アジア共同体は決して新しい概念ではない。日本には東アジア共同体研究会や東アジア共同体評議会があり、研究活動を続けている。19世紀の後半から西洋列強による侵略を受けたアジアはどう立ち向かうべきか議論する中で、アジア主義が提起された。興亜論はその一つである。「日清提携論」と「征韓論」「征亜論」が暫く拮抗していたが、その後は「大東亜共栄圏」が政府の政策となっていった。そういう厳しい環境下でも、宮崎滔天のようなアジア連帯を主張し続けた志士もいた。彼らは孫文の中国革命を支援し続け、孫文の大アジア主義に影響を与えた。

　本書では敢えて一石を投じる覚悟で「東亜（運命）共同体」という言葉を使っている。「運命共同体」は中国が提唱した理念であり、「東アジア共同体」はもともと日本が提唱した理念である。「東亜（運命）共同体」はその両者を含むものである。筆者は必ずしもこの名称には拘わらない。名称よりも実態が重要である。

　西洋の影響や介入もあって、東アジアはなかなか一つにまとまることができなかった。東アジアで広く工業化が成功したことにより、現在はこの地域に対する西洋の影響力は相対的に弱まってきており、今後東アジア共同体が再びクローズアップされるのは自然の成り行きである。中国と日本はどちらが主導権を握るのかで争うのではなく、どちらがより大きな犠牲を払って、より大きな責任を担うことができるかで競争してほしい。後ほど詳しく見るように、成功したASEANのルールを継承し適用するのが東アジア共同体への近道であると考える。

国民国家（nation state）を超えて世界全体の大同を目指すことが最終目的であるが、その前の段階では各地域の共同体という段階を経る。グローバル化の流れは決して止まらないが、万有引力が距離の二乗に反比例するように距離は大きなファクターである。地球の裏側の国家とも付き合うが、近隣諸国との貿易は運輸コストを含めてやはりメリットが大きい。グローバル化は必然的に地域化の方向に発展し、地域化はグローバル化の一部でもあり、地域化とグローバル化は決して矛盾はしない。

欧州は数千年の戦争の歴史を乗り越えて、不戦を実現するため、また、中小国としての国内市場を相互開放し、米国やアジアと競争できる大きな経済単位を実現するために、様々な議論と段階を経て現在のEUに辿り着いた。EUは単一国家より複雑かつ多くの課題を抱えているが、単独の中小国より強い欧州経済を実現した。一方、EUは軍隊を持たないため、政治的には十分に統合できておらず、統一欧州としてはまだ発展途上にある。EU以外に、アフリカ連合（African Union: AU）や南米諸国連合（UNASUR）もある。それぞれの地域が各国の共通利益のために様々な範囲で様々なレベルの地域統合を模索している。

東アジアの範囲と理念

国連の定義では、東アジアにはモンゴル、朝鮮半島、中国（台湾、香港、マカオを含む）と日本が含まれる。北東アジア、極東とも呼ばれる。東南アジアもあり、現在のASEAN加盟10か国はインドネシア、マレーシア、フィリピン、タイ、シンガポール、ブルネイ、ミャンマー、ベトナム、ラオス、カンボジアである。北東アジアと東南アジアを合わせて東アジアと呼ぶのが一般的である。1993年の世界銀行レポート「東アジアの奇跡」で、初めて ASEAN を東アジアの一部と位置づけた。なお、上記以外の近隣国が、共同体の理念とルールを受け入れる場合、共同体への参加が可能としたい。

太平洋諸国、オーストラリア、ニュージーランド、インド、米国、ロシアなどの加盟も可能である。また、そのような開かれた組織であってこそ、人類運命共同体を目指すことができる。一方で、地域に根ざした組織である以上、該当地域の国々がまず共同体の理念とルールを作る。また、モンゴル、朝鮮民主主義人民共和国等の参加が初期段階では難しい場合、他国でまず発足させることも現実的な対応と言える。ただし、参加を望んでも排除される国がある場合、その国は敵対勢力になる可能性が高く、協議により共同体の理念とルールの順守の意向を確認した上で受け入れた方が共同体の本来の目的に資する。

　北東アジアの国々を一つにまとめるのは難しいが、東南アジア諸国連合（ASEAN）は成功を収めた地域組織である。

　現在のASEANの前身は、1961年に発足したタイ、フィリピン、マレーシアの3か国による東南アジア連合である。1967年にインドネシアとシンガポールが加わり、ASEANが設立され、ASEAN設立宣言（バンコク宣言）が採択された。1984年にブルネイが加盟、1995年から1999年にベトナム、ラオス、ミャンマー、カンボジアが加盟し、現在の10か国体制となった。インドネシアのジャカルタに本部が置かれている。フィリピン、マレーシア、インドネシアの人々はいわゆるオーストロネシア語族に属するが、元をたどれば、約5千年前に中国沿海から台湾に渡り、そこからフィリピン、マレー半島を経て広がった人々であり、北東アジアのモンゴロイドとは少し距離があるが、遺伝的にはかなり近い人たちである。

　ASEANは加盟国ではない日本、中国、韓国とも首脳会議を開催している。1977年のASEAN＋1の初会合に日本が参加した。1997年にASEAN＋3として、日本、中国、韓国が首脳会議に参加した。以降定例化している。2007年、ASEAN諸原則を盛り込んだ「ASEAN憲章」が採択された。

224

ASEAN憲章の第二条では、以下の諸原則を規定している。

(a)全加盟国の独立、主権、平等、領土保全、国家アイデンティティを尊重
(b)地域平和、安全、繁栄に対する共同責任
(c)侵略、威嚇、武力行使、その他の国際法に反する行動に対する反対
(d)紛争の平和的解決
(e)加盟国に対する内政不干渉
(f)外部からの干渉、転覆、脅迫から自国を守る全加盟国の権利に対する尊重
(g)ASEANの共通利益に影響する物事に関する協議の強化
(h)法の支配、善良な統治、民主主義の諸原則、と憲法に基づく政府への順守
(i)基本的自由の尊重、人権の推進と保護、社会正義の推進
(j)国連憲章と、加盟国が批准した人道法を含む国際法の順守
(k)加盟国の主権、領土保全、政治および経済安定に脅威を与える如何なる政策と活動にも参加しない
(l)多様性の中の団結の精神における共通の価値観を強調すると同時に、各加盟国の文化、言語、宗教を尊重する
(m)ASEANを対外の政治、経済、社会、文化的関係に中心に置くと同時に、積極的、外向的、包括的、非差別的であり続ける
(n)国際間貿易ルールと、地域経済統合における障害の漸進的撤廃に向けたASEAN内の規定に基づく約束の効果的実行

ASEANの意思決定は協議と全員一致を原則としている。
前述の通り、ASEANは平和共存、経済発展、互恵、内政不干渉、平等な権利に重きを置いており、異なる宗教、異なる社会制度、異なるイデオロギーを受け入れている。共産党政権のベトナムとラオスも、軍事政権のミャンマーも、キリスト教のフィリピンも、イス

ラム教のインドネシアとマレーシアも、平和的に共存しており、共同体の多様性と統一性のバランスにおいて世界の手本となっている。これはある意味で北東アジアに欠けているものであり、中国も日本も韓国も先進ASEANのルールを参考に共同体を発足させるのが最も現実的である。

　共同体には様々な側面やレベルがある。市場、通貨、人的交流、安全保障、外交など多岐にわたる。その中で最も着手しやすいのは互恵的市場開放である。

東アジアの経済成長とRCEP

　東アジアの経済統合は既に基礎ができている。地域的な包括的経済連携協定（Regional Comprehensive Economic Partnership Agreement、略称RCEP、通称アールセップ）である。これは、ASEAN加盟10カ国とそのFTAパートナー5カ国（オーストラリア、中国、日本、ニュージーランド、韓国）が、2020年11月15日に第4回RCEP首脳会議の席上で署名した経済連携協定である。2022年1月1日、先行して批准した日本、中国、オーストラリア、ニュージーランド、タイ、カンボジア、シンガポール、ブルネイ、ベトナム、ラオスで発効した。オーストラリアとニュージーランド以外は正に東アジア諸国であり、世界人口に占める割合も世界の貿易総額に占める割合も世界の名目GDPに占める割合も3分の1であり、EUやNAFTAを超える世界最大の自由貿易圏となっている。

　第一章で述べたように、北東アジアを含む東アジアの製造業は世界の約半分を占めており、RCEPの発足によりこの比率が更に世界の半分以上に増えることが期待される。中国は世界の工場と呼ばれてきたが、日中韓東南アジア全体が世界の工場となっている。

　2021年3月19日、日本の外務省、財務省、農林水産省、経済産業省が連名で「RCEP協定の経済効果分析」という報告書を発表した（外務省の公式サイトで閲覧できる）。関税引下げの最終年であ

る2041年に日本の関税収入は3,159億円減少する一方、日本からの輸出品に課される関税は1兆1,397億円減少し、日本の実質GDPはRCEP協定がない場合に比べて、最終的には約2.7%押し上げられる、としている。

RCEPの合意は以下8部分で構成されている。①物品の貿易、②原産地規則、③サービスの貿易、④自然人の一時的な移動、⑤投資、⑥知的財産、⑦電子商取引、⑧紛争解決。物品貿易の関税は20年かけて大幅に撤廃される。移民の自由化へは全く踏み込んでいないが、貿易、サービス提供または投資に従事する自然人の一時的な入国及び滞在の許可及び手続等のルールを規定した。投資の項では、内国民待遇義務、最恵国待遇義務及び特定措置の履行要求（技術移転要求やロイヤリティ規制を含む）の禁止を規定した。

RCEPに辿り着くまでには長い協議の歴史があり、多くの指導者の努力があった。

2005年4月に中国は「ASEAN＋3の東アジア自由貿易圏（EAFTA）」を提唱した。それに対して、日本は2006年4月に「ASEAN＋6の東アジア包括的経済連携（CEPEA）」を提唱した。ASEAN＋6とはASEAN＋3＋インド＋オーストラリア＋ニュージーランドを指す。人口大国のインドと西洋文明に属するオーストラリア、ニュージーランドを入れることにより、中国の影響力をそぐことができると期待したとされている。

2011年8月に日中共同提案「EAFTAおよびCEPEA構築を加速させるためのイニシアチブ」が発表され、それを受けて同年11月にASEAN首脳は両構想を踏まえ、ASEANとFTAを締結しているFTAパートナー諸国とのRCEPを設立するためのプロセスを開始することで一致した。2012年4月に、ASEAN首脳は2012年11月の交渉立上げを目指すことで一致し、2012年11月20日、カンボジアの首都プノンペンで開催されたASEAN関連首脳会議で交渉開始が宣言された。以降、9年間にわたり、4回の首脳会議、21回の閣僚会合、31回の交渉会合が行われ、第4回首脳会議で署名に至っ

た。最終的には、インドが離脱し、ASEAN+5でRCEPが発足した。インド抜きのRCEPに日本がとどまるべきかについて議論もあったが、日本は最終的にとどまることを選択した。インドの復帰に門戸が開かれており、今後インドが参加することを期待したい。

　注意したいのは、RCEPの参加国は全てASEANとFTAを個別に締結している諸国と重なっていることである。

　1992年1月27日〜28日にシンガポールで開催された第4回ASEAN公式首脳会議において、「シンガポール宣言」が採択され、ASEAN自由貿易地域（ASEAN Free Trade Area）AFTAの創設が正式に決定された。

　2002年1月、当時の小泉首相によるASEAN諸国訪問時に、「日・ASEAN包括的経済連携構想」を提案。2008年に日本と東南アジア諸国連合（ASEAN）のメンバー国との間で経済連携協定が締結され、2008年12月1日に発効した。

　2002年11月、中国-ASEAN包括的経済協力枠組み協定に署名。2004年11月に物の貿易に関するFTA協定に署名。2010年1月20日、中国ASEAN自由貿易協定（ACFTA）が発効した。ASEAN先行加盟6か国（タイ、インドネシア、ブルネイ、マレーシア、フィリピン、シンガポール）は2010年中に中国との間で取り引きされる品目の9割の関税を撤廃し、2015年までにASEAN新規加盟4カ国（ベトナム、ラオス、ミャンマー、カンボジア）も同様に撤廃する、という内容である。中国は、FTAに相当する内容で関税撤廃を先行させて、FTAの交渉を推進した。

　2003年から日中韓のFTAに関して民間の動きがあり、2012年6月から9月に3回にわたる日中韓自由貿易協定（FTA）に関する政府の事務レベル会合が開かれたが、大きな進展はなく、日中韓がともに参加するRCEPで初めて3か国の実質的FTAが間接的に締結された。

　日中韓単独ではなかなか進展しない事柄であっても、ASEAN中心なら進展しやすいことはRCEPの交渉が示している。中小国の集

まりであるASEANにリーダーシップをとってもらわなければ日中韓の連携が進まないのは些か寂しいが、現段階ではASEANにリーダーシップをとってもらい、日中韓の連携を進めるのもやむを得ない。この枠組を大いに活用したい。

JETROの北見創氏がIMFの公開データをまとめたレポートによると、ASEANと日本の貿易額は2010年の2206億4800万ドルから2020年には2125億2100万ドルに僅かに減少し、ASEANの貿易総額に占める割合は2010年の11.0％から2020年には7.8％になった。日本とASEANの貿易額が僅かに減少したのは部分的には日本からASEANに対する直接投資や現地化が進んだことが一因である。ASEANと中国の貿易額は2010年の2402億7000万ドルから2020年には5252億1800万ドルに増加し、ASEANの貿易総額に占める割合は2010年の12.0％から2020年には19.4％に増加しており、これはASEAN内貿易額が占める割合である21.4％に次ぐ第二位である。

中国はASEAN加盟国のいずれの国にとっても最大の貿易相手国である。中国の国、地域別対外貿易データを見ると、ASEANがEU、米国、日本、韓国を抑えて最大の貿易相手国・地域となっている。2021年の中国の対外貿易総額に占めるASEAN、EU、米国、日本、韓国のそれぞれの比率は14.5％、13.7％、12.5％、6.1％、6.0％である。

2022年のRCEPの発足をきっかけに、東アジア内の貿易、分業と経済統合が更に強化され、世界最大の経済圏としての実力が更に高まることは間違いない。一方、共同体内においては、短期訪問や観光目的の入国に対する査証の免除を通じて人の移動を促進し、人的交流を更に深めることが重要であると考える。将来、EUのような移動と居住の自由が実現できれば、共同体としての意識が更に深まるであろう。

RCEPには、通貨に関する合意は含まれていない。これについては次節で触れたい。

東アジアの通貨と金融

市場開放の次に協力しやすいのは、金融に関する協力である。

1997年7月のアジア通貨危機後、1997年8月に東京で開かれた会合で日本政府は、東アジア各国の通貨を支えるアジア通貨基金（AMF）構想を打ち出した。IMFの東アジア版とも言える。この構想に対し、ASEANと韓国が賛同したが、米国が反対し、中国が賛同しなかったため実現しなかった。

その後、1999年のASEAN+3首脳会議で、東アジアにおける通貨と金融の分野での協力強化の必要性が認められ、2000年5月のASEAN+3財相会議でチェンマイ・イニシアティブ（CMI）を打ち出すこととなった。従来の二国間の通貨スワップを多国間に拡充し資金規模を大きくした。現在2400億ドルの資金枠があり、ASEAN＋3の全13か国が参加している。通貨スワップとは、自国の通貨危機の際に自国通貨の預入や債券を担保に一定のレートで相手国の通貨を融通しあうことである。事前に結んだ通貨スワップ協定に基づき実施される。

アジア通貨危機の根底には、アジア各国の通貨が米ドルとリンクしていて、米国連邦準備制度理事会（FRB）が決めるドル金利の影響を受ける。ドルの金利が低ければドルが世界中に流れ、逆にFRBがドルの金利を上げれば世界中からドルが引き上げられることになり、そのたびに世界中で金融危機が繰り返し発生している。

このような通貨危機を防ぐ方法の一つとして、EUはユーロを発行した。ユーロ圏は一つ一つの国よりは経済規模がずっと大きく、ユーロ圏全体の経済規模を裏付けとするユーロは、一つ一つの国の経済規模を裏付けとする各国の通貨より安定するという考えに基づいている。一方、EU内でも、金融政策は中央銀行が決め、財政は各国政府が決めるという役割分担には別の難しさがあることも明らかになった。EUに加盟していたイギリスはポンドを併用していたし、ハンガリー、チェコ、ポーランド等の加盟国も自国通貨を使い

続けている。

　東アジアでは既に、アジア開発銀行（ADB）が開発した「アジア通貨単位（Asian Currency Unit、略称 ACU)」がある。各国の経済（GDP、貿易量など）の比重に基づき各々の通貨が一定の比率で合成された計算上の共通通貨である。また、米ドルやユーロと対抗しうるアジア通貨圏の構想も提起されている。今のところ、地域内の一人当たり GDP の差が大きく、経済水準のアンバランスが著しく、主権通貨を廃止し、ユーロのような共通の通貨を発行するのは少なくとも当面は現実的ではないが、共同体としての各種統合がもっと進んだ段階で実現する可能性を排除すべきではない。現段階では、通貨の安定のためには、第五章で述べたバンコール構想を以下のステップを踏んで、まず東アジアで推進するのが良いと考える。

ステップ1　相互の通貨で貿易し、年1回ないし最大で4回、差額のみを合意した通貨で清算する。これにより、外貨準備の必要性が減り、為替リスクを軽減し、金融の安定性を高めることができる。どの取引もそれぞれの通貨を半々とし、A国がB国から物を購入する際に金額の半分をA国の通貨で、残りの半分をB国の通貨で支払うように上記の清算銀行に登録しておけば、為替レートの変動の影響をほとんど受けなくて済む。

ステップ2　東アジア清算同盟（East Asian Clearing Union：略称 EACU）を設立し、ケインズが提唱したバンコールを東アジアから実施し、将来それを全世界に拡大する。これにより、ステップ1の二国間での清算を東アジア内のEACUとの清算のみに減らすことができる。ステップ1よりも更に外貨準備の必要性が減り、為替リスクを軽減し、金融の安定性を高めることができる。本来、バンコール参加国全体で自国通貨とバンコールのレート調整によって貿易均衡を図るので東アジアの域内貿易のみで均衡を図ることは不十分である（日本は東アジア域内との貿易が全体の53％を占めるが、中国は2021年にASEAN、日本、韓国との貿易が全

体に占める割合はそれぞれ14.5％、6.1％、6.0％で合計26.6％にとどまる）が、これを解決するためには域外との貿易も何等かの形でバンコールによって計上した上で均衡を図るという方法が考えられる。

共同体発足に向けた課題と解決策

　東アジア共同体の構想は百年以上の長い歴史があるものの、いまだ実現されない理由は主に3つある。1.日本と中国のどちらが主導権をとるか、2.東アジアの価値観の多様性、3.西洋の干渉と介入、である。

　西洋がアジアに進出する以前、東アジアは中国を中心とした朝貢秩序であり、共同体ではなかった。中国中心の朝貢秩序は搾取がないが、中国と周辺国の上下を前提とした関係であり、共同体に求められる平等が欠けていた。

　明治維新によって東アジアでいち早く近代化した百年前の日本は主導権を取って大東亜共栄圏を作ろうとしたが、やりかたは西洋と同じ苛烈なものであり、失敗した。21世紀に入り、最初の10年間は日本政府が先頭に立って積極的に東アジア共同体という概念を推進した。当時の小泉総理は2002年にシンガポールでスピーチした際に「共に歩み共に進む」共同体の構築、及び地域の安定と繁栄を確保するために広範な分野で協力を進めるべきであると提唱した。2003 年の日本ASEAN特別首脳会議東京宣言では、将来の東アジア共同体構築へのコミットメントを表明。2004年の第59回国連総会一般討論演説では、小泉総理（当時）は、「ASEAN+3の基礎の上に立って、東アジア共同体構想を提唱。また、2005年の第162国会施政方針演説では小泉総理は、多様性を包み込みながら経済的繁栄を共有する、開かれた「東アジア共同体」の構築に積極的な役割を果たしていく決意を表明した。また、2009年、民主党、社会民主党と国民新党は「連立政権合意書」で「中国、韓国をはじめ、ア

ジア、太平洋地域の信頼関係と協力体制を確立した東アジア共同体（仮称）を目指す」と発表した。マスコミも連日、アジアとの関係強化を報道し、アジア出身の筆者は非常に希望を感じたことを今も鮮明に覚えている。しかし、2010年頃になると、中国のGDPが日本を超えたあたりから、全体として日本の熱意が冷めたように見えた。鳩山由紀夫元首相が主宰する「東アジア共同体研究所」は引き続き推進の方向で言論活動を展開しているが、東アジア共同体評議会は公式サイトのトップで、「東アジア共同体評議会は、『東アジア共同体』の研究団体ではあるが、推進団体ではない。そのことは東アジア共同体評議会が『東アジア共同体』について特定の定義を前提にしていないことを意味する。『東アジア』の地理的範囲や「共同体」の具体的形態については、いろいろな考え方があり、東アジア共同体評議会はそれぞれの考え方の意味を研究し、日本の戦略的対応のあるべき姿を模索することを目的としている」とわざわざ表明している。日本政府の東アジア共同体の推進に関する表明がほとんど聞こえてこなくなった。

　一方、中国は政府が明確に東アジア運命共同体というコンセプトを打ち出していないものの、人類運命共同体の東アジア地域版として、東アジア運命共同体という言葉がマスコミに登場している。ASEANとのFTAを積極的に推進し、そして、RCEPを強力に推進した中国は実質的に共同体の構築を推し進めていると考えてよい。

　東アジアには、世界に5つしかない共産党政権国家（中国、ベトナム、北朝鮮、ラオス、キューバ）のうち4つがあり、西洋の自由民主主義を実践する国（日本と韓国）もあり、宗教もイスラム教、キリスト教、仏教とそろっている。儒教の伝統が公式、非公式に根付いている国も多い。カトリックとプロテスタントの国家で統一されているEUと比べると、価値観も政治制度も文化も多様である。確かにこれによって共同体の構築も運営も難しくなる側面があるが、上記の多様性を有するASEANが既に共同体として成功を収めている事例からもわかるように、上記の多様性が東アジア共同体の足か

せにはならず、また、それを足かせにしてはならない。

　価値観の多様性以外の2つの課題は、中国と日本の主導権争い、西洋の介入と干渉である。共同体の推進で一致さえすれば、日中が域内で競争することは加盟国にとっては良いことであり、最終的には加盟国がどちらを選ぶかで決着がつくので大いに競争してほしい。どちらが加盟国のためにより大きな貢献ができるかアイデアを競い合ってほしい。問題は西洋の介入と干渉である。東アジアに対して西洋の価値観は優れており、東アジアの人々もそれに従うべきだという上からの目線は頂けない。東アジアを分裂させることで漁夫の利を得るならそれこそ道義にもとる。

　東アジア人は自らに自信と誇りを持ち、外部からの介入や干渉を排除し、大いに議論して自分らの共同体を作る時代に入ったと考えている。そして、北東アジアがなかなか一つにまとまらないのなら、共同体を作る経験も能力もあるASEANに主導権をとってもらえば良い。

　国単位のGDPでは中国に超され、一人当たりGDPではシンガポール、香港に超され、韓国、台湾と並ばれた日本ではあるが、国民全体の洗練度と上品さは別格であり、他のアジア諸国より百年も早く近代化を成し遂げた余裕を感じさせる。日本が好きな人は東アジア内外に多くいる。東アジア共同体は日本抜きでは成り立たない。日本にはアジアに戻ってきて頂かなければいけない。東アジアは西洋とは別の独立、独自の文明を発展させていくが、これは決して西洋と対決するものではない。日本は近代化の先輩として共同体各国に多くの経験を伝授できるだけではなく、東アジアと西洋の橋渡しを担うには「脱亜入欧」を経て「脱欧返亜」した日本以上に適した国はない。

東アジアの集団安全保障と領土問題

　RCEPによって共同体としての経済連携と経済統合の側面は既に

骨格ができたが、これ以上の統合を進めようとすると、領土問題と安全保障の問題は避けて通れない。

　議論すること自体は決して早すぎない。筆者なりの考えを述べておきたい。

・ASEAN憲章第二条の諸原則を遵守する
・共同体加盟国間の領土問題は話し合いによる解決のみとし武力不行使を全加盟国が誓約する
・共同体加盟国間の紛争の解決は全員一致の原則に従い平和維持部隊を組成し派遣できることとする
・共同体加盟国と非加盟国との紛争については全員一致の原則に従い加盟国が共同で対処することを可能とする

　これによって日中の間で問題となっている島をめぐって軍事衝突が発生する可能性も、南シナ海における軍事衝突が発生する可能性もほぼなくなり、東アジアの平和は大きく前進する。

　全会一致の原則を前提として、日本と中国の軍事力を共同体の全体利益に活用することも可能となる。中国は覇権主義や覇道を避けたいので、米国のように他国に軍事基地を置いたり、他国の内政に干渉したりして他国を支配しているととられることはしないが、国連や地域の集団的安全保障に積極的にかかわるようになりつつある。東亜（運命）共同体が合意形成された結果、中国の軍事力を公共財として活用する場面があれば、中国はその意思を尊重して行動する可能性が高いと筆者は考える。

むすび

10年後、30年後の世界と東亜、在日中国人の役割

　人の命には限りがあり、そのため視野が狭くなりがちである。この限界を突破するには歴史に学ぶしかない。

　フランシス・フクシマは冷戦終結直後に、「歴史の終焉」という著名な論文を発表したが、その後の歴史は歴史が終焉していないことを証明した。

　人間が作り出すイデオロギーよりも進化の原動力の方がさらに深い。国家は誕生と崩壊を繰り返すが、文明はより長く続く。

　西洋文明は衰退こそしていないが、これ以上発展をしないという意味で停滞している。中華文明は長い冬眠期間を経て蘇りつつある。「中国は眠れる獅子。一度目覚めれば世界を揺るがせる」というナポレオンの予言が現実になりつつある。中国の工業化と近代化は侵略、奴隷酷使、植民地化を推進してきた西洋の工業化と近代化に比べれば格段に平和的である。

　中国の平和的再興は、

1. 西洋による世界支配の終焉
2. 東洋全体の工業化の完了
3. 西洋の自由民主主義でなくとも経済発展は可能であると、多くの途上国が認識し、自国に合う道を選択
4. ユーラシア大陸の東端では東アジア共同体が形成され、ユーラシア大陸の西端にある欧州経済圏、米国中心の北米経済圏との平和的共存及び競争を通じて、グローバル化と人類の民主化が更に進む
5. 日本は脱亜入欧から脱欧返亜に150年ぶりの大転換を成し遂げる

という地殻変動が起こり得ると論じてきた。

これらは既得権益を持つ西洋にとっては受け入れがたいが、多くの途上国——その多くは中国の「貧しい兄弟」である——にとっては希望をもたらす。

ここで、10年後および30年後の世界と東亜について見通してみたい。

10年後

・世界の名目GDPは200兆ドルとなり、東亜、欧州、北米、南亜、西亜、中南米、アフリカ、他がそれぞれ32%、19%、21%、10%、3%、8%、4%、3%を占める。

・東アジアは世界最大の経済圏となり、GDPはNAFTAとEUより30%大きい。

・中国が台湾の平和統一に成功し、東アジアにおける軍事緊張が大きく和らぐ。

・東アジア共同体が大きく前進し、経済統合が更に進化しただけでなく、人的往来も大きく成長。共同体内のビザなし渡航が開始。共同体意識が浸透し、東アジア人としての誇りが定着。

30年後

・世界の名目GDPは500兆ドルとなり、東亜、欧州、北米、南亜、西亜、中南米、アフリカ、他がそれぞれ35%、14%、16%、16%、3%、8%、6%、2%を占める。

・東亜の名目GDPは北米と欧州のそれぞれの2倍以上になり、南亜も北米と欧州に並ぶ。

・1944年にケインズの提唱したバンコールが百年経ってようやく実現する。各国のGDPはバンコールで計上されるようになる。

・米軍が東アジアから撤退する。

・南北朝鮮が統一される。

・日本と朝鮮半島の間に対馬海峡をつなぐ橋か海底トンネルが作ら

れ、新幹線が走る。朝鮮半島も南北が鉄道でつながり、中国を通過して東南アジアや欧州まで鉄道が延びる。人や物の流れがよりスムーズになる。観光産業が盛んになる。これは巨大な負のエントロピーを生み出し、日本の経済成長に大きく貢献する。

　最後に、在日中国人の役割と使命について触れてみたい。

　筆者は、中国政府の派遣留学生として1983年に来日した。1989年3月に大阪大学で博士課程を修了し、同年9月から北京大学に教員として着任する予定であったが、同年6月に天安門事件が起きたことで絶望し、日本に残った経緯がある。中国は複数政党制による選挙を実施しなければ、経済発展せずに永遠に近代化ができないと思っていたが、その後の歴史は必ずしもそうはならなかった。筆者の当時の認識が間違っていたことが証明された。

　1995年に日中児童教育基金を立ち上げ、中国の貧しい地域の学校に行けない子どもたちの支援を始めたところ、多くの日本人が善意を寄せてくれた。2014年10月に活動終了するまでの19年間で、23,900,633円、550ドル、70,000人民元（合計約2,500万円）の義援金が集められた。そのおかげで、計1,371名の「失学児童」及び「貧困学生」に奨学金を送り、小学校を卒業させることができた。さらに、5つの老朽化もしくは倒壊した小学校を修築し、「日中友好小学校」と名付けた。2010年に中国のGDPが日本を抜き、軍事費も大きく伸びる中で、この活動も役目を終えたと理事会一同が判断し、会を解散した。長年の活動を通じて、日本人の善意を強く感じた次第である。

　筆者は幸い日本での仕事も順調で、皆さんのご支援を賜りながらそれなりに成果をあげることもできた。お世話になった方々に深く感謝する次第である。

　自身の経験から言えるのは、両国は敵対するものではないとの確信である。それぞれの立場から見た歴史の違いはあるが、地球全体

規模で見れば、乗り越えられないものではない。その信念が本書を
執筆する基盤となっている。

　日清戦争後、周恩来や魯迅を含む多くの中国青年が日本に留学し、
日本で近代化を学んだ。当時は中国に帰国した人が多かったが、
「改革開放」後に中国から来日し、そのまま日本に住み、日本で仕
事をし、永住権を取得して日本国籍に転換した中国人も多い（第六
章参照）。北東アジアが対立したまま歴史が流れることはありえな
い。米国の覇権が終焉する蓋然性が高くそう遠くない日に日本もそ
のことに気づき、東アジア共同体の推進に再び戻る時がやってくる。
そうした中で、両国の橋渡し役となり得る在日中国人の役割と使命
は非常に大きい。筆者も微力ながら東アジア主義者として残りの人
生を東アジア（運命）共同体の確立に捧げたいと思う。

　中国で生まれ育ち、日本で成長した者として、どちらの国民も愛
してやまない。そうした気持を抱いているので、本書に書かれた
内容について、筆者の考えを述べ、相手の考えも聞き、冷静に議論
する場が頂けるならどこにでも出向くつもりである。既成概念に縛
られないゼロベースの議論、人類の幸福を目指す議論をぜひ皆さん
としたいと考えている。筆者は学者としての知的誠実や論理性に自
信を持っており、自らの事実誤認や論理的間違いがあると気づけば
素直な気持ちで訂正したいとも考えている。

孫文が神戸で行った講演「大アジア主義」全文

1924年（大正13年、民國十三年）11月28日

　　諸君：今天蒙諸君這樣熱誠的歡迎，我實在是非常的感激。今天大家定了一個問題，請我來講演，這個問題是「大亞洲主義」。我們要講這個問題，便先要看清楚我們亞洲是一個甚麼地方。我想我們亞洲就是最古文化的發祥地，在幾千年以前，我們亞洲人便已經得到了很高的文化。就是歐洲最古的國家，像希臘、羅馬那些古國的文化，都是從亞洲傳過去的。我們亞洲從前有哲學的文化、宗教的文化、倫理的文化和工業的文化。這些文化都是亙古以來，在世界上很有名的。推到近代世界上最新的種種文化，都是由於我們這種老文化發生出來的。到近幾百年以來，我們亞洲各民族才漸漸萎靡，亞洲各國家才漸漸衰弱，歐洲各民族才漸漸發揚，歐洲各國家才漸漸強盛起來。到了歐洲的各民族發揚和各國家強盛之後，他們的勢力更漸漸侵入東洋，把我們亞洲的各民族和各國家，不是一個一個的銷滅，便是一個一個的壓制起來。一直到三十年以前，我們亞洲全部，可以說是沒有一個完全獨立的國家。到那個時候，可以說是世界的潮流走到了極端。

（邦訳）皆さん、本日皆さんの心のこもった温かい歓迎を賜り、非常に感激しております。本日は皆さんから講演のテーマを頂きました。それは「大アジア主義」です。このテーマでお話しするにあたり、まず我々アジアはどういうところかを明確にしなければなりません。アジアは最古の文明の発祥地であり、数千年来、我々アジア人は非常に高い文化を有しております。欧州最古の国家であるギリシア・ローマの文化もアジアから伝わったものです。我々アジアは従前から哲学の文化、宗教の文化、倫理の文化と工業の文化を有していました。これらは古くから世界で有名でした。近代の世界の最新の種々の文化はこれらの古い文化から発生したものであります。この数百年で、我々アジアの各民族は少しずつ衰え、アジア各国が少しずつ弱くなり、欧州各民族が少しずつ台頭し、欧州各国が少しずつ強くなりました。欧州各民族が台頭し欧州各国が強くなったあ

と、彼らの勢力がアジアに少しずつ侵入し、アジアの民族や国家を一つずつ滅ぼし、または、抑圧しました。三十年前までは我々アジアには完全な独立国家が一つもないと言えるほどでした。世界の潮流は極限まで達したと言っても過言ではありません。

　　但是否極泰來，物極必反，亞洲衰弱，走到了這個極端，便另外發生一個轉機，那個轉機就是亞洲復興的起點。亞洲衰弱，到三十年以前，又再復興，那個要點是在甚麼地方呢？就是在日本。當三十年以前，廢除了和外國所立的一些不平等條約。日本廢除不平等條約的那一天，就是我們全亞洲民族復興的一天。日本自從廢除了不平等條約之後，便成了亞洲的頭一個獨立國家。其他亞洲的有名國家，像中國、印度、波斯、阿富汗、阿拉伯、土耳其，都不是獨立的國家，都是由歐洲任意宰割，做歐洲的殖民地。在三十年以前，日本也是歐洲的一個殖民地，但是日本的國民有先見之明，知道民族和國家之何以強盛與衰弱的關鍵，便發奮為雄，同歐洲人奮鬥，廢除所有不平等的條約，把日本變成一個獨立國家。自日本在東亞獨立了之後，於是亞洲全部的各國家和各民族，便另外生出一個大希望，以為日本可以廢除條約來獨立，他們也當然可以照樣，便從此發生膽量，做種種獨立運動，要脫離歐洲人的束縛，不做歐洲的殖民地，要做亞洲的主人翁。這種思想，是近三十年以來的思想，是很樂觀的思想。

（邦訳）しかし、極限まで達してしまえば、必ず反転するように、アジアが衰弱の極みに達した後には必ずや転機が訪れ、この転機はアジア復興の起点となります。衰弱したアジアは三十年前に復興に転じました。鍵はどこにあるのか、それは日本です。日本は三十年前に西洋とのあらゆる不平等条約を廃止しました。日本がこれらの不平等条約を廃止したその日は正に全アジアの諸民族が復興を開始した日であります。日本はこれらの不平等条約を廃止した日からアジア初の独立国家となりました。アジアの他の名の知られた国、たとえば、中国、インド、ペルシア、アフガニスタン、アラビア、トルコ、いずれも独立国家ではありません。いずれも欧州によって思うが儘に支配され、欧州の植民地となりました。三十年前までは日

本も欧州の植民地の一つでしたが、日本国民は先見の明があり、民族と国家が強盛と衰弱に分かれるポイントをよく理解し、奮発し、欧州人と闘い、全ての不平等条約を廃止することができ、日本を独立国家に変えました。東アジアにおいて日本の独立以降、全アジアの各国家と各民族に大いなる希望が生まれました。日本が不平等条約を廃止し独立できたのだから、自分らも当然同じようにできると考え、胆力と勇気が生まれ、それぞれ独立運動を始め、欧州人の束縛から解放され、欧州の植民地から独立し、アジアの主人公となろうとしています。このような思想はここ三十年の思想であり、非常に楽観的な思想です。

　　說到三十年以前，我們亞洲全部的民族思想便大不相同，以為歐洲的文化是那樣進步，科學是那樣進步，工業上的製造也是那樣進步，武器又精良，兵力又雄厚，我們亞洲別無他長，以為亞洲一定不能抵抗歐洲，一定不能脫離歐洲的壓迫，要永遠做歐洲的奴隸。這種思想，是三十年以前的思想，是很悲觀的思想。就是從日本廢除了不平等條約之後，在日本雖然成了一個獨立國家，和日本很接近的民族和國家，雖然要受大影響，但是那種影響還不能一時傳達到全亞洲，亞洲全部的民族還沒有受大震動。再經過十年之後，便發生日俄一戰，日本便戰勝俄國。日本人戰勝俄國人，是亞洲民族在最近幾百年中頭一次戰勝歐洲人；這次戰爭的影響，便馬上傳達到全亞洲，亞洲全部的民族便驚天喜地，發生一個極大的希望。這是我親眼所見的事，現在可以和諸君略為談談。當日俄戰爭開始的那一年，我正在歐洲，有一日聽到東鄉大將打敗俄國的海軍，把俄國新由歐洲調到海參衛的艦隊，在日本海打到全軍覆沒。這個消息傳到歐洲，歐洲全部人民為之悲憂，如喪考妣。英國雖然是和日本同盟，而英國人士一聽到了這個消息，大多數也都是搖首縐眉，以為日本得了這個大勝利，終非白人之福。這正是英國話所說 "Blood is thicker than water" 的觀念。不久我由歐洲坐船回亞洲，經過蘇彝士運河的時候，便有許多土人來見我，那些土人大概是阿拉伯人，他們看見了我是黃色人，便現出很歡喜的急忙的樣子來問我說：「你是不是日本人呀？」我答應說：「不是的。

我是中國人，你們有甚麼事情呢？你們為甚麼現出這樣的高興呢？」
他們答應說：「我們新得了一個極好的消息，聽到說日本消滅了俄國
新由歐洲調去的海軍，不知道這個消息是不是的確呢？而且我們住在
運河的兩邊，總是看見俄國的傷兵，由一船一船的運回歐洲去，這一
定是俄國打了大敗仗的景況。從前我們東方有色的民族，總是被西方
民族的壓迫，總是受痛苦，以為沒有出頭的日子。這次日本打敗俄國，
我們當作是東方民族打敗西方民族。日本人打勝仗，我們當作是自己
打勝仗一樣。這是一種應該歡天喜地的事。所以我們便這樣高興，便
這樣喜歡。」像這個樣子看起來，日本戰勝俄國，是不是影響到亞洲
全部的民族呢？那個影響是不是很大呢？至於那次日本戰勝俄國的消
息，在東方的亞洲人聽到了，或者以為不大重要，不極高興。但是在
西方的亞洲人，和歐洲人毗連，朝夕相見，天天受他們的壓迫，天天
覺得痛苦，他們所受的壓迫，比較東方人更大，所受的痛苦，比較東
方人更深，所以他們聽到了那次戰勝的消息，所現出的高興，更比較
我們東方人尤甚。

（邦訳）三十年前までは、我らアジアの諸民族の考えは同じような
ものでした。欧州は文化が進んでおり、科学が進んでおり、工業製
造が進んでおり、武器が精良で兵力も厚く、アジアは及ばず、欧州
に抵抗できず、欧州の抑圧から逃げられず、永遠に欧州の奴隷にな
るしかないと思っていました。三十年前のこの思想は非常に悲観的
でした。日本が不平等条約を廃止し独立国家になった直後は、日本
に近い諸民族と国家は大きな影響を受けましたが、その影響は全ア
ジアに広がり全アジアがその震撼を感じるにはまだ至っていません
でした。更に十年経ち、日露戦争が起き、日本はロシアに勝利し、
日本人はロシア人に勝利しました。アジアの民族がここ数百年で初
めて欧州人に戦勝したのです。この結果はすぐに全アジアに知れ渡
りました。アジア中の諸民族は驚き喜び大いなる希望が生まれまし
た。私が直接見聞したことを皆さんに話したいのです。日露戦争開
始のその年、私は欧州にいました。ある日、東郷大将がロシアの海
軍を破り、欧州からウラジオストクに移動したロシアの艦隊を日本
海で殲滅したと聞きました。このニュースが欧州に伝わったときに、

全欧州人は両親が死んだかのように憂い悲しみました。英国は日本の同盟国でしたが、このニュースを聞いて大多数の英国人は日本のこの勝利は白人にとって吉報とは思えず首を横に振りました。英語では「血は水よりも濃し」と言います。そのあと、私は船で欧州からアジアに戻る途中、スエズ運河を通るときに、いろんな人が私のところに来ました。恐らくアラビア人で黄色人種の私を見て嬉しそうに「君は日本人か」と聞いてきました。私が「いいえ、中国人です。なぜそんなに嬉しそうなのですか」と返すと、先方は「極めて喜ばしいニュースがありました。欧州から移動したロシア海軍を日本が殲滅したと聞きましたが、それは本当ですか。私たちは運河の両岸に住んでおり、ロシアの負傷した兵士が次から次へと欧州に搬送される様子を見ています。これはきっとロシアが負けたからでしょう。以前は私たち東洋の有色民族はいつも西洋人から抑圧され、いつも苦しみ、その状態はもう変えようがないと思っていました。今回、日本がロシアを破り、東洋の民族が西洋の民族に勝ちました。日本人の勝利を私たちは自分の勝利のように歓喜し喜んだのです」と語りました。このように、日本がロシアに勝ったことはアジアの全民族に影響を与えたのでしょうか、その影響は大きいのでしょうか。東洋にいるアジア人はこのニュースを聞いてそれほど重要ではなく、それほど喜んでいないのかもしれませんが、西洋にいるアジア人は欧州人と頻繁に接していて毎日その抑圧を受けていて毎日苦痛を感じています。その抑圧は東洋人より大きくその苦痛は東洋人より更に深いので、日本の戦勝のニュースに接した彼らの嬉しさと喜びは東洋人より更に大きいものがあります。

　　從日本戰勝俄國之日起，亞洲全部民族便想打破歐洲，便發生獨立的運動。所以埃及有獨立的運動，波斯、土耳其有獨立的運動。阿富汗、阿拉伯有獨立的運動，印度也從此生出獨立的運動。所以日本戰勝俄國的結果，便生出亞洲民族獨立的大希望。這種希望從發生之日起，一直到今日不過二十年，埃及的獨立便成了事實，土耳其的完全獨立也成了事實，波斯、阿富汗和阿拉伯的獨立，也成了事實。

就是最近印度的獨立運動，也是天天發達。這種獨立的事實，便是亞
洲民族思想在最近進步的表示。這種進步的思想發達到了極點，然後
亞洲全部的民族才可聯絡起來，然後亞洲全部民族的獨立運動，才可
以成功。近來在亞洲西部的各民族，彼此都有很親密的交際，很誠懇
的感情，他們都可以聯絡起來。在亞洲東部最大的民族，是中國與日
本，中國同日本，這是這種運動的原動力。這種原動力發生了結果之
後，我們中國人此刻不知道，你們日本人此刻也是不知道，所以中國
同日本現在還沒有大聯絡，將來潮流所趨，我們在亞洲東方的各民族，
也是一定要聯絡的。東西兩方民族之所以發生這種潮流，和要實現這
種事實的原故，就是要恢復我們亞洲從前的地位。

（邦訳）日本がロシアに勝ったその日から、アジアの各民族は自分
も欧州に勝ちたいと思い、独立運動を起こしました。エジプトでも
ペルシアでもトルコでもアフガニスタンでもアラビアでも独立運動
が起きています。インド人も独立運動を始めました。従って、日本
がロシアに勝った結果、アジアの民族独立に大きな希望をもたらし
ました。そこから二十年、エジプトの独立は現実となりました。ト
ルコの完全独立も現実となりました。アフガニスタンとアラビアの
独立も現実となりました。最近インドの独立運動も毎日のように前
進しています。近年アジア西の各民族は互いに親密な交流があり、
誠な懇意を持って連携しあっています。アジア東部にある最大の民
族は中国と日本であり、中国と日本はこの種の運動の原動力です。
我々中国人はこのことを知らず、あなたがた日本人もこのことを知
らないために、中国と日本は現在まだ連携しておらず、時代の流れ
が赴くように、我々アジア東部にある各民族は連携しあいましょう。
なぜアジアの東西にある各民族にそのような流れができるかは、
我々アジアが従前の地位を回復したいという願いがあるからです。

　　這種潮流在歐美人看到是很清楚的，所以美國便有一位學者，曾
做一本書，專討論有色人種的興起。這本書的內容是說日本打敗俄國，
就是黃人打敗白人，將來這種潮流擴張之後，有色人種都可以聯絡起
來和白人為難，這便是白人的禍害，白人應該要思患預防。他後來更

做了一本書，指斥一切民族解放之事業的運動，都是反叛文化的運動。照他的主張，在歐洲的民眾解放運動，固然是當作文化的反叛，至於亞洲的民眾解放運動，更是應該當作反叛事業。這種思想在歐美一切特殊階級的人士，都是相同的。所以他們用少數人既是壓制了本洲和本國的多數人，更把那種流毒推廣到亞洲，來壓制我們九萬萬民族，要我們九萬萬的大多數，做他們少數人的奴隸，這真是非常的慘酷，真是可惡已極。而這位美國學者的論調，還以為亞洲民族有了感覺，便是對於世界文化的反叛，由此便可見歐洲人自視為傳授文化的正統，自以文化的主人翁自居，在歐洲人以外的，有了文化發生，有了獨立的思想，便視為反叛；所以用歐洲的文化和東洋的文化相比較，他們自然是以歐洲的文化，是合乎正義人道的文化，以亞洲的文化，是不合乎正義人道的文化。

（邦訳）この流れは欧米人にははっきりと見えています。米国にはある学者がいて、有色人種の台頭に関する本を書きました。その本は、日本がロシアを破ったこと、すなわち、黄色人が白人を破ったこと、この流れが発展すると、有色人種は連携しあい白人と争うことになり、これは白人の災いとなるので白人は防御しなければならないと書いています。彼はその後に別の本を書いて、全ての民族解放運動は文明への反逆であり、その主張によれば欧州の民衆による解放運動が文明への反逆であり、アジアの民衆による解放運動は更に文明への反逆となるとと断罪しています。このような思想は欧米の支配階級には共通していて、彼らは少数ながら自大陸、自国の多数の民衆を抑圧するだけでなく、そのような毒をアジアに広め、我々九億人を擁する諸民族、九億人の民衆を彼らの奴隷となるように抑圧します。これは極めて残酷で極めつけの悪です。この米国の学者の論調でいけば、アジアの各民族は自覚するだけで文明への反逆となり、欧州人は自分こそが正統な文明の伝授者であると、文明の主人公を自認し、欧米人以外が文明を主張し、独立思想を持つだけで反逆であると考えています。欧州の文明と東洋の文明を比較して、彼らは欧州の文明が正義と人道の文明だと考え、アジアの文明は正義と人道の文明とは考えないのです。

246

　專就最近幾百年的文化講：歐洲的物質文明極發達，我們東洋的
這種文明不進步。從表面的觀瞻比較起來，歐洲自然好於亞洲；但是
從根本上解剖起來，歐洲近百年是甚麼文化呢？是科學的文化。是注
重功利的文化。這種文化應用到人類社會，只見物質文明，只有飛機
炸彈，只有洋槍大砲，專是一種武力的文化。歐洲人近有專用這種武
力的文化來壓迫我們亞洲，所以我們亞洲便不能進步。這種專用武力
壓迫人的文化，用我們中國的古話說就是「行霸道」，所以歐洲的文
化是霸道的文化。但是我們東洋向來輕視霸道的文化。還有一種文化，
好過霸道的文化，這種文化的本質，是仁義道德。用這種仁義道德的
文化，是感化人，不是壓迫人；是要人懷德，不是要人畏威。這種要
人懷德的文化，我們中國的古話就說是「行王道」。所以亞洲的文化，
就是王道的文化。自歐洲的物質文明發達，霸道大行之後，世界各國
的道德，便天天退步。就是亞洲，也有好幾個國家的道德，也是很退
步。近來歐美學者為留心東洋文化，也漸漸知道東洋的物質文明，雖
然不如西方，但是東洋的道德，便比西方高得多。

（邦訳）ここ数百年の文化について言えば、欧州の物質的文明は極
めて発達し、我々東洋は物質的文明で遅れをとっています。表面的
に見れば欧州はアジアより優れています。しかし、もっと根本を解
剖すると、欧州のここ数百年の文化はいかなるものだろうか。科学
の文化であり功利を重視する文化であります。この種の文化を人類
社会に適用すると、物質だけの文明であり、戦闘機、爆弾、鉄砲の
文化であり、武力の文化であります。欧州人はこの種の武力の文化
で我々アジアを抑圧しているのでアジアはなかなか進歩できないで
います。武力で他人を抑圧する文化は中国の古い言い方で言えば
「覇道を行く」のであります。従って欧州の文化は覇道の文化であ
ります。一方、我々東洋は昔から覇道の文化を軽蔑していました。
覇道の文化より良い文化があります。その文化の本質は仁義と道徳
であります。仁義と道徳の文化は人を感化するものであり、人を抑
圧しません。仁徳を感じさせるもので畏敬を感じさせるものではあ
りません。この人徳を感じさせる文化は中国の古い言い方で言えば
「王道を行く」のであります。従ってアジアの文化は王道の文化で

あります。欧州の物質的文明が発達して覇道が闊歩して以来、世界各国の道徳が日に日に後退しています。我々アジアにおいても、いくつかの国で道徳が後退しました。近年欧米の学者は東洋の文化に注目し、東洋の物質文明が西洋に及ばないものの、東洋の道徳は西洋より高いことを少しずつ理解するようになってきました。

　　用霸道的文化和王道的文化比較起來說，究竟是那一種有益於正義和人道，那一種是有利於民族和國家，諸君可以自己證明。我也可以舉一個例子來說明：譬如從五百年以前以至兩千年以前，當中有一千多年，中國在世界上是頂強的國家，國家的地位，好像現在的英國、美國一樣。英國、美國現在的強盛，還是列強；中國從前的強盛，是獨強。中國當獨強時候，對於各弱小民族和各弱小國家是怎麼樣呢？當時各弱小民族和各弱小國家對於中國又是怎麼樣呢？當時各弱小民族和國家，都是拜中國為上邦，要到中國來朝貢，要中國收他們為藩屬，以能夠到中國來朝貢的為榮耀，不能到中國朝貢的是恥辱。當時來朝貢中國的，不但是亞洲各國，就是歐洲西方各國，也有不怕遠路而來的。中國從前能夠要那樣多的國家和那樣遠的民族來朝貢，是用甚麼方法呢？是不是用海陸軍的霸道，強迫他們來朝貢呢？不是的。中國完全是用王道感化他們，他們是懷中國的德，甘心情願，自己來朝貢的。他們一受了中國王道的感化，不只是到中國來朝貢一次，並且子子孫孫都要到中國來朝貢。這種事實，到最近還有證據。譬如在印度的北方，有兩個小國：一個叫做布丹，一個叫做尼泊爾。那兩個國家雖然是小，但是民族很強盛，又很強悍，勇敢善戰。尼泊爾的民族，叫做廓爾喀，尤其是勇敢善戰。現在英國治印度，常常到尼泊爾去招廓爾喀人當兵來壓服印度，英國能夠滅很大的印度，把印度做殖民地，但是不敢輕視尼泊爾，每年還要津貼尼泊爾許多錢，才能派一個考查政治的駐紮官。像英國是現在世界上頂強的國家，尚且是這樣恭敬尼泊爾，可見尼泊爾是亞洲的一個強國。尼泊爾這個強國對於英國是怎麼樣呢？英國強了一百多年，英國滅印度也要到一百多年，尼泊爾和英國的殖民地，密邇連接有這樣的久，不但是不到英國去進貢，反要受英國的津貼。至於尼泊爾對於中國是怎麼樣呢？中國的國

家地位現在一落千丈，還趕不上英國一個殖民地，離尼泊爾又極遠，當中還要隔一個很大的西藏，尼泊爾至今還是拜中國為上邦。在民國元年還走西藏到中國來進貢，後來走到四川邊境，因為交通不方便，所以沒有再來。就尼泊爾對於中國和英國的區別，諸君看是奇怪不奇怪呢？專拿尼泊爾民族對於中國和英國的態度說，便可以比較中國的東方文明和英國的西方文明。中國國勢雖然是衰了幾百年，但是文化尚存，尼泊爾還要視為上邦。英國現在雖然是很強盛，有很好的物質的文明，但是尼泊爾不理會。由此便可知尼泊爾真是受了中國的感化，尼泊爾視中國的文化，才是真文化；視英國的物質文明，不當作文化，只當作霸道。

（邦訳）覇道の文化と王道の文化を比較した場合、どちらが正義と人道に有益か、どちらが民族と国家に有利か、皆さん自身が証明できます。私も一つの例を取りあげて説明します。五百年前ないし二千年前は一千年以上にわたって中国は世界最強の国家でした。その地位は今の英国や米国と同じでした。英国や米国の今の強盛は列強ですが、中国の従前の強盛は一強でした。中国が一強であったときに各弱小民族と各弱小国家に対してどう対したか、そして、各弱小民族と各弱小国家は中国に対してどう対したか。当時の各弱小民族と国家は中国を上邦とみなし、彼らが中国の藩属国となれるように中国へ朝貢に来ました。中国への朝貢を栄誉とし、中国に朝貢できないことを恥辱としました。当時、中国へ朝貢に来たのはアジアの国だけでなく欧州から遠路はるばる来た国もありました。中国がそれだけ多くの国家とそれだけ遠い民族から朝貢させた方法は何でしょうか。海軍陸軍の覇道でもって彼らを強制させたでしょうか。いいえ、中国は完全に王道でもって彼らを感化させたのです。彼らは中国の徳を敬い、自らの心と気持ちに従って朝貢に来ました。彼らは中国の王道の感化を受けると、一回の朝貢だけでなく子々孫々も朝貢に来続けました。このような事実は最近も証拠があります。インドの北側に二つの小国があります。一つはブータン、もう一つはネパールです。この二つの国家は小さいにも関わらず民族が強盛であり、強悍かつ勇敢、戦争に強い。ネパールの民族はグルカと言

い、特に勇敢善戦です。今、英国がインドを治めるのにネパールに行ってグルカ兵を募ってインドを制圧しています。英国のような世界最強の国でもネパールに対して恭敬しているのはネパールがアジアの強国であることを示しています。強国であるネパールは英国に対してどのように接していますか。英国は強くなって百年以上経ち、英国はインドを滅ぼしてからも百年以上経ち、ネパールと英国の植民地が長い付き合いを有しますが、ネパールは英国に朝貢に行かないだけでなく英国からお金を支払われています。そして、ネパールは中国に対してどうか。中国の国家としての地位は地に落ちて、英国の植民地にすら及びませんが、遠くにあるネパールは今でも中国を上邦としています。民国元年（1911年）に朝貢に来ようとして、チベットを通り、四川の手前まで到達しましたが、交通が不便で途中で引き返しました。中国と英国に対するネパールのこの違いを皆さんは可笑しいと思いませんか。中国と英国に対するネパール民族の態度は、中国の東洋文明と英国の西洋文明の比較を表しています。中国の国力はこの数百年衰退していますが、文化はなお生き続けており、ネパールはなお中国を上邦とみなしています。英国は今強盛であり、高い物質的文明がありますが、ネパールはそれを気にしていません。このことからネパールは真に中国の感化を受け、中国の文化を真の文化とみなしており、英国の物質文明を真の文化とみなさず覇道とみなしています。

　我們現在講大亞洲主義，研究到這個地步，究竟是甚麼問題呢？簡而言之，就是文化問題，就是東方文化和西方文化的比較和衝突問題。東方的文化是王道，西方的文化是霸道；講王道是主張仁義道德，講霸道是主張功利強權；講仁義道德，是由正義公理來感化人；講功利強權，是用洋槍大砲來壓迫人。受了感化的人，就是上國衰了幾百年，還是不能忘記，還像尼泊爾至今是甘心情願要拜中國為上邦；受了壓迫的人，就是上國當時很強盛，還是時時想脫離，像英國征服了埃及，滅了印度，就是英國極強盛，埃及、印度還是時時刻刻要脫離英國，時時刻刻做獨立的運動。不過處於英國大武力壓制之下，所以

一時不能成功。假若英國一時衰弱了，埃及、印度不要等到五年，他們馬上就要推翻英國政府，來恢復自己的獨立地位。諸君聽到這裏，當然可知道東西文化的優劣。我們現在處於這個新世界，要造成我們的大亞洲主義，應該用甚麼做基礎呢？就應該用我們固有的文化做基礎，要講道德，說仁義；仁義道德就是我們大亞洲主義的好基礎。我們有了這種好基礎，另外還要學歐洲的科學，振興工業，改良武器。不過我們振興工業，改良武器，來學歐洲，並不是學歐洲來銷滅別的國家，壓迫別的民族的，我們是學來自衛的。

（邦訳）我々が今語る大アジア主義は、ここまで研究してきて、一体何が問題なのでしょうか。端的に言うと文化の問題です。東洋文化と西洋文化の比較と衝突の問題です。東洋の文化は王道、西洋の文化は覇道。王道とは仁義と道徳を主張し、覇道は功利と強権を主張します。仁義と道徳は正義公正で人を感化させ、功利と強権は鉄砲で他国を抑圧します。感化された人は、ネパールが今も中国を上邦とみなすように、上邦が衰退して数百年経ってもなお忘れません。抑圧を受けた人はたとえ上の国が当時強盛であっても離脱を図ります。英国はエジプトを征服し、インドを滅ぼしましたが、たとえ英国が強くても、エジプトやインドは英国を離れようとし時々独立運動を起こします。英国が強大な武力をもって抑えているために独立は一時的に成功していないだけです。ある日英国が弱まるとエジプトもインドも五年経たないうちに英国人の政府をひっくり返し自分らの独立を回復するでしょう。諸君はここまで聞いて、当然東西文化の優劣を理解されたのでしょう。我々は今現在この新しい世界において、我々の大アジア主義を実現しようとすると、何にその基礎を置くべきでしょうか。我々の固有の文化に基礎を置き、道徳と仁義を説きます。仁義道徳は我々大アジア主義の良い基礎となります。我々はこのような良い基礎があり、その上で欧州の科学を学び、工業を振興し、武器を改良します。ただし、我々は欧州から学び工業を振興し武器を改良するのは欧州のように他の国家を消滅させ他の民族を抑圧するのではなく自衛するだけです。

　　近來亞洲國家學歐洲武功文化，以日本算最完全。日本的海軍製造，海軍駕駛，不必靠歐洲人。日本的陸軍製造，陸軍運用，也可以自己作主。所以日本是亞洲東方一個完全的獨立國家。我們亞洲還有個國家，當歐戰的時候，曾加入同盟國的一方面，一敗塗地，已經被人瓜分了，在歐戰之後又把歐洲人趕走。現在也成了一個完全獨立國家，這個國家就是土耳其。現在亞洲只有兩個頂大的獨立國家：東邊是日本，西邊是土耳其。日本和土耳其，就是亞洲東西兩個大屏障。現在波斯、阿富汗、阿拉伯也起來學歐洲，也經營了很好的武備，歐洲人也是不敢輕視那些民族的。至於尼泊爾的民族，英國人尚且不敢輕視，自然也有很好的武備。中國現在有很多的武備，一統一之後，便極有勢力。我們要講大亞洲主義，恢復亞洲民族的地位，只用仁義道德做基礎，聯合各部的民族，亞洲全部民族便很有勢力。

（邦訳） 近年、アジアが欧州から武功文化を学ぶのは日本が一番徹底しています。日本の海軍製造、海軍運営は欧州人には頼りません。日本の陸軍製造、陸軍運営も自分だけでできています。それができているから日本は東アジアの完全独立国家となりました。我々アジアのもう一つの国家はトルコで、欧州で戦争が起きたときに片方の同盟に入っていて完敗し、他国によって分割され、欧州から追い出されましたが、今は完全な独立国家になっています。アジアには大きな独立国はこの二つしかありません。東は日本、西はトルコ。日本とトルコはアジアの東と西にある二つの防波堤です。現在、ペルシア、アフガニスタン、アラビアも欧州から学んでそれなりの武器を持つようになりました。欧州人はこれらの民族を軽く見ることができません。また、ネパールの民族も軍備があり英国人は彼らを軽く扱うことができません。中国も現在武器を多く持っており、統一さえすれば大きな勢力となります。我々は大アジア主義を説き、アジア民族の地位を回復し、仁義と道徳を基礎としてアジアの各民族を連合すれば、アジアの各民族はきっと大きな勢力となります。

　　不過對於歐洲人，只用仁義去感化他們，要請在亞洲的歐洲人，都是和平的退回我們的權利，那就像與虎謀皮，一定是做不到的。我

們要完全收回我們的權利，便要訴諸武力。再說到武力，日本老早有了很完備的武力，土耳其最近也有了很完備的武力，其他波斯、阿富汗、阿拉伯、廓爾喀各民族，都是向來善戰的。我們中國人數有四萬萬，向來雖然愛和平，但是為生死的關頭也當然是要奮鬥的，當然有很大的武力。如果亞洲民族全聯合起來，用這樣固有的武力，去和歐洲人講武——一定是有勝無敗的！更就歐洲和亞洲的人數來比較，中國有四萬萬人，印度有三萬萬五千萬，緬甸、安南、木蘭由共起來有幾千萬，日本一國有幾千萬，其他各弱小民族有幾千萬，我們亞洲人數佔全世界的人數要過四分之二。歐洲人數不過是四萬萬，我們亞洲全部的人數有九萬萬。用四萬萬人的少數來壓迫九萬萬人的多數，這是和正義人道大不相容的；反乎正義人道的行為，終久是要失敗的。而且在他們四萬萬人之中，近來也有被我們感化了的。所以現在世界文化的潮流，就是在英國、美國有少數人提倡仁義道德；至於在其他各野蠻之邦，也是有這種提倡。由此可見西方之功利強權的文化，便要服從東方之仁義道德的文化。這便是霸道要服從王道，這便是世界的文化，日趨於光明。

（邦訳）欧州人に対して仁義で彼らを感化させ、我々の権利を平和的に返してくれるようアジアに来た欧州人に求めることは、トラに向かってその皮をくれと持ちかけるが如く、無理な相談です。我々が我々の権利を完全に回復するには武力に訴えるしかありません。武力で言えば、日本は既に完備な武力を持っています。トルコも完備な武力を最近持ちました。ペルシア、アフガニスタン、アラビア、グルカの諸民族も前から善戦しています。我々中国人は四億人、昔から平和を愛していますが、生死に際して当然戦わなければならず当然強大な武力を持たなければなりません。アジアの各民族が連合し、固有の武力をもって欧州人と戦えば必ずと勝利します。人数でいえば、中国には四億人、インドには三億五千万人、ビルマ、ベトナム、東南アジアは合わせて数千万人、日本一国だけで数千万人、他にも弱小民族もあり合わせて数千万人、我々アジア人は数では世界の四分の二以上を占めます。欧州人は合わせても四億人を過ぎませんが我々アジア人は九億人もあります。四億人で九億人の多数を

抑圧するのは正義人道と相容れません。正義人道に反する行為は必ず失敗します。更に彼らの四億人の中には我々に最近感化された人もいます。世界の文化の潮流は英国や米国でも仁義と道徳を提唱する少数の人もいます。その他の欧米諸国にもこのような提唱があります。ここから見えるのは、西洋の功利と強権の文化は東洋の仁義と道徳の文化に服従していくことです。これはまさに覇道が王道に服従し、世界の文化は益々明るくなるのです。

現在歐洲有一個新國家，這個國家是歐洲全部白人所排斥的，歐洲人都視他為毒蛇猛獸，不是人類，不敢和他相接近，我們亞洲也有許多人都是這一樣的眼光。這個國家是誰呢？就是俄國。俄國現在要和歐洲的白人分家，他為甚麼要這樣做呢？就是因為他主張王道，不主張霸道；他要講仁義道德，不願講功利強權；他極力主持公道，不贊成用少數壓迫多數。像這個情形，俄國最近的新文化便極合我們東方的舊文化，所以他便要來和東方攜手，要和西方分家。歐洲人因為俄國的新主張，不和他們同調，恐怕他的這種主張成功，打破了他們的霸道，故不說俄國是仁義正道，反誣他是世界的反叛。

（邦訳）現在、欧州に新しい国家が一つできました。この国は欧州中の白人から排斥され、人間ではなく毒蛇猛獣のように見られ、誰も近づこうとせず、アジアの中でも同じように見る人たちがいます。その国はロシアです。ロシアは欧州の白人と決別しようとしています。それはなぜか。彼らは王道を主張し、覇道を主張しないからです。彼らは仁義と道徳を説き、功利と強権をやめようとしています。彼らは公道を主張し、少数が多数を抑圧することに賛成しません。このような状況でロシアの新しい文化は我々アジアの古い文化に非常に合います。従って彼らは我々と手を携えて西洋と決別しようとしています。欧州人はロシアの新しい主張が彼らに同調せず、この主張が成功すれば彼らの覇道を打破することになることを恐れ、ロシアの主張が仁義と正道ではなく逆に世界の反逆だと批判しています。

　我們講大亞洲主義，研究到結果，究竟要解決甚麼問題呢？就是為亞洲受痛苦的民族，要怎麼樣才可以抵抗歐洲強盛民族的問題。簡而言之，就是要為被壓迫的民族來打不平的問題。受壓迫的民族，不但是在亞洲專有的，就是在歐洲境內，也是有的。行霸道的國家，不只是壓迫外洲同外國的民族，就是在本洲本國之內，也是一樣壓迫的。我們講大亞洲主義，以王道為基礎，是為打不平。美國學者對於一切民眾解放的運動，視為文化的反叛，所以我們現在所提出來打不平的文化，是反叛霸道的文化，是求一切民眾和平等解放的文化。你們日本民族既得到了歐美的霸道的文化，又有亞洲王道文化的本質，從今以後對於世界文化的前途，究竟是做西方霸道的鷹犬，或是做東方王道的干城，就在你們日本國民去詳審慎擇。

　（邦訳）我々が大アジア主義を論じ、ここまで研究してきて、どんな問題を解決しようとしているか。それはすなわち、苦難を強いられているアジアの各民族がどうすれば欧州の強盛民族に抵抗できるかの問題であります。簡単に言うと、抑圧を受けている民族のために正義を正す問題です。抑圧される民族はアジアにあるだけでなく欧州内にもあります。覇道を行く国家は他の大陸や他の国の民族を抑圧するだけでなく自大陸自国内でも抑圧します。我々の大アジア主義は王道を基礎とし正義を正します。米国の学者が民衆解放の運動を全て文化の反逆としていますが、我々が今提起している正義を正す文化は正に覇道に反逆する文化であり、民衆の平和を求める解放の文化です。あなたがた日本民族には既に欧米の覇道の文化があり、また、アジアの王道の文化の本質を有し、今後世界の文化の未来において、西洋の覇道の鷹犬となるか、それとも、東洋の王道を守る盾と城壁となるか、それはあなたがた日本の国民が慎重に考え選ぶことです。

著者 立命館大学教授 徐 剛（じょ ごう）

中国江蘇省生まれ。中国の大学を卒業後に1983年に大阪大学に留学。博士号取得後に大阪大学助手、講師。1996年に立命館大学助教授、2001年に同教授。その間、ハーバード大学、マイクロソフト研究所、東京大学等で客員研究員。1998年に3次元ビジョンに関する日本語の最初の教科書を出版。2000年に大学発ベンチャー「Kyoto Robotics」を起業、3次元ビジョンと知能ロボットの製品開発と市場開拓を牽引。20年間社長を務めたあと、2021年に日立製作所に同社を譲渡。その間、ロボット大賞、ロジスティクス大賞、産官学連携功労者表彰・経済産業大臣賞、Japan Venture Award、J-Startup などを受賞。2022年、今後の人生を東アジア主義者として送ることを決定。

The Duan Press

東亜（運命）共同体

西洋文明の停滞 中華文明の平和的再興 日本の「脱欧返亜」

2023年9月1日 初版第1刷発行
著 者 徐 剛（じょ ごう）
発行者 段 景子
発売所 日本僑報社
〒171-0021 東京都豊島区西池袋3-17-15
TEL03-5956-2808　FAX03-5956-2809
info@duan.jp
http://jp.duan.jp
e-shop「Duan books」
https://duanbooks.myshopify.com/

ISBN 978-4-86185-334-0　C0036

この本のご感想を
お待ちしています!

本書をお買い上げいただき、誠にありがとうございます。
本書へのご感想・ご意見を編集部にお伝えいただけま
すと幸いです。下記の読者感想フォームよりご送信く
ださい。
なお、お寄せいただいた内容は、今後の出版の参考に
させていただくとともに、書籍の宣伝等に使用させて
いただく場合があります。

日本僑報社 読者感想フォーム

http://duan.jp/46.htm

- -

日本僑報電子週刊 メールマガジン 登録無料

http://duan.jp/cn/chuyukai_touroku.htm

中国関連の最新情報や各種イベント情
報などを、毎週水曜日に発信しています。

- -

日本僑報社ホームページ http://jp.duan.jp

日本僑報社e-shop
中国研究書店 DuanBooks
https://duanbooks.myshopify.com/